Julie Garwood

CASTILLOS

Traducción de
Edith Grandiccelli

CISNE

Título original: *Castles*

Primera edición en Debolsillo: noviembre, 2011

© 1993, Julie Garwood
© 2005, Random House Mondadori, S. A.
   Travessera de Gràcia, 47-49. 08021 Barcelona
© Edith Grandiccelli, por la traducción, a quien la editorial
   reconoce la titularidad de los derechos de reproducción
   y su derecho a percibir los royalties que pudieran
   corresponderle

Printed in Spain – Impreso en España

ISBN: 978-84-9989-283-2 (vol. 54/6)
Depósito legal: B- 33423-2011

Compuesto en Comptex & Ass., S. L.

Impreso en Novoprint, S. A.
Energia, 53. Sant Andreu de la Barca (Barcelona)

M 9 9 2 8 3 2

Para Sharon Felice Murphy,
alguien que sabe escuchar,
fuente de inspiración y motivo de dicha.
¿Qué haría sin ti?

PRÓLOGO

Inglaterra, 1819

Él era un auténtico asesino de mujeres.

La muy ingenua jamás tuvo ni una sola oportunidad. Nunca se dio cuenta de que la acechaban, nunca adivinó las verdaderas intenciones de su admirador secreto.

Él creía haberla matado con amabilidad. Se sentía orgulloso de ese logro. Pudo haber sido cruel. No lo fue. La devastadora necesidad que ardía en su interior exigía inmediata satisfacción, y aunque las imágenes eróticas de tortura lo excitaban de una manera febril, se negó a someterse a sus impulsos primitivos. Después de todo, era un hombre, no un animal. Buscaba una gratificación personal, y esa mujerzuela merecía morir, a pesar de que en esa situación se mostrara compasivo. Fue muy amable y considerado.

Después de todo, ella murió con una sonrisa. Deliberadamente, él la tomó por sorpresa justo en ese momento, de modo que solo alcanzó a ver el horror una décima de segundo en sus ojos castaños de cordero indefenso, antes de que todo terminara. Y entonces trató de calmarla con un canturreo suave, como cualquier buen amo habría *hecho con su mascota herida. Mientras la estrangulaba, le hizo escuchar el sonido de su compasión. No dejó de tararear su canción condolente hasta que terminó con su crimen, hasta que supo que ella ya no podría escucharlo.*

Fue piadoso. Aun cuando estuvo seguro de que estaba muerta, le echó la cabeza hacia un lado para que no viera que se permitía una sonrisa. En realidad, quería reír a carcajadas, aliviado, porque todo había terminado, y satisfecho, porque ella se había ido tan bien. Pero no se atrevió a emitir sonido alguno. En el fondo de su corazón, intuía que un comportamiento tan indigno lo haría aparecer como un monstruo más que como un hombre y, ciertamente, no era un monstruo. No, no, no odiaba a las mujeres. Las admiraba —bastante— y con las que consideraba rescatables, no era ni cruel ni descorazonado.

Sin embargo, era terriblemente inteligente. No había nada de vergonzoso en admitir esa verdad. La persecución había sido estimulante, aunque del principio al fin él podía predecir cada una de sus reacciones. Claro que la vanidad femenina había estado muy a su favor. Era una inocente mujerzuela que se consideraba muy astuta —un peligroso concepto erróneo—, y él fue quien le demostró que su perspicacia superaba en mucho a la de ella y a la de las demás de su clase.

Al elegir las armas, hubo una ironía muy dulce. En un principio, pensó en matarla con su daga. Quería sentir que la afilada hoja se hundía profundamente en su carne y que la sangre caliente fluía, incontenible, sobre sus manos, cuando la apuñalara una y otra vez. Degüella a la gallina, degüella a la gallina. *Esa orden se repitió indefinidamente en su memoria. Sin embargo, no la obedeció, porque todavía era más fuerte que su voz interior, y al instante, decidió no usar la daga. Ella llevaba alrededor del cuello el collar de diamantes que él le ha-*

bía regalado. Lo tomó y comenzó a estrangularla para arrancarle la vida con ese elemento tan simple y costoso. Pensó que esa arma era más adecuada. A las mujeres les encantaban los collares, y ese más que ninguno. Hasta consideró enterrar la joya con ella. Pero mientras esparcía la cal que había recogido de los acantilados sobre el cadáver para acelerar la putrefacción, cambió de idea y se metió el collar en el bolsillo.

Se alejó de la tumba sin volver la vista atrás ni una sola vez. No sentía remordimientos ni culpa. Ella le había servido bien y, por ello, estaba contento.

Una niebla espesa cubría el suelo. No advirtió que le había quedado cal en las botas hasta que llegó al camino principal. Tampoco le preocupó el hecho de que sus nuevas botas wellington pudieran haberse estropeado para siempre. Nada empañaría la dicha de la victoria. Sentía que se había quitado un gran peso de encima. Pero también había algo más: otra vez experimentaba esa excitación, esa magnífica euforia que había vivido cuando tuvo sus manos sobre ella... Oh, sí. Esta fue mejor que la última.

Ella lo había hecho sentir vivo otra vez. Nuevamente, el mundo aparecía rosa ante sus ojos, con muchas opciones para un hombre tan viril y fuerte como él.

Sabía que se nutriría de los recuerdos de esa noche durante mucho, mucho tiempo. Y luego, cuando el hechizo comenzara a debilitarse, saldría nuevamente de cacería.

1

La madre superiora María Felicidad siempre había creído en los milagros, pero, a lo largo de sus sesenta y siete años en esta dulce tierra, jamás había sido testigo de ninguno, hasta aquel día helado de febrero de 1820, cuando llegó la carta de Inglaterra.

En un principio, la madre superiora tuvo miedo de creer en las benditas novedades. Temía que todo se tratase de una mala jugada del diablo para alimentar en ella falsas esperanzas que luego se derrumbarían como castillos de hielo. Pero después de haber contestado debidamente la misiva y de recibir una segunda confirmación con el sello del duque de Williamshire y todo, no le quedó más remedio que aceptar el obsequio por lo que realmente era.

Un milagro.

Por fin se quitarían de encima a esa diablilla. La madre superiora compartió las noticias con las otras monjas la mañana siguiente durante los maitines. Por la noche, lo celebraron con sopa de pato y pan negro recién sacado del horno. Sor Raquel estaba tan feliz que recibió reprimendas por partida doble por haberse reído a carcajadas durante las vísperas.

La diablilla —o, mejor dicho, la princesa Alesandra— tuvo que presentarse en el despacho de la madre superiora la tarde siguiente. Mientras le informaban de que partiría del convento, sor Raquel estaba muy atareada preparándole el equipaje.

La madre superiora estaba sentada en una silla de respaldo muy alto, detrás de un amplio escritorio, tan viejo y deteriorado como ella. Distraída, la monja jugueteaba con las pesadas cuentas de madera de su rosario, que colgaba a un costado de su hábito negro, mientras esperaba que su pupila reaccionara ante el anuncio.

La princesa Alesandra quedó patitiesa con la noticia. Apretó muy fuerte sus manos, en un gesto de gran nerviosismo, y mantuvo la cabeza gacha, para que la madre superiora no pudiera ver las lágrimas que habían acudido a sus ojos.

—Siéntate, Alesandra. No quiero hablar con la coronilla de tu cabeza.

—Como guste, madre. —Se sentó en el borde de la silla, irguió la espalda para complacer a la monja y puso una mano encima de la otra sobre la falda.

—¿Qué te parecen las noticias? —le preguntó la madre superiora.

—Fue por el fuego, ¿no, madre? Todavía no ha podido perdonarme eso.

—Tonterías —respondió la madre superiora—. Ya hace más de un mes que te he perdonado esa falta de sesera tuya.

—¿Fue sor Raquel la que la convenció de que me alejara de aquí? Ya le pedí disculpas y no tiene el rostro tan verde ahora.

La madre superiora meneó la cabeza. También frunció el entrecejo, porque Alesandra, sin darse cuenta, estaba repasando todos los problemas que había causado.

—No puedo entender de dónde has sacado la idea de que esa pasta repugnante serviría para eliminar las pecas. Pero sor Raquel estuvo de acuerdo con el experimento. No te culpa a ti... completamente —se apresuró a agregar para que la mentira que estaba diciendo no resultara un pecado tan capital ante los ojos de Dios—. Alesandra, yo no escribí a tu tutor pidiéndole que te marcharas de aquí. Él me escribió a mí. Aquí está la carta del duque de Williamshire. Léela y verás que te digo la verdad.

Cuando Alesandra extendió el brazo para tomar la misiva, la mano le tembló. Analizó rápidamente el contenido de la misma y se la devolvió.

—Te das cuenta de la urgencia, ¿verdad? Este general Iván al que tu tutor hace mención parece tener una reputación intachable. ¿Recuerdas haberlo conocido?

Alesandra meneó la cabeza.

—Visitó la casa de papá varias veces, pero yo era muy pequeña. No recuerdo haberlo conocido. ¿Por qué, en nombre del cielo, querría casarse conmigo?

—Tu tutor comprende los motivos del general —contestó la madre superiora. Tamborileó con las yemas de sus dedos sobre la carta—. Los súbditos de tu padre no te han olvidado. Aún sigues siendo su amada princesa. El general tiene idea de que, si se casa contigo, podrá hacerse cargo del reino con la aprobación de las masas. Es un plan muy inteligente.

—Pero yo no deseo casarme con él —murmuró Alesandra.

—Y tampoco lo desea tu tutor —dijo la superiora—. Pero cree que el general no aceptará un rechazo a su propuesta y que, de ser necesario, te llevará por la fuerza para asegurarse el éxito que busca. Esa es la razón por la que tu tutor desea que los guardias te acompañen en el viaje a Inglaterra.

—Yo no quiero irme de aquí, madre. De verdad, no quiero.

La angustia de la voz de Alesandra capturó el corazón de la madre superiora. En ese instante, se olvidó de todos los embrollos en los que había estado inmiscuida la princesa Alesandra durante los últimos años. La madre superiora recordó la vulnerabilidad y el terror de sus ojitos de niña, cuando ella y su enfermiza madre llegaron al convento. Alesandra se había comportado como una santa mientras su madre vivió. Era tan pequeña entonces —doce jóvenes años—. Su adorado padre había fallecido seis meses atrás. La niña había demostrado un tremendo valor. Asumió la enorme responsabilidad de cuidar de su madre día y noche. Pero no había posibilidad alguna de que la mujer se recuperara. La enfermedad había terminado con su cuerpo y su mente. Y cuando estuvo enloquecida de dolor, Alesandra se subió a su lecho para tomarla entre sus brazos. Así, meció a la frágil mujer incansablemente mientras le cantaba tiernas baladas con una voz angelical. El amor hacia su madre había sido una imagen dolorosamente bella. Cuando por fin aquella tortura diabólica terminó, la madre falleció en brazos de su hija.

Alesandra no permitió que nadie la consolara. Lloró durante las largas horas de la noche, sola en su celda, aunque las blancas cortinas que cerraban el pequeño receptáculo no pudieron callar los sollozos a los oídos de las novicias.

Su madre fue enterrada en el convento, detrás de la capilla, en una encantadora pradera bordeada de coloridas flores. La institución lindaba con el segundo hogar de la familia, Stone Haven, pero Alesandra ni siquiera iba allí de visita.

—Yo creía que me iba a quedar aquí para siempre —murmuró Alesandra.

—Debes ver esta situación como un dictado de tu destino —le aconsejó la madre superiora—. En tu vida se cierra un capítulo, pero está a punto de comenzar otro nuevo.

Alesandra volvió a bajar la cabeza.

—Yo quiero vivir todos los capítulos de mi vida aquí, madre. Si usted lo deseara, podría negarse al requerimiento del duque de Williamshire o podría cansarlo con correspondencia interminable hasta que se olvidara de mí.

—¿Y el general?

Alesandra ya había pensado en una respuesta para esa cuestión.

—No se atrevería a irrumpir en este santuario. Estoy a salvo siempre y cuando me quede aquí.

—Un hombre que tiene tanta sed de poder no se preocuparía en lo más mínimo por violar las leyes sagradas de un convento, Alesandra. No dudes que irrumpiría en este santuario. ¿Te das cuenta de que además estás sugiriéndome que engañe a tu querido tutor?

La monja denotó cierto reproche en su tono de voz al contestar a la superiora.

—No, madre —respondió Alesandra con un suspirillo, plenamente consciente de que esa era la respuesta que la monja quería escuchar—. Supongo que no sería correcto engañar...

El aire esperanzado de las palabras de la muchacha hizo que la madre superiora meneara la cabeza.

—No voy a complacerte. Aunque hubiera una razón válida...

Alesandra saltó entusiasmada ante la posibilidad.

—Oh, pero la hay —estalló. Aspiró profundamente y luego anunció—: He decidido ser monja.

El solo pensar que Alesandra podría unirse a su sagrada orden bastó para que la madre superiora sintiera escalofríos.

—Que el cielo nos ampare —musitó.

—Es por los libros, ¿verdad, madre? Usted quiere echarme de aquí por ese pequeño... incidente.

—Alesandra...

—Solo hice el segundo juego de libros para que el banquero le otorgara el préstamo. Usted se negó a usar mi dinero y yo sabía cuánto necesitaba esos fondos para construir la nueva capilla... por lo del fuego y todo eso. Y le dieron el crédito por fin, ¿no? Seguramente, Dios me ha perdonado la mentirijilla piadosa. Además, Él debe de haber querido que yo alterara esos números en nuestro beneficio o, de lo contrario, no me habría dado tanta inteligencia para los cálculos. ¿No lo cree así, madre? En el fondo de mi corazón, sé que Él me ha perdonado por esa pequeña trampa que hice.

—¿Trampa? Creo que la palabra correcta es latrocinio —gruñó la madre superiora.

—No, madre —la corrigió Alesandra—. Latrocinio significa robo, y yo no he robado nada. Simplemente, he corregido algunas cifras.

El feroz modo con el que la madre superiora frunció el entrecejo le indicó que no debió haberla contradicho, ni sacar el tan reciente tema de la contabilidad falsa.

—En cuanto a lo del fuego...

—Madre, ya he confesado mi pesar por ese desgraciado error —comentó Alesandra de inmediato. Se apresuró a cambiar de tema, antes de que la religiosa se pusiera furiosa otra vez—. He hablado muy en serio cuando le dije que quería convertirme en monja. Creo que tengo vocación.

—Alesandra, tú no eres católica.

—Me puedo convertir —prometió Alesandra fervientemente.

Pasó un largo rato de silencio. Luego, la madre superiora se inclinó hacia delante. La silla crujió por el movimiento.

—Mírame —le ordenó.

Esperó a que la princesa cumpliera la orden antes de volver a hablar.

—Creo entender de qué se trata todo esto. Te haré una promesa —dijo ella con la voz hecha un murmullo—. Yo cuidaré celosamente la tumba de tu madre. Si algo me sucediera, entonces sor Justina o sor Raquel tendrían que asumir esa responsabilidad en mi lugar. Tu madre no quedará en el olvido. Estará todos los días en nuestras oraciones. Esa es la promesa que yo te hago.

Alesandra rompió en llanto.

—No puedo dejarla.

La madre superiora se puso de pie y corrió junto a Alesandra. Le rodeó los hombros con el brazo y le dio unas palmadas.

—No la dejarás. Ella siempre estará en tu corazón. Ella desearía que hicieras tu vida como indica tu destino.

Las lágrimas bañaban el rostro de Alesandra. Se las enjugó con el dorso de las manos.

—No conozco al duque de Williamshire, madre. Solo lo vi una vez y ni siquiera me acuerdo de cómo es. ¿Y si no me llevo bien con él? ¿Y si no me quiere? Yo no quiero ser una carga para nadie. Por favor, déjeme quedarme aquí.

—Alesandra, pareces decidida a creer que tienes una alternativa en esta situación y eso no es verdad. Yo debo obedecer el requerimiento de tu tutor. Estarás bien en Inglaterra. El duque de Williamshire tiene seis hijos. Una más no será molestia.

—Yo ya no soy una niña —recordó Alesandra a la monja—. Posiblemente, mi tutor debe de estar muy viejo y cansado ya.

La madre superiora sonrió.

—El duque de Williamshire fue elegido como tu

tutor, hace años ya, por tu padre. Él tuvo buenas razones para escoger a ese honorable hombre inglés. Ten fe en el buen juicio de tu padre.

—Sí, madre.

—Puedes llevar una vida feliz, Alesandra —continuó la madre superiora—. Siempre y cuando no olvides contenerte un poco. Piensa antes de actuar. Esa es la clave. Tienes una mente muy sagaz. Úsala.

—Gracias por decirlo, madre.

—Deja de hacerte la sumisa. No es tu estilo en lo más mínimo. Tengo que darte un consejo más y quiero que lo escuches atentamente. Siéntate bien derecha. Una princesa no anda por ahí con los hombros caídos.

Alesandra pensó que si erguía más la columna se le partiría en dos. Pero echó levemente los hombros hacia atrás y vio que había complacido a la madre superiora cuando esta asintió con la cabeza.

—Como estaba diciendo —prosiguió la madre superiora—, aquí nunca importó el hecho de que fueras una princesa, pero en Inglaterra sí será importante. Las apariencias deben cuidarse constantemente. Simplemente, no puedes permitir que los actos espontáneos gobiernen tu vida. Ahora dime, Alesandra, ¿cuáles son las dos palabras que siempre te he pedido que recuerdes de memoria?

—Dignidad y decoro, madre.

—Sí.

—¿Puedo volver a este lugar si descubro... que no me agrada mi nueva vida?

—Siempre serás bienvenida aquí —le prometió la madre superiora—. Ahora vete a ayudar a sor Raquel con las maletas. Te marcharás en plena noche por precaución. Yo te aguardaré en la capilla para despedirte.

Alesandra se puso de pie, hizo una pequeña reverencia y se marchó de la sala. La madre superiora se quedó parada en el centro de su despacho, mirando la puerta después que la muchacha se hubo marchado. Había creído que era un milagro la partida de la princesa. La madre superiora siempre había sido rigurosamente esquemática, hasta que Alesandra se cruzó en su camino, rompiendo con todas las convenciones preexistentes. A la monja no le gustaba el caos, pero Alesandra y el caos parecían ir de la mano. No obstante, en cuanto la princesa abandonó el despacho, los ojos de la religiosa se llenaron de lágrimas. Sintió que el sol acababa de empañarse con espesos nubarrones negros.

Dios la amparará, pero echaría de menos a esa diablilla con todas sus travesuras.

2

Londres, Inglaterra, 1820

Ellos lo llamaban Delfín. Él la llamaba la Mocosa. La princesa Alesandra ignoraba por qué habían apodado a Colin, el hijo de su tutor, con el nombre de un mamífero de mar, pero sí sabía por qué él la había bautizado con ese mote. Ella se lo había ganado. Realmente había sido una malcriada desde que era pequeñita y la única vez en que Colin y su hermano Caine habían estado con ella, Alesandra se había comportado vergonzosamente. Por supuesto que no había sido más que una niñita entonces —y malcriada, por cierto—. Una circunstancia natural, ya que era hija única y todos sus parientes y sirvientes la complacían en todo. Sus padres habían sido dotados de una infinita paciencia e ignoraron su impertinente comportamiento hasta que Alesandra se extralimitó más de la cuenta y debió ajustarse a ciertas normas.

Cuando sus padres la llevaron a Inglaterra a pasar unas cortas vacaciones, Alesandra era muy pequeña. Por consiguiente, solo guardaba un vago recuerdo del duque y la duquesa de Williamshire. De las hijas del matrimonio, no tenía imagen alguna. Solo se acordaba remotamente de los dos varones mayores. Caine y Colin. En su mente, los evocaba como gigantes. Por supuesto, ella era una niña y ambos muchachos, adultos. Tal vez, su memoria había exagerado un poco el tamaño de los hijos del duque. Pero estaba segura de que, en la actualidad, no podría reconocerlos si se los presentaran entre unas cuantas personas. Tenía la esperanza de que Colin hubiera olvidado lo mal que se había comportado en aquella oportunidad y el apodo de Mocosa que le había dado. Si se llevaba bien con Colin, podría hacer frente a su nueva vida de un modo más sencillo. Las dos responsabilidades que estaba a punto de asumir serían difíciles, por lo que le resultaba imperativo poder llegar a puerto seguro al final de cada día.

Alesandra llegó a Inglaterra en una espantosa mañana de lunes e, inmediatamente, la condujeron a la residencia campestre del duque de Williamshire. La muchacha no se sentía muy bien, pero achacaba sus náuseas al nerviosismo y a la ansiedad. Se recuperó rápidamente, pues la familia le brindó una bienvenida calurosa y sincera. Tanto el duque como la duquesa la trataron de igual a igual, por lo que su incomodidad pronto se disipó. No le daban ninguna consideración especial y, en ocasiones, hasta se le permitía opinar libremente. Solo hubo una sustanciosa discusión entre Alesandra y su tutor. Él y su esposa la llevarían a Londres y abrirían la mansión que tenían allí para inaugurar la temporada. Alesandra concertó más de quince citas, pero pocos días antes de la partida para la ciudad, el duque y la duquesa enfermaron.

Alesandra quería ir sola. Insistió en que no deseaba ser una carga para nadie y en que quería alquilar una casa para ella en la ciudad durante la temporada. La duquesa tuvo palpitaciones con solo pensar en esa perspectiva, pero de todas maneras, Alesandra se mantuvo firme. Recordó a su tutor que, después de todo, ella ya era una adulta y que, como tal, sabía cuidarse sola. Pero el duque no quiso entender razones. El debate se prolongó durante días. Al final, se decidió que Alesandra viviera en casa de Cain y su esposa Jade mientras estuvieran en Londres.

Desgraciadamente, justo el día anterior de la llegada de Alesandra a la ciudad, Caine y su esposa enfermaron del mismo y misterioso mal que habían contraído el duque, la duquesa y las cuatro hijas de ambos.

La última posibilidad que quedaba entonces era Colin. Si Alesandra no hubiera contraído tantos compromisos con las amistades de su padre, se habría quedado en el campo hasta que el duque se recuperase. No era su deseo incomodar a Colin, especialmente después de haber escuchado de labios de su padre lo mal que había pasado los últimos dos años. Alesandra supuso que lo que menos le hacía falta a Colin en ese momento era un caos. No obstante, el duque de Williamshire insistió sobremanera en que Alesandra aprovechase la hospitalidad del joven y no habría sido cortés de su parte hacer oídos sordos a los deseos de su tutor. Además, si compartía el mismo techo con él unos pocos días, tal vez le resultara más simple hacerle la petición que debía formularle.

Llegó a la puerta de Colin poco después de la hora de cenar. Él ya había salido. Alesandra, su dama de compañía y dos criados de confianza entraron al vestíbulo de baldosas blancas y negras para entregar la nota de presentación que había escrito el duque de Williamshire al mayordomo, un apuesto joven llamado Flannaghan. No tendría más de veinticinco años. La llegada de Alesandra, obviamente, lo había tomado por sorpresa, ya que no dejaba de hacerle reverencias y ponerse colorado hasta las raíz de su cabello extremadamente rubio.

Alesandra no sabía cómo actuar para que el joven no se sintiera tan incómodo.

—Es un gran honor contar con la presencia de una princesa en esta casa —tartamudeó el mayordomo. Tragó saliva y luego volvió a repetir el mismo anuncio.

—Espero que su señor opine lo mismo, señor —respondió ella—. No quiero ser un problema.

—No, no —contestó Flannaghan de inmediato, obviamente azorado ante la posibilidad—. Usted jamás podría ser un problema.

—Muy amable de su parte, señor.

Flannaghan volvió a tragar saliva. Con un preocupado tono de voz, dijo:

—Pero, princesa Alesandra, no creo que haya lugar para todo su personal. —El rostro del mayordomo ardía de la vergüenza.

—Ya nos arreglaremos —le aseguró ella con una sonrisa, tratando de hacerlo sentir algo más cómodo. El pobre joven parecía a punto de desvanecerse—. El duque de Williamshire insistió en que viniera con estos dos guardias y no podría ir de viaje a ninguna parte sin mi dama de compañía. Se llama Valena. La duquesa la escogió personalmente para mí. Valena ha vivido en Londres, sabe, pero nació y se crió en la tierra de mi padre. ¿No fue una maravillosa coincidencia que ella se presentara para este cargo? Sí, claro que sí —se contestó antes que Flannaghan pudiera abrir la boca—. Y como acabamos de emplearla, no puedo dejar que se vaya. No sería cortés, ¿verdad? Usted me comprende. Ya me doy cuenta de ello.

Flannaghan hacía rato que había perdido el hilo de la explicación, pero de todas maneras asintió con la cabeza, solo para complacerla. Finalmente, logró arrancar la mirada del rostro de la bella princesa. Hizo una reverencia a su dama de compañía y luego echó a perder todo su tratamiento diplomático al comentar:

—Es solo una niña.

—Valena tiene un año más que yo —explicó Alesandra. Se volvió a la rubia muchachita y le habló en un idioma que Flannaghan nunca había escuchado antes. Parecía francés, aunque sabía positivamente que no se trataba de esa lengua.

—¿Alguno de sus criados habla inglés? —preguntó él.

—Cuando quieren —contestó ella. Desató las cintas del cuello de su capa burdeos con forro de piel. Uno de los guardias, alto, musculoso, moreno y de mirada amenazante, avanzó un paso para tomar la prenda de sus manos. Ella le agradeció antes de volver a dirigirse a Flannaghan—. Me gustaría retirarme a mi cuarto. El viaje hasta aquí nos ha llevado todo el día, señor, por la lluvia, y estoy congelada hasta los huesos. El tiempo está horrendo fuera —agregó asintiendo con la cabeza—. La lluvia parecía cortarnos por la mitad, ¿no es así, Raymond?

—Sí, claro que sí, princesa —coincidió con una voz sorprendentemente suave el guardia.

—Realmente, estamos todos bastante cansados —dijo ella a Flannaghan.

—Por supuesto que deben de estarlo —comentó Flannaghan—. Si tienen a bien seguirme, por favor —les solicitó. Comenzó a subir las escaleras, con la princesa a su lado—. Hay cuatro habitaciones en el primer piso y tres habitaciones más para los sirvientes en el piso de arriba, princesa Alesandra. Si sus guardias no tienen problemas en...

—Raymond y Stefan no tendrán problemas en compartir las habitaciones —le aseguró ella, al ver que no continuaba—. Señor, todo esto es temporal hasta que el hermano de Colin y su esposa se recuperen de esta enfermedad. Me mudaré con ellos lo antes posible.

Flannaghan tomó a Alesandra por el codo para ayudarla a subir el resto de las escaleras. Parecía tan ansioso por colaborar que Alesandra no tuvo el coraje de decirle que ella no necesitaba ninguna asistencia. Si lo hacía feliz tratarla como a una mujer de edad, se lo permitiría.

Habían llegado a destino cuando el mayordomo se dio cuenta de que los guardias no les seguían. Ambos hombres habían desaparecido en la parte posterior de la casa. Alesandra explicó al sirviente que el motivo de tal actitud obedecía a que era su obligación familiarizarse con las instalaciones de la casa, con todas las posibles entradas y salidas de la misma. También le aseguró que, cuando terminaran la tarea, subirían a la alcoba.

—Pero ¿por qué habrían de tener interés en...?

Alesandra no lo dejó terminar.

—Porque quieren que estemos seguros, señor.

Flannaghan asintió con la cabeza, aunque, en realidad, no tenía ni la menor idea de lo que la muchacha estaba diciendo.

—¿Le importaría ocupar el cuarto de mi señor esta noche? Las sábanas se cambiaron esta mañana y las otras alcobas no están listas para recibir visitas. Los sirvientes de esta casa somos la cocinera y yo nada más, por la difícil situación financiera por la que está pasando mi señor en estos momentos. Por eso, no me pareció necesario hacer las otras camas. No sabía que...

—No debe preocuparse —lo interrumpió ella—. Ya nos arreglaremos, se lo prometo.

—Qué bueno que sea tan comprensiva. Mañana a primera hora llevaré sus pertenencias al cuarto de huéspedes más grande.

—¿No se olvida de Colin? —preguntó ella—. Tal vez se irrite al encontrarme en su cama.

Flannaghan imaginó justamente lo contrario y se

puso colorado por sus pensamientos pervertidos. Se dio cuenta de que aún estaba un poco agitado y, por lo tanto, estaba actuando como un bobalicón. Sin embargo, la inesperada visita de los huéspedes no era lo que lo tenía tan alterado. No, más bien era por la princesa Alesandra. Era la mujer más hermosa que había visto en su vida. Cada vez que la miraba olvidaba hasta cómo se llamaba. Sus ojos eran de un extraño matiz azul y las pestañas negras, larguísimas y arqueadas. Todo el rostro transmitía un aire de pureza exquisita. Solo una fina hilera de pecas sobre el tabique nasal interrumpía la blancura de su piel, pero Flannaghan pensó que hasta ese pequeño defecto era maravilloso.

Carraspeó en un intento por clarificar sus pensamientos.

—Estoy seguro de que a mi señor no le importará dormir en otro cuarto esta noche. Lo más probable es que no vuelva hasta mañana por la mañana de todas maneras. Regresó al astillero Esmeralda a terminar con unos papeles y, por lo general, acaba pasando la noche allí. El tiempo se le va volando.

Después de ilustrarla con tal explicación, Flannaghan comenzó a conducirla por el corredor. Había cuatro alcobas en el primer piso. La primera puerta estaba abierta de par en par. Los dos se detuvieron a la entrada.

—Este es el estudio, princesa —anunció Flannaghan—. Está un poco desordenado, pero mi señor no me permite que toque nada.

Alesandra sonrió. Estaba algo más que desordenado. Había pilas de papeles por todos lados. No obstante, parecía un recinto acogedor y cálido. Un escritorio de caoba estaba situado frente a la puerta. A la izquierda había una chimenea, una silla de cuero marrón y un taburete del mismo estilo para descansar los pies. Entre ambos, un hermoso tapete, en burdeos y marrón. Los libros se alineaban sobre los estantes contra las paredes, y en el pequeño armario de madera que se había dispuesto en un rincón se veía una gran cantidad de libros de contabilidad.

El estudio era una sala eminentemente masculina. Los aromas de coñac y cuero flotaban en el ambiente. El aroma le resultó bastante agradable. Hasta se imaginó acurrucada en uno de los sillones, frente al fuego, en bata y pantuflas, leyendo los últimos informes de su estado financiero.

Flannaghan la urgió a seguir con el recorrido por el pasillo. La segunda puerta correspondía a la alcoba de Colin. El mayordomo se apresuró para abrirla.

—¿Su señor tiene la costumbre de trabajar a estas horas? —preguntó Alesandra.

—Sí —respondió Flannaghan—. Comenzó con la empresa hace unos cuantos años, con su buen amigo, el marqués de Saint James. Ambos tienen que librar una dura batalla. La competencia es feroz.

Alesandra asintió.

—El astillero Esmeralda tiene una excelente reputación.

—¿De verdad?

—Oh, sí. El padre de Colin moriría por comprar algunas acciones. Sería una inversión segura, pero los socios no quieren vender.

—Quieren mantener la mayoría —explicó Flannaghan. Entonces sonrió—. Oí decírselo a su padre.

Alesandra asintió. Luego entró al cuarto olvidando el tema. Flannaghan advirtió que hacía mucho frío allí, por lo que se apresuró a encender la chimenea. Valena, meneando las caderas con sus vaporosas faldas, se dirigió hacia la mesa de noche para encender las velas del candelabro.

El cuarto de Colin era tan masculino y atractivo como

su estudio. La cama miraba hacia la puerta. Era muy amplia y tenía una colcha color chocolate. Para las paredes, se había escogido un beige claro, el contraste ideal para los muebles de caoba, concluyó Alesandra.

A los lados de la cabecera había dos ventanas con cortinas en satén beige. Valena desató los cordones que las sujetaban para mantener el cuarto a oscuras, aislado de las luces de la calle.

A la izquierda de Alesandra había una puerta que conducía al estudio y otra a la derecha, junto a un alto biombo. Se dirigió a esta segunda puerta, la abrió de par en par y encontró una alcoba adyacente. Los colores de la misma eran idénticos a los de la habitación principal, aunque la cama era de mucho menor tamaño.

—Esta es una casa maravillosa —declaró Alesandra—. Colin supo escoger muy bien.

—Él no es propietario de la casa —le dijo Flannaghan—. Su apoderado se la consiguió por una renta muy baja. Cuando termine el verano, tendremos que mudarnos porque los dueños regresarán de las Américas.

Alesandra trató de disimular su sonrisa. Dudaba mucho que a Colin le agradara que su sirviente divulgara sus secretos financieros. Flannaghan era el criado más entusiasta que ella jamas había conocido. Muy honesto, por lo que supo ganarse de inmediato la simpatía de la muchacha.

—Mañana trasladaré sus cosas al cuarto contiguo —gritó Flannaghan cuando advirtió que la joven recorría aquella habitación. Se volvió hacia la chimenea, echó otro leño al fuego y luego se puso de pie. Se limpió las manos en los pantalones—. Estos dos cuartos son los más grandes —le explicó—. Los otros dos que están en el piso son bastante pequeños. La puerta tiene cerradura —agregó asintiendo con la cabeza.

El guardia de cabellos oscuros, Raymond, llamó a la

puerta. Alesandra se apresuró hacia la puerta para escuchar la explicación que daba en susurros.

—Raymond acaba de informarme de que una de las ventanas de abajo tiene el seguro roto. Solicita su permiso para repararla.

—¿Ahora? —preguntó Flannaghan.

—Sí —contestó ella—. Raymond es muy meticuloso —agregó—. No descansará tranquilo hasta que la casa esté segura.

Alesandra no esperó el permiso del mayordomo. Solo asintió en dirección al guardia para autorizarlo personalmente. Valena ya había extraído de la maleta el camisón y la bata de la princesa. Alesandra se volvió para ayudarla justo cuando la muchacha esgrimió un audible bostezo.

—Valena, vete a dormir. Mañana habrá tiempo de sobra para ordenar el resto de mis cosas.

La criada hizo una profunda reverencia a su señora. Flannaghan se adelantó de inmediato. Sugirió que la muchacha ocupara la última habitación que estaba al final del corredor. Era la más pequeña de todas, explicó, pero tenía una cama bastante cómoda y un entorno muy acogedor. Estaba seguro de que sería del agrado de Valena. Después de dar las buenas noches a Alesandra, acompañó a la criada para que se instalara en la alcoba.

Alesandra se quedó dormida poco menos que treinta minutos después. Como era un hábito en ella, durmió profundamente durante varias horas, pero a las dos de la madrugada se despertó. Desde que había vuelto a Inglaterra, no había logrado dormir toda una noche de corrido y se había acostumbrado a esa condición. Se puso la bata, agregó otro leño al fuego y volvió a la cama con una pila de papeles. Se dispuso a leer el informe de su agente sobre el actual estado financiero de su Lloyd's de Londres. Si con eso no conseguía adormecerse, se pondría a elaborar una lista de sus propiedades.

Una bulliciosa conmoción que provenía desde abajo interrumpió su concentración. Reconoció la voz de Flannaghan y por la desesperación de su tono, se dio cuenta de que trataba de apaciguar a su señor.

Por pura curiosidad Alesandra se levantó de la cama. Se puso las pantuflas, aseguró el cinturón de su bata y fue hacia las escaleras. Se quedó escondida en las sombras, pero el vestíbulo de abajo estaba completamente iluminado. Soltó un pequeño suspiro al ver que Raymond y Stefan bloqueaban el paso de Colin. Estaba de espaldas a ella, pero Raymond, casualmente, levantó la vista y la vio. Inmediatamente, ella le hizo una señal para que se fuera. Raymond codeó a su compañero, hizo una reverencia a Colin y luego se marchó del vestíbulo.

Flannaghan no advirtió la partida de los guardias. Tampoco la presencia de Alesandra. Jamás habría seguido indefinidamente con su perorata de haber sabido que Alesandra estaba allí para escuchar cada una de sus palabras.

—Ella es tal cual imaginé que sería una princesa —explicó a su señor con la voz cargada de entusiasmo—. Tiene la cabellera del color de la medianoche y los rizos parecen flotar alrededor por encima de sus hombros. Tiene los ojos azules, pero de un tono que jamás había visto antes. Son tan brillantes y tan claros. Y seguramente, le llevará unos cuantos centímetros de estatura. Vaya, si hasta yo parecía un gigante a su lado, uno medio bobo, cada vez que ella me miraba a los ojos. Tiene pecas, milord. —Flannaghan se detuvo lo suficiente como para tomar aire—. Es realmente maravillosa.

Colin no estaba prestando demasiada atención a la

descripción del mayordomo. Había estado a punto de dar un puñetazo a uno de los desconocidos que le habían bloqueado la entrada y luego poner a ambos de patitas en la calle, cuando Flannaghan apareció a toda prisa para explicar que se trataba de guardias que había enviado el duque de Williamshire. Colin soltó al más robusto de los guardaespaldas y, en ese momento, estaba buscando el informe que su socio acababa de completar. Rezaba porque no se le hubiera olvidado en la oficina, pues tenía la intención de pasar esos números a los libros de contabilidad antes de irse a dormir.

Colin estaba de pésimo humor. Realmente, le molestó que su criado hubiera interferido en la situación. Una buena pelea a puño limpio le habría servido para descargar todas las frustraciones del día.

Por fin encontró la hoja que le faltaba, justo cuando Flannaghan comenzó otra vez.

—La princesa Alesandra es de complexión delgada, pero no pude evitar reparar en las curvas perfectas de su cuerpo.

—Basta —le dijo Colin, con voz suave pero autoritaria.

Inmediatamente, el sirviente dejó de lado su letanía sobre los considerables atributos de la princesa Alesandra. Su desazón fue evidente en la desilusión de su rostro. Acababa de empezar a ilustrarlo sobre el tema y sabía que tenía para seguir con los detalles durante veinte minutos más, como mínimo. Pero si todavía no había dicho nada de su sonrisa, ni del modo en que se movía...

—Muy bien, Flannaghan —dijo Colin, interrumpiendo los pensamientos de su mayordomo—. Vayamos al fondo de todo esto. ¿De modo que una princesa decidió instalarse aquí con nosotros? ¿Es correcto?

—Sí, milord.

—¿Por qué?

—¿Por qué, qué, milord?

Colin suspiró.

—¿Por qué supone usted...?

—No me corresponde suponer —le interrumpió Flannaghan.

—¿Y cuándo se detuvo ante algo así?

Flannaghan sonrió. Actuaba como si acabaran de elogiarlo.

Colin bostezó. Dios, estaba cansado. No tenía humor para dedicarse a los asuntos de la empresa esa noche. Se sentía exhausto por haber trabajado tantas horas en los libros de la sociedad, frustrado por no haber logrado que los malditos números le dieran una ganancia apropiada, y ya sin fuerzas para luchar contra toda la competencia. Tenía la sensación de que todos los días se abría un astillero nuevo.

Además de sus problemas financieros, debía lidiar con los dolores y malestares personales. La pierna izquierda, que se había lesionado varios años atrás en un percance sufrido en alta mar, le latía terriblemente. Todo lo que deseaba en ese momento era meterse en la cama con un coñac caliente.

Pero no estaba dispuesto a ceder ante su fatiga. Todavía tenía trabajo que hacer antes de ir a acostarse. Se quitó la capa y la arrojó a manos de Flannaghan. Colocó su bastón en el paragüero y los papeles que traía sobre la mesita que estaba a un lado.

—Milord, ¿desea que le traiga algo de beber?

—Beberé coñac en el estudio —contestó—. ¿Por qué me llama «milord»? Ya le he dado permiso para que me diga Colin.

—Pero eso fue antes.

—¿Antes de qué?

—Antes de que tuviéramos a una princesa de verdad viviendo bajo el mismo techo que nosotros —explicó

Flannaghan—. No sería correcto que yo lo llamara Colin ahora. ¿Preferiría que le nombrara sir Hallbrook? —preguntó, usando el título de caballero de Colin.

—Prefiero Colin.

—Pero ya le he explicado, milord, que no es posible.

Colin rió. Flannaghan parecía tan formal. Cada vez se parecía más al mayordomo de su hermano, Sterns. Pero en realidad, Colin no debió haberse sorprendido. Sterns era el tío de Flannaghan y había instalado al joven en casa de Colin para que aprendiera el oficio.

—Está tornándose tan arrogante como su tío —señaló Colin.

—Qué bueno que lo diga, milord.

Colin volvió a reír. Luego meneó la cabeza al sirviente.

—Volvamos a la princesa, ¿le parece? ¿Por qué está aquí?

—No me lo dijo —explicó Flannaghan—. Y me pareció fuera de lugar preguntárselo.

—¿De modo que, simplemente, la dejó entrar?

—Vino con una nota de su padre.

Finalmente llegaron al fondo de la cuestión.

—¿Dónde está esa nota?

—Yo la puse en el salón... ¿o en el comedor?

—Vaya y traiga esa nota —ordenó Colin—. Quizá la nota explique por qué la mujer se trajo a dos matones con ella.

—Son sus guardias, milord —explicó Flannaghan con tono defensivo—. Su padre los envió con ella —agregó, asintiendo con la cabeza—. Y una princesa no viajaría con matones.

La expresión del rostro de Flannaghan era casi cómica por lo maravillado que estaba con esa mujer. Ciertamente, la princesa lo había impresionado sobremanera.

El mayordomo salió corriendo al salón a buscar la famosa nota. Colin apagó las velas que estaban sobre la mesa, cogió sus papeles y se dirigió hacia las escaleras.

Finalmente comprendió por qué la princesa Alesandra estaba allí. Por supuesto que su padre estaba detrás del plan. Sus intentos de casamentero cada vez eran más evidentes y Colin no estaba de humor para soportar otro de sus jueguecitos.

Estaba a mitad de las escaleras cuando la vio. La baranda lo salvó del bochorno. De no haber sido porque estaba asiéndose firmemente a esta, se habría caído de espaldas.

Flannaghan no había exagerado. Era cierto que parecía toda una princesa. Hermosa. El cabello flotaba por encima de sus hombros y realmente tenía el color de la medianoche. Estaba vestida de blanco y solo Dios sabía que parecía una visión que los dioses habían enviado para poner a prueba la fuerza de voluntad de Colin.

Y no pasó la prueba. Aunque hizo todo lo que estuvo a su alcance, no logró controlar su respuesta física hacia ella.

Indudablemente, su padre había hecho un excelente trabajo esta vez. Colin tendría que recordar felicitarlo por su última elección... después que la hiciera recoger sus cosas, por supuesto.

Durante un largo rato se quedaron parados mirándose fijamente. Ella esperaba que fuera él el primero en hablar. Y él esperaba que fuera ella la que explicara su presencia allí.

Alesandra fue la primera en ceder. Avanzó hasta que estuvo cerca del primer escalón. Luego hizo una reverencia con la cabeza y dijo:

—Buenas noches, Colin. Qué bien que volvamos a vernos.

Su voz sonó maravillosamente atractiva. Colin trató de concentrarse en lo que la joven acababa de decir. Pero le resultó ridículamente difícil.

—¿Que volvamos a vernos? —preguntó. Oh, Dios, qué tosco pareció.

—Sí, nos conocimos cuando yo era una niña y usted me había puesto el apodo de Mocosa.

El comentario forzó una sonrisa reticente por parte de él. Sin embargo, no recordaba en absoluto haberla conocido antes.

—¿Y era una mocosa?

—Oh, sí —le contestó ella—. Me contaron que hasta le he dado patadas (y varias veces), pero eso fue hace mucho tiempo. Ya he crecido y no creo que el apodo vaya conmigo ahora. Además, hace años que no doy patadas a nadie.

Colin se apoyó contra la baranda para no recargar tanto sobre su pierna lastimada el peso de su cuerpo.

—¿Dónde nos conocimos?

—En la casa de campo de su padre —explicó ella—. Mis padres y yo habíamos ido de visita y usted acababa de llegar a su casa, desde Oxford. Su hermano acababa de graduarse.

Colin aún no podía recordarla, pero no se sorprendió por eso. Sus padres siempre habían recibido muchas visitas y él no prestaba atención a ninguna de ellas. La mayoría de ellos eran desafortunados y su padre, que tenía el corazón grande como una casa, siempre acogía en el seno de su hogar a todos lo que le pidieran ayuda.

Alesandra tenía las manos unidas y parecía estar muy relajada. Sin embargo, Colin advirtió la blancura de sus dedos, a los que apretaba con fuerza, por temor o nerviosismo. Entonces, no estaba tan tranquila como pretendía hacerle creer. De pronto, su vulnerabilidad fue muy aparente y Colin sintió la imperiosa necesidad de hacerla sentir más cómoda.

—¿Dónde están sus padres ahora? —le preguntó.

—Mi padre falleció cuando yo tenía once años —le contestó— y mi madre, el verano siguiente. ¿Señor, quiere que lo ayude a recoger sus papeles? —agregó precipitadamente con la esperanza de cambiar de tema.

—¿Qué papeles?

Su sonrisa fue encantadora.

—Los que se le han caído.

Colin bajó la vista y vio los papeles desparramados por los peldaños. Se sentía como un rotundo idiota, parado allí, tomando solo aire en su puño cerrado. Sonrió ante su propia preocupación. Por cierto, no era mejor que su mayordomo, pensó para sí, y Flannaghan tenía una excusa aceptable para su comportamiento atontado. Era joven, inexperto y bastante simplón.

Sin embargo, Colin debía saber cómo desenvolverse en una situación así. Era mucho mayor que su sirviente, tanto en años como en experiencia. Claro que esa noche estaba agotado, concluyó, razón por la que seguramente estaba comportándose como un tarado.

Además, la muchachita era una preciosidad. Él soltó un suspiro.

—Después recogeré los papeles —le dijo él—. ¿Cuál es exactamente, el motivo de su presencia en esta casa, princesa Alesandra? —le preguntó Colin sin preámbulos.

—Su hermano y su cuñada están enfermos —explicó ella—. Se suponía que yo debía alojarme en casa de ellos mientras estuviera en la ciudad, pero en el último momento se indispusieron y se me informó de que debía permanecer en su casa, hasta que ellos se recuperasen.

—¿Quién le dio esas instrucciones?

—Su padre.

—¿Y por qué tendría que tener tanto interés?

—Es mi tutor, Colin.

Colin no pudo disimular su sorpresa ante la novedad. Su padre jamás había mencionado que tenía a alguien a su cargo, aunque Colin se daba cuenta de que no era de su incumbencia. Su padre tenía un asesor y rara vez confiaba sus cosas a sus hijos.

—¿Ha venido a Londres para la temporada?

—No —respondió ella—. Aunque realmente estoy ansiosa por ir a algunas fiestas y ver algunos sitios tradicionales.

La curiosidad de Colin se intensificó. Avanzó otro paso hacia ella.

—Realmente no quise causarle ningún inconveniente —dijo ella—. Hice la sugerencia de alquilar una casa o instalarme en la de sus padres, pero el duque de Williamshire no quiso escucharme. Me dijo que no era apropiado. —Hizo una pausa y suspiró—. La verdad es que no podía ponerme en su contra.

Vaya, qué bonita sonrisa tenía. Y también era contagiosa. Se sorprendió correspondiendo la sonrisa.

—Nadie puede ponerse en contra de mi padre —coincidió él—. Pero todavía no me ha explicado el motivo de su presencia —le recordó.

—No, ¿verdad? Es de lo más complicado —agregó, asintiendo con la cabeza—. Verá, no era necesario para mí venir a Londres antes, pero ahora sí.

Colin meneó la cabeza mirándola.

—Las explicaciones a medias me vuelven loco. Yo soy muy directo, un rasgo que copié de mi socio, según se dice. Admiro profundamente la honestidad porque es un raro ejemplar en la actualidad. Y mientras esté en mi casa, le agradeceré total franqueza. ¿Estamos de acuerdo?

—Sí, por supuesto.

Alesandra se apretaba las manos otra vez. Debía de

haberla asustado. Probablemente, le había parecido un ogro. Por Dios, así estaba sintiéndose exactamente. Lamentaba que ella le tuviera tanto temor, pero a la vez se sentía satisfecho por haber logrado sus objetivos. Alesandra no había puesto objeciones, pero tampoco se había mostrado sumisa. Colin detestaba la sumisión femenina.

Trató de emplear un tono suave al preguntarle.

—¿Le molestaría contestarme algunas preguntas pertinentes ahora?

—Por supuesto que no. ¿Qué desea saber?

—¿Por qué hay dos guardias con usted? Ahora que ha llegado a destino, ¿no cree que habría que despedirlos ya? ¿O pensó que le negaría hospitalidad?

Alesandra contestó la última de las preguntas en primer lugar.

—Oh, jamás creí que me negara alojamiento en su casa, señor. Su padre me aseguró que sería de lo más cortés conmigo. Flannaghan tiene la nota que redactó para usted —agregó ella—. Su padre insistió en que conservara a los guardias a mi lado. Raymond y Stefan fueron contratados por la madre superiora del convento donde yo vivía para que me escoltaran hasta Inglaterra. Su padre insistió en que los conservara. Ninguno de los dos tiene familia a quien echar de menos y reciben muy buena paga. No tiene que preocuparse por ellos.

Colin contuvo su exasperación. Se le veía tan severo.

—No estaba preocupándome por ellos —contestó. Sonrió y luego meneó la cabeza—. ¿Sabe?, me resulta muy difícil arrancarle las respuestas que necesito.

Ella asintió.

—La madre superiora solía decirme lo mismo. Decía que era uno de mis principales defectos. Lamento haberlo confundido. No fue mi intención, señor.

—Alesandra, mi padre está detrás de todo este plan, ¿no es verdad? Él la envió a mí.

—Sí y no.

De inmediato levantó una mano para disipar su mirada ceñuda.

—No estoy yéndome por las ramas. Su padre me envió aquí, pero solo cuando se enteró de que su hermano y su cuñada estaban enfermos. No creo que haya ningún plan en esta situación. A decir verdad, sus padres querían que yo me quedara con ellos en el campo, hasta que se recuperaran completamente y pudieran acompañarme a Londres. Y yo me habría quedado gustosa si no hubiera contraído tantos compromisos.

Alesandra pareció franca, pero a Colin todavía le resultaba dudoso que su padre no estuviera detrás de todo eso. Hacía una semana, lo había visto en el club y tenía un aspecto totalmente saludable. Colin también recordó la inevitable pelea. Su padre, oh, casualmente, había sacado el tema del matrimonio y urgió a Colin, una vez más, a que se buscara una esposa. Colin fingió escucharlo con atención y después que su padre pronunció hasta la última palabra de su discurso al respecto, le comunicó que tenía todas las intenciones de permanecer soltero.

Alesandra no tenía idea de lo que estaba pasando por la mente de Colin, pero su mirada ceñuda cada vez la ponía más nerviosa. Ciertamente, parecía un hombre muy suspicaz. Le pareció apuesto, con su cabellera castaño rojiza y sus ojos que tiraban más a verde que a avellana. Por fin brillaron cuando una sonrisa acudió a sus labios. También tenía un adorable hoyuelo en la mejilla izquierda. Pero, Dios, su expresión se tornaba feroz cada vez que fruncía el entrecejo. La intimidaba más que la madre superiora, y para Alesandra, esa era una cualidad impresionante.

No pudo tolerar el silencio durante mucho tiempo.

—Su padre quiso hablar con usted sobre mis circunstancias tan poco comunes —murmuró—. Iba a ser muy específico en la cuestión.

—Cuando se trata de mi padre y de sus planes, nunca nada es tan específico.

Alesandra irguió los hombros y frunció el entrecejo.

—Su padre es uno de los hombres más honorables que jamás he tenido el placer de conocer. Siempre ha sido extremadamente amable conmigo y solo se preocupa de velar por mi bienestar.

Cuando terminó con la defensa del padre de Colin, parecía totalmente exasperada. Este sonrió.

—No tiene que defenderlo de mí. Sé que mi padre es un hombre honorable. Es una de las ciento y tantas razones por las que lo quiero.

Alesandra se relajó.

—Tiene mucha suerte al tener como padre a un hombre tan íntegro.

—¿Usted tuvo la misma suerte?

—Oh, sí —respondió ella—. Mi padre era un hombre maravilloso.

Alesandra comenzó a retroceder cuando Colin terminó de ascender las escaleras. Se golpeó contra la pared, de modo que se volvió y lentamente caminó por el pasillo hacia su cuarto.

Colin entrelazó sus manos por detrás del cuerpo y comenzó a caminar junto a ella. Flannaghan tenía razón, admitió en silencio. Le llevaba unos cuantos centímetros de estatura. Tal vez la altura la intimidaba.

—No tiene que temerme.

Ella se detuvo de inmediato y se volvió para mirarlo.

—¿Temerle? ¿Y por qué rayos tendría que asumir que le temo?

Parecía incrédula. Colin se encogió de hombros.

—Retrocedió con bastante prisa cuando terminé de subir las escaleras —señaló él simplemente. No mencionó el brillo de miedo que detectó en su mirada, ni el modo nervioso en que la vio retorcerse las manos. Si ella quería fingir que no le tenía miedo, le daría el gusto.

—Bueno, no tengo tanto temores —anunció ella—. No estoy acostumbrada a mostrarme en público... en camisón y bata. De hecho, Colin, me siento bastante segura aquí. Es una sensación muy placentera. Últimamente he vivido un tanto asustada.

Se ruborizó, como si la confesión la avergonzara.

—¿Por qué ha vivido asustada? —le preguntó él.

En lugar de contestar a la pregunta, Alesandra le dio la vuelta a la conversación.

—¿Quiere saber por qué he venido a Londres?

Colin casi se echó a reír. ¿No era eso precisamente lo que había querido averiguar tan diligentemente durante los últimos diez minutos?

—Si quiere contármelo —dijo.

—En realidad, tengo dos motivos para este viaje —comenzó—. Ambos son igualmente importantes para mí. El primero involucra un misterio que estoy dispuesta a resolver. Hace más de un año, conocí a una joven dama llamada Victoria Perry. Se quedó en el convento de la Sagrada Cruz por el mal que la aquejaba. Verá, viajaba por toda Austria con su familia cuando enfermó. Las hermanas de la Sagrada Cruz son famosas por sus habilidades como enfermeras y cuando se determinó que Victoria podría recuperarse, la familia sintió que lo mejor sería dejarla allá para que completara su cura. Pronto nos hicimos amigas y cuando regresó a Inglaterra me escribía por lo menos una vez al mes. A veces, más a menudo. Ojalá hubiera conservado esas cartas, porque en dos o tres de ellas, hizo mención de un admirador secreto que estaba cortejándola. A ella le parecía todo muy romántico.

—Perry... ¿dónde he escuchado antes ese nombre? —se preguntó Colin en voz alta.

—No lo sé, señor.

Él sonrió.

—No debí haberla interrumpido. Por favor, continúe.

Ella asintió.

—La última carta que recibí tenía fecha del uno de septiembre. La contesté de inmediato, pero no he tenido noticias desde entonces. Por supuesto, me preocupé. Cuando llegué a casa de su padre, le comuniqué que enviaría a un mensajero a casa de Victoria para solicitar una entrevista. Quería ponerme al día con los últimos acontecimientos. Victoria llevaba una vida de lo más excitante y por eso me encantaba leer sus cartas.

—¿Y consiguió la entrevista?

—No —le contestó Alesandra. Se detuvo y se volvió para mirar a Colin—. Su padre me contó lo del escándalo. Supuestamente Victoria huyó con un hombre de un estrato social inferior al de ella. Se casaron en Gretna Green. ¿Puede creer en semejante historia? La familia de ella sí la creyó. Su padre me contó que la desheredaron.

—Ahora lo recuerdo. Yo también escuché rumores de ese escándalo.

—No es cierto.

Colin alzó una ceja por la vehemencia del tono de voz de la muchacha.

—¿No? —le preguntó.

—No, no es cierto —dijo ella—. Soy muy buena juez de caracteres, Colin, y le aseguro que Victoria no habría huido. Simplemente, no es esa clase de persona. Voy a averiguar qué es lo que le ha pasado realmente. Puede estar en peligro y tal vez necesite mi ayuda —agregó—. Mañana le enviaré una nota a su hermano Neil y le pediré una entrevista.

—No creo que la familia quiera que salga a relucir otra vez el bochorno que debieron soportar por culpa de su hija.

—Seré de lo más discreta.

En su voz fue evidente la sinceridad. Era bastante melodramática, pero tan hermosa que resultaba extremadamente difícil prestar atención a lo que estaba diciendo. Sus ojos lo cautivaban. Por casualidad, Colin advirtió que Alesandra tenía la mano sobre el picaporte de la puerta de su alcoba. La fragancia de su perfume lo distrajo momentáneamente. El remoto aroma a rosas flotó en el aire, entre ambos. Inmediatamente, Colin retrocedió un paso para poner cierta distancia.

—¿Le importa que duerma en su cama?

—No sabía que estuviera allí.

—Flannaghan mudará mis cosas al cuarto contiguo mañana por la mañana. No creía que usted regresara a casa esta noche. Es solo por hoy, señor, pero ahora que ha tenido tiempo de poner las sábanas en la cama de al lado, me sentiré más que complacida en poder devolverle la suya.

—Mañana nos cambiaremos.

—Es usted muy amable conmigo. Gracias.

Por fin Colin notó los círculos negros bajo sus ojos. Evidentemente, estaba agotada y él había estado robándole horas de sueño con sus preguntas.

—Necesita descansar, Alesandra. Estamos en plena noche.

Ella asintió y abrió la puerta de la alcoba.

—Buenas noches, Colin. Gracias otra vez por ser tan hospitalario.

—No podría volver la espalda a una princesa que no tiene muy buena suerte —dijo él.

—¿Cómo ha dicho? —Alesandra no tenía ni la más remota idea de por qué habría dicho semejante cosa.

¿De dónde habría sacado que ella tenía mala suerte?

—Alesandra, ¿cuál es la otra razón por la que ha venido a Londres?

Ella pareció confundida por la pregunta. Colin decidió que esa segunda razón tal vez no fuera tan importante.

—Lo mío es simple curiosidad —admitió, encogiéndose de hombros—. Usted mencionó que había venido por dos motivos y yo pensé... Bueno, no importa. Acuéstese ahora. La veré por la mañana. Que descanse bien, princesa.

—Ahora recuerdo esa razón —señaló ella repentinamente.

Él se volvió hacia ella.

—¿Sí?

—¿Quiere que se la cuente?

—Sí, claro.

Ella se quedó mirándolo durante un largo rato. Sus dudas fueron elocuentes. Tanto como su vulnerabilidad.

—¿Quiere que sea honesta con usted?

Colin asintió.

—Por supuesto que sí.

—Muy bien entonces. Seré honesta. Su padre me aconsejó que no confiara en usted, pero como usted insistió en saber y yo prometí ser sincera...

—¿Sí? —la urgió.

—He venido a Londres a casarme con usted.

De pronto, él sintió hambre otra vez. Era algo muy peculiar cómo ese apetito estallaba dentro de su cuerpo repentinamente. Nunca había avisos previos. Se había convencido de que no saldría de cacería durante un largo, largo tiempo, pero ahora, a medianoche, parado frente a la puerta de la biblioteca de sir Johnston, escuchando los últimos chismes sobre el regente del príncipe, bebiendo sorbo a sorbo su coñac junto a varios caballeros nobles de la alta sociedad, se sintió prácticamente devastado por su necesidad.

Sentía que el control lo abandonaba. Los ojos le ardían. Le dolía el estómago. Estaba vacío, vacío, vacío.

Tenía que alimentarse otra vez.

3

Alesandra no pudo dormir mucho en lo que restó de la noche. La expresión del rostro de Colin al enterarse de la segunda razón por la que ella había ido a Londres le cortaba la respiración. Dios, qué furioso se había puesto. Por mucho que lo intentó, no pudo borrar la imagen de esa ira, aunque solo fuera por un rato, para poder seguir durmiendo.

Y todo en nombre de la honestidad, pensó. Decir la verdad no le había servido de mucho. Debía haber cerrado la boca. Alesandra soltó un sonoro suspiro. No, tenía que decir siempre la verdad. La madre superiora no había dejado de repetírselo una y otra vez.

Los pensamientos de Alesandra retornaron a la expresión de furia de Colin. ¿Cómo podía ser que un hombre, con un hoyuelo tan adorable en la mejilla, pudiera tener ojos tan fríos? Colin podía tornarse peligroso cuando lo irritaban. Ojalá el duque de Williamshire hubiera mencionado ese hecho tan importante antes que Alesandra se abochornara tan rotundamente frente a él y lo enfureciera a ese extremo.

Tenía terror de volver a encontrarse con él. Se tomó su tiempo para vestirse. Valena la ayudó. La criada tenía el hábito de hablar sin parar mientras le cepillaba el ca-

49

bello. Quería saber todos los detalles del día de la princesa. ¿Tenía pensado salir? ¿Querría que su dama de compañía la escoltara? Alesandra contestó a todas las preguntas lo mejor que pudo.

—Es probable que tengamos que buscarnos otro lugar donde vivir después de hoy —señaló Alesandra—. Compartiré mis planes contigo una vez que los haya formulado, Valena.

La muchacha terminó de abotonar la parte posterior del vestido matinal de Alesandra, en color azul cobalto, cuando escucharon la llamada a la puerta.

Flannaghan solicitó que la princesa se reuniera con su señor en el salón, lo antes posible.

Alesandra no creyó que fuera buena idea hacerlo esperar. No había tiempo para trenzarse el cabello y tampoco quería pasar por ese molesto proceso. Mientras estuvo viviendo en el convento, no tenía dama de compañía y consideraba que esa formalidad era un contratiempo. Por lo tanto, había tenido que aprender a trenzárselo sola.

Pidió a Valena que se retirase, dijo a Flannaghan que bajaría al salón en un momento y se acercó a su maleta. Tomó la nota que su tutor le había escrito, se cepilló el cabello hacia atrás, sobre los hombros, y salió del cuarto.

Estaba lista para enfrentar al dragón. Colin la aguardaba en el salón. Estaba de pie frente a la chimenea, mirando hacia la puerta, con las manos entrelazadas en la espalda. Alesandra se alivió al ver que no tenía el entrecejo fruncido. Solo parecía ligeramente irritado.

Alesandra se quedó en la entrada, esperando a que él la invitara a entrar. Pero Colin no pronunció ni una sola palabra durante un largo rato. Simplemente, se quedó allí, mirándola. Ella creyó que tal vez él estaba tratando de controlar sus pensamientos. O sus nervios. La joven se dio cuenta de que estaba ruborizándose por el insolente escrutinio de Colin, pero poco después notó que ella estaba siendo tan insolente como él, pues lo observaba de la misma manera.

Era un hombre que difícilmente pasaría inadvertido. Tan atractivo, con un físico tan atlético y fuerte. Llevaba unos ceñidos pantalones de montar de ante, color ciervo, con botas marrones de caña alta y una camisa blanca. Su personalidad se evidenciaba en el modo en que lucía su ropa, pues había dejado abierto el primer botón de su camisa y no llevaba esas horrendas corbatas almidonadas que los hombres solían ponerse. Obviamente, era un rebelde que vivía en una sociedad de conservadores. Tampoco tenía el corte de cabello de moda. Más bien lo llevaba bastante largo, hasta los hombros por lo menos, aventuró Alesandra, aunque no podía decirlo con seguridad porque lo había sujetado en la nuca con un cordón de cuero. Definitivamente, Colin era un hombre independiente, de imponente estatura y musculosos hombros y muslos. Alesandra le halló similitud con esos feroces hombres de frontera, cuyos retratos, en carboncillo, había visto ilustrados en los periódicos. Colin era maravillosamente hermoso, sí, pero también se le veía ajado. Alesandra decidió que lo que lo salvaba de ser totalmente inaccesible era la calidez de su sonrisa cuando estaba de buen humor.

Y ahora no lo estaba.

—Pase y siéntese, Alesandra. Tenemos que hablar.

—Claro —respondió ella de inmediato.

Repentinamente, Flannaghan apareció a su lado. La tomó por el codo para entrar en el salón.

—Eso no es necesario —le gritó Colin—. Alesandra puede caminar sin que la ayuden.

—Pero ella es una princesa —recordó Flannaghan a su señor—. Debemos rendirle honores.

La furibunda mirada de Colin indicó al sirviente que tenía que dejar de hacer comentarios. De mala gana soltó el codo de Alesandra.

Su expresión fue de rotunda desolación. Alesandra trató de sanar sus sentimientos heridos.

—Es usted un hombre muy considerado, Flannaghan —lo elogió.

El mayordomo volvió a tomarle el codo al instante. Ella permitió que la guiara hasta el sillón tapizado en brocado. Una vez que se sentó, Flannaghan se arrodilló y trató de alisarle las faldas. Pero ella se lo impidió.

—¿Necesita algo más, princesa? —preguntó—. La cocinera le tendrá listo el desayuno en cuestión de minutos —agregó, asintiendo con la cabeza—. ¿Le agradaría una taza de chocolate mientras espera?

—No, gracias —respondió ella—. Solo necesito una pluma y tinta —dijo—. ¿Tendría la amabilidad de conseguírmelas?

Flannaghan salió corriendo del salón para cumplir con el trámite.

—Me sorprende que no haya hecho su genuflexión —gruñó Colin.

Su mofa la hizo sonreír.

—Tiene suerte al contar con un sirviente de tan noble corazón, Colin.

Él no le respondió. Flannaghan reapareció a toda carrera con los objetos que Alesandra había solicitado. Colocó el tintero y la pluma sobre una angosta mesita y luego la levantó para acercarla a la princesa.

Alesandra, por supuesto, se lo agradeció y su gesto lo hizo ruborizar de placer.

—Cierre las puertas cuando se retire, Flannaghan —le ordenó Colin—. No quiero interrupciones.

Otra vez tenía un tono de irritación. Alesandra suspiró. Estaba en presencia de un hombre muy difícil.

Devolvió toda su atención al anfitrión.

—Lo he perturbado. Realmente, lamento muchísimo...

Colin no le permitió terminar la disculpa.

—No me ha perturbado —le gruñó.

Alesandra se habría reído si hubiera estado sola. Estaba totalmente perturbado y alterado. No cabía duda. Tenía las mandíbulas apretadas y si eso no delataba sus verdaderos sentimientos, pensó Alesandra, entonces no sabía a qué atribuirlo.

—Oh —dijo ella, solo para aplacarlo.

—Sin embargo —comenzó él, con voz entrecortada, que indicaba que no estaba bromeando—, creo que cabe establecer algunos puntos en esta situación. ¿Por qué, en nombre de Dios, creyó usted que me casaría con usted?

—Su padre dijo que lo haría.

Ni siquiera trató de ocultar su exasperación.

—Soy un hombre adulto, Alesandra. Tomo mis propias decisiones.

—Sí, por supuesto que es un hombre adulto —coincidió ella—. Pero no por eso dejará de ser hijo del conde, Colin. Es su obligación hacer lo que él quiera. Los hijos deben obediencia a sus padres, independientemente de la edad que tengan.

—Es una ridiculez.

Alesandra encogió los hombros con elegancia. Colin mantuvo su paciencia.

—No sé qué clase de trato ha hecho usted con mi padre y lamento que le haya hecho promesas en mi nombre. Pero quiero que entienda que no tengo ninguna intención de casarme con usted.

Ella bajó la cabeza y miró la nota que tenía entre las manos.

—De acuerdo —contestó ella.

Su consentimiento inmediato, sin oponer objeción alguna y con un tono de voz de lo más casual, despertó las sospechas de Colin.

—¿No está enojada por mi rechazo?

—No, por supuesto que no.

Ella levantó la vista y sonrió. Colin parecía confundido.

—Estoy decepcionada —admitió ella—. Pero no enojada, por cierto. Apenas lo conozco. No sería razonable que me ofendiera por su negativa a casarse conmigo.

—Exactamente —coincidió él, asintiendo con la cabeza—. No me conoce. ¿Por qué querría casarse conmigo si...?

—Creo que ya se lo he explicado. Su padre me dio instrucciones de que me casara con usted.

—Alesandra, quiero que entienda...

Ella no lo dejó terminar.

—Acepto su decisión, señor.

Colin sonrió a su pesar. La princesa Alesandra parecía tan cabizbaja...

—No tendrá dificultades en hallar a la persona adecuada. Es usted una mujer hermosa, princesa.

Ella se encogió de hombros. Obviamente, no le importaba en absoluto el elogio.

—Me imagino que debe de haberle resultado difícil pedírmelo —comentó él.

Ella se encogió los hombros.

—Yo no se lo pedí —lo corrigió—. Simplemente, le expliqué cuál era el objetivo primario de su padre.

—¿Su objetivo primario?

Colin parecía estar riéndose de ella. Alesandra sintió que se ruborizaba de la vergüenza.

—No se burle de mí, señor. Sin su sorna, esta conversación ya me resulta bastante difícil.

Colin meneó la cabeza. Cuando volvió a hablar, empleó un tono muy suave.

—No estaba burlándome de usted —le dijo—. Me doy cuenta de que esto es difícil para usted. Mi padre es el responsable de que los dos estemos en esta situación tan embarazosa. Nunca dejará de buscarme una esposa.

—Él sugirió que lo mejor era no mencionarle nada respecto de la boda. Dijo que usted se ponía furioso cada vez que le mencionaban la palabra «matrimonio». Quería que yo le diera un poco más de tiempo y la oportunidad de conocerme mejor, antes de explicarle cuál era su plan. Pensó... que tal vez aprendería a apreciarme.

—Mire, de verdad me agrada usted —dijo él—. Pero en este momento, no estoy en posición de casarme con nadie. Según mis cálculos, dentro de cinco años tendré una situación financiera lo suficientemente estable para procurarme una esposa y poder mantenerla.

—A la madre superiora le caería muy en gracia, Colin —anunció Alesandra—. A ella le encanta calcular todo. Dice que la vida sería caótica sin un orden previsto.

—¿Cuánto tiempo vivió en el convento? —le preguntó, ansioso por tocar un tema que nada tuviera que ver con el matrimonio.

—Bastante —le respondió ella—. Colin, lo siento, pero no puedo esperar. De verdad debo casarme de inmediato. Es una lástima —agregó con un suspiro—. Creo que habría sido un esposo aceptable.

—¿Y cómo lo sabe?

—Su padre me lo dijo.

Colin se rió. No pudo evitarlo. Dios, qué inocente era. Advirtió que la joven estrujaba la nota entre las manos y entonces se detuvo. Ya se sentía lo suficientemente avergonzada para tener que soportar que él se mofara de ella.

—Yo hablaré con mi padre y la salvaré de esa prueba —le prometió—. Sé que él le puso estas ideas en la cabeza. Puede ser muy convincente, ¿verdad?

Ella no le respondió. Mantuvo la mirada fija en su falda. Colin se sintió como un cretino por haberla decepcionado. Rayos, pensó. No estaba actuando con sensatez.

—Alesandra, este trato que usted ha hecho con mi padre, seguramente debe incluir un beneficio. ¿De cuánto?

Colin soltó un agudo silbido de admiración al escuchar la cifra exacta. Se apoyó contra la repisa de la chimenea y meneó la cabeza. Estaba furioso con su padre.

—Bien, por Dios juro que no se quedara solo con la promesa. Si él le habló de entregarle esa fortuna, entonces tendrá que pagarla. Usted cumplió con su parte del trato...

Alesandra levantó la mano para hacerlo callar, inconscientemente, imitando el gesto de la madre superiora.

Colin obedeció sin darse cuenta.

—No entendió bien, señor. Su padre no me prometió nada. Yo le prometí a él. Sin embargo, él rechazó mi oferta. De hecho, se asombró sobremanera por mi sugerencia de pagar por un esposo.

Colin volvió a reírse. Estaba seguro de que ella estaba tomándole el pelo.

—Esto no tiene nada de gracioso, Colin. Debo casarme en tres semanas y su padre está ayudándome. Después de todo, es mi tutor.

Colin necesitaba tomar asiento. Se dirigió hacia la silla de cuero que estaba frente a la que Alesandra ocupaba y se dejó caer en ella.

—¿Va a casarse en tres semanas?

—Sí —contestó ella—. Y por eso he pedido ayuda a su padre.

Agitó en el aire la nota que tenía en la mano.

—Le pedí ayuda para hacer esta lista.

—¿Una lista de qué?

—De posibles candidatos.

—¿Y? —la urgió.

—Me dijo que me casara con usted.

Colin se inclinó hacia delante, colocó los codos sobre las rodillas y frunció el entrecejo.

—Escuche cuidadosamente —le ordenó—. Yo no voy a casarme con usted.

De inmediato, Alesandra tomó la pluma, la mojó en la tinta y trazó una línea en la parte superior de la nota.

—¿Qué ha hecho?

—Lo he tachado.

—¿De dónde?

Alesandra se mostró exasperada.

—De mi lista. ¿Por casualidad conoce al conde de Templeton?

—Sí.

—¿Es un buen hombre?

—Rayos, no —masculló él—. Es un cerdo. Usó la dote de su hermana para pagar unas cuantas deudas de juego, pero todavía insiste en seguir apostando todas las noches.

De inmediato, Alesandra mojó la pluma en la tinta otra vez y tachó el segundo nombre de la lista.

—Qué raro que su padre no supiera que el conde tenía el vicio del juego.

—Papá ya no frecuenta los clubes.

—Eso lo explica —respondió ella—. Por Dios, esto va a ser más difícil de lo que suponía.

—Alesandra, ¿por qué está tan apurada en casarse?

Ella sostenía la pluma en el aire.

—¿Cómo? —Toda su concentración estaba en la nota.

Colin le repitió la pregunta.

—Me dijo que tenía que casarse en tres semanas y yo quiero saber por qué.

—La iglesia —explicó asintiendo con la cabeza—. Colin, ¿conoce al marqués de Townsend por casualidad? ¿Tiene algún vicio terrible?

Colin terminó con su paciencia.

—Baje esa lista, Alesandra, y comience por contestar a mis preguntas. ¿Qué rayos tiene que ver la iglesia con...?

Ella lo interrumpió.

—Su madre ya la ha resevado. También hizo todos los arreglos. Es una dama de lo más maravillosa y organizada. Será una boda hermosa. Ojalá pueda asistir. En contraposición a lo que sus padres querían, me he negado a una boda pomposa. Prefiero algo sencillo, más íntimo.

Colin se preguntó si su padre se habría dado cuenta de que su pupila estaba loca.

—Déjeme ver... —comenzó él—. Se ha encargado de arreglar todo sin un hombre para...

—Yo no puedo llevarme los laureles por eso —lo interrumpió—. Como ya le he explicado, su madre se encargó de todo.

—¿No cree que está encarando todo esto desde el ángulo equivocado, Alesandra? Por lo general, primero se busca al novio.

—Estoy de acuerdo con usted, pero esta circunstancia es de lo más inusual. Simplemente, debo casarme enseguida.

—¿Por qué?

—Por favor, no crea que soy grosera, pero como se ha negado a casarse conmigo, me parece que lo mejor será que no sepa nada más. Sin embargo, me agradaría mucho recibir su colaboración, si usted estuviera dispuesto a dármela.

Colin no tenía ninguna intención de dejar las cosas como estaban. Tenía que averiguar la razón por la que Alesandra tenía tanta urgencia en casarse, y lo haría antes de que el día llegara a su fin. Decidió que tendría que recurrir a alguna trampa y dejar las preguntas para más tarde.

—Será un placer ayudarla —dijo él—. ¿Qué necesita?

—¿Sería tan amable de darme los nombres de cinco... no, digamos, seis, hombres convenientes? Los entrevistaré a todos esta semana y para el próximo lunes ya habré hecho mi elección.

Dios, cómo lo exasperaba.

—¿Cuáles son sus requisitos? —le preguntó sumisamente.

—Primero, debe ser honorable —comenzó ella—. Segundo, tiene que tener título. Mi padre se retorcería en su tumba si yo me casara con un plebeyo.

—Yo no tengo título —le recordó él.

—Pero fue nombrado caballero y eso tiene valor.

Colin rió.

—Descartó el requisito más importante, ¿verdad? Tiene que ser acaudalado.

Alesandra frunció el ceño.

—Creo que acaba de insultarme —le dijo—. Pero de todas maneras, le perdono el cinismo porque todavía no me conoce bien.

—Alesandra, la mayoría de las mujeres que buscan esposo quieren una vida sin sobresaltos —le explicó.

—La riqueza no es importante para mí —le contestó ella—. Usted no tiene un centavo en los bolsillos y de todas maneras, yo quería casarme con usted, ¿lo recuerda?

Él se inquietó por tanta honestidad.

—¿Cómo sabe si soy rico o pobre?

—Su padre me lo dijo. ¿Sabe, Colin? Cuando frunce

el entrecejo me recuerda a un dragón. Yo solía pensar que sor María Felicidad era un dragón, aunque no tenía las agallas suficientes para decírselo en la cara. Su ceño es así de feroz y creo que el apodo le sienta mejor a usted que a ella.

Colin no permitiría que lo hiciera morder el anzuelo, ni que cambiara de tema.

—¿Qué otros requisitos tiene para un esposo?

—Tendrá que dejarme en paz —le respondió después de un momento de consideración—. No quiero un hombre que esté... revoloteando todo el tiempo.

Colin volvió a reír. Pero se arrepintió en cuanto vio la expresión de la joven. Había herido sus sentimientos. Oh, Dios, hasta tenía los ojos llenos de lágrimas.

—Particularmente, a mí tampoco me gustaría tener una esposa que estuviera revoloteando a mi alrededor todo el tiempo —comentó, en un intento por aliviarla.

Pero Alesandra ni lo miró.

—¿Una mujer rica lo atraería? —le preguntó.

—No —admitió él—. Hace mucho tomé la determinación de hacer mi propia fortuna sin ninguna ayuda exterior. Y quiero cumplir la promesa. Mi hermano me ofreció un préstamo para mí y mi socio. Por supuesto, también mi padre lo hizo.

—Pero usted rechazó las ofertas de ambos —dijo ella—. Su padre lo cree demasiado independiente.

Colin decidió cambiar el tema.

—¿Su esposo podrá compartir su cama?

Ella se negó a contestarle. Volvió a alzar la pluma.

—Empiece con su lista, por favor.

—No.

—Pero dijo que me ayudaría.

—Eso fue antes de que me diera cuenta de que usted está loca.

Alesandra dejó la pluma sobre la mesa y se puso de pie.

—Por favor, discúlpeme.

—¿Adónde va?

—A recoger mis cosas.

Colin la siguió hasta la puerta, la tomó de un brazo y la hizo dar la vuelta para que lo mirase. Caramba, vaya si la había ofendido. Odió ver lágrimas en sus ojos, especialmente, sabiendo que él era el motivo de su desesperación.

—Va a quedarse aquí hasta que yo decida qué haré con usted —dijo con tono áspero.

—Yo decido mi futuro, no usted, Colin. Suélteme. No voy a quedarme donde no soy bien recibida.

—Se quedará.

A la orden, Colin agregó una mirada furiosa, para ver si ella cedía. No funcionó. Alesandra no se dejaba intimidar. Es más, le devolvió la misma mirada.

—Usted no me quiere, ¿lo recuerda? —lo desafió. Colin sonrió.

—Oh, claro que la quiero. Lo que no quiero es casarme con usted. Estoy siendo totalmente sincero con usted y por el rubor de sus mejillas me doy cuenta de que la he abochornado. Es demasiado joven e inocente para meterse en este ridículo juego en el que se ha embarcado. Deje que mi padre...

—Su padre está demasiado enfermo para ayudarme —lo interrumpió. Tiró con fuerza de su brazo para liberarse de la mano de Colin—. Pero hay otros que me ayudarán. No tiene por qué preocuparse.

Colin no podía explicar por qué se sentía insultado. Pero esa era la verdad.

—Ya que mi padre está demasiado enfermo para cuidar de usted, entonces esa responsabilidad pesa sobre mis hombros.

—No, se equivoca. Su hermano Caine actuará como mi tutor. Es él el que sigue en la línea.

—Pero Caine también está convenientemente enfermo, ¿lo ha olvidado?

—No me parece que esta enfermedad tenga nada de conveniente, Colin.

No discutió ese punto con ella. De hecho, prefirió hacer como que no la había oído.

—Como su tutor temporal durante la enfermedad de mis familiares, seré yo quien decida adónde irá y cuándo. Y no me mire con esa expresión desafiante, jovencita —le ordenó—. Siempre me salgo con la mía y, para cuando caiga la noche, me habré enterado de por qué tiene tanta prisa en casarse.

Alesandra meneó la cabeza. Colin le tomó el mentón para mantenerle quieta la cabeza.

—Dios, qué obstinada que es. —Le apretó la nariz y luego la soltó—. Regresaré en unas horas. Compórtese, Alesandra. Si se marcha, iré detrás de usted.

Raymond y Stefan esperaban en el vestíbulo. Colin pasó junto a ambos y luego se detuvo.

—No permitan que se vaya —les ordenó.

Raymond asintió de inmediato. Alesandra abrió los ojos desmesuradamente.

—Ellos son mis guardias, Colin —le gritó. Maldito, la había tratado como a una niñita cuando le apretó la nariz y cuando le habló con ese tono tan condescendiente. Y ahora ella estaba comportándose así.

—Sí, son sus guardias —coincidió Colin. Abrió la puerta principal de la casa y se volvió hacia ella—. Pero deben responder ante mí, ¿no es así, muchachos?

Los dos guardias asintieron en silencio de inmediato. Alesandra estaba tan furiosa que por poco gritó a los cuatro vientos su opinión sobre los arrogantes métodos de Colin.

Dignidad y decoro. Las palabras hacían eco en su mente. Sentía que la madre superiora estaba de pie, detrás de ella, mirándola por encima del hombro. Era una ridiculez, por supuesto, porque la monja estaba a años luz de distancia. Sin embargo, sus lecciones habían echado raíces en ella. Alesandra se obligó a asumir una expresión serena y, simplemente, asintió.

—¿Estará fuera mucho tiempo, Colin? —le preguntó con bastante calma.

Él no creyó en su aparente serenidad. Sabía que lo que más deseaba era gritarle. Colin sonrió.

—Tal vez —le contestó—. ¿Me echará de menos?

Ella imitó su sonrisa.

—Tal vez no.

La puerta se cerró tras sus carcajadas.

4

Y no lo echó de menos en absoluto. Colin no regresó hasta pasada la hora de la cena. Alesandra se sintió agradecida de que hubiera estado fuera, porque no quería interferencias y ese hombre no sabía hacer otra cosa.

Se mantuvo ocupada con todos sus compromisos. El resto de la mañana y durante toda la tarde, recibió a los viejos amigos de su padre. Llegaron, uno tras otro, para presentarle sus respetos y ofrecerle su ayuda en lo que pudieran mientras Alesandra permaneciera en la ciudad. La mayoría de las visitas tenía su título de nobleza dentro de la respetada sociedad, pero también desfilaron artistas y trabajadores. El padre de Alesandra había cultivado una gran variedad de amistades. El hombre había sabido juzgar muy bien el carácter de las personas, una cualidad que la princesa creía haber heredado. Ese día descubrió que todos los amigos de su padre eran de su agrado también.

Matthew Andrew Dreyson fue su último visitante. El hombre anciano y barrigón había sido el representante de su padre en Londres y todavía manejaba algunos bienes de Alesandra. Dreyson había ocupado el honorable cargo de suscriptor del Lloyd's de Londres durante más de veintitrés años. Su reputación como agente era de lo más calificada. No solo era honesto sino también muy inteligente. El padre de Alesandra había ordenado a su esposa, quien, a la vez, había hecho lo propio con su hija, que en caso de su muerte, Dreyson sería la persona a quien cualquiera de las dos debía consultar en materia financiera.

Alesandra lo invitó a cenar. Flannaghan y Valena sirvieron la cena. La dama de compañía fue la que tuvo el mayor trabajo, pues el mayordomo se dedicó a escuchar la conversación de la mesa. Estaba asombrado de que una mujer supiera tanto sobre el mercado financiero, y en silencio, se prometió que más tarde informaría a su señor sobre lo que había escuchado.

Dreyson pasó más de dos horas dándole recomendaciones varias. Alesandra agregó una propia y luego completó las transacciones. El agente solo utilizaba las iniciales de la muchacha cuando presentaba los valores ante los suscriptores del Lloyd's, porque era inconcebible que una mujer pudiera invertir en la bolsa. Hasta el mismo Dreyson se habría sorprendido si hubiera sabido que las sugerencias de Alesandra habían sido propias. Pero ella entendía los prejuicios que el hombre podía tener contra las mujeres. Durante todo ese tiempo la princesa había superado el escollo inventando un viejo amigo de la familia, a quien llamaba tío Albert. Le dijo a Dreyson que, en realidad, no los unía ningún lazo sanguíneo, pero que por el afecto que se había ganado a lo largo de todos esos años, ella lo consideraba como un pariente. Para asegurarse de que Dreyson no lo investigara, mencionó que tío Albert había sido íntimo amigo de su padre.

Y Dreyson pareció sosegar su curiosidad con la explicación de Alesandra. No oponía objeciones a aceptar órdenes financieras de un hombre, aunque en más de una oportunidad comentó lo extraño que le resultaba que tío Albert le permitiera firmar con sus iniciales. De inmediato quiso conocer personalmente al consejero y honorable pariente, pero Alesandra le dijo que tío Albert había optado por recluirse últimamente y que se negaba a recibir o estar acompañado. Completó la mentira diciendo que los visitantes habían perturbado su tranquila rutina desde que se había mudado a Inglaterra. Como Dreyson recibía una jugosa comisión por cada oferta que hacía a los suscriptores, y como hasta el momento tío Albert nunca se había equivocado en sus cálculos, no le convenía contradecir a la princesa. Si Albert no quería conocerlo personalmente, había que darle el gusto. Lo último que deseaba en el mundo era apartar a su cliente. Así que concluyó que Albert no era más que un excéntrico.

Después de la cena, regresaron al salón, donde Flannaghan sirvió a Dreyson una copa de oporto. Alesandra se sentó en el sillón, frente a su invitado, y escuchó varias divertidas anécdotas sobre los suscriptores que se agolpaban en los pisos del Royal Exchange. Le habría encantado ver en persona los relucientes suelos de madera, atiborrados de cabinas, a las que llamaban casillas, donde los suscriptores llevaban a cabo sus operaciones. Dreyson le contó una historia muy peculiar que había comenzado por el año 1710 a la que se denominaba como un *Visitante en la sala.* Un camarero, le explicó, conocido como el Riñón, subía a una especie de púlpito y leía los periódicos en voz alta y clara, mientras la audiencia de caballeros permanecía sentada a sus respectivas mesas, bebiendo una copa. Alesandra tuvo que contentarse con imaginarse la escena, pues no estaba permitida la entrada a las mujeres en el Royal Exchange.

Colin volvió a la casa justo cuando Dreyson terminaba su copa. Arrojó la capa en dirección a Flannaghan y luego se dirigió al salón. Se detuvo de inmediato al ver que había visitas.

Alesandra y Dreyson se pusieron de pie. Ella presentó al invitado a su anfitrión. Colin ya sabía quién era Dreyson. También se quedó impresionado, porque la reputación del hombre era famosa en el negocio de los astilleros. Muchos consideraban que ese agente era un genio financiero. Colin lo admiraba. En la bolsa de comercio, Dreyson era uno de los contadísimos individuos que siempre anteponía los intereses de sus clientes a los propios. Se le consideraba honorable en el más amplio sentido de la palabra y, para Colin, esa era una cualidad esencial en un agente.

—¿He interrumpido alguna reunión importante? —preguntó.

—Estábamos terminando nuestros negocios —respondió Dreyson—. Es un placer conocerlo, señor —continuó el agente—. He seguido el desarrollo de su empresa y debo felicitarlo. Pasar de poseer solo tres barcos a tener más de veinte en solo cinco años es muy impresionante, señor.

Colin asintió.

—Mi socio y yo tratamos de mantenernos siempre muy competitivos —dijo.

—¿Ha considerado la posibilidad de ofrecer a la venta acciones de su empresa a terceros, señor? Vaya, pero si hasta yo mismo estaría interesado en invertir en una empresa tan estable.

A Colin le latía la pierna dolorosamente. Cambiaba de posición constantemente, hacía gestos de sufrimiento y, finalmente, meneó la cabeza. Deseaba sentarse, mantener la pierna en alto y beber coñac hasta que el dolor lo abandonase. Sin embargo, no se daría el gusto. Siguió cambiando de posición una y otra vez, hasta que terminó por apoyarse en el sillón, tratando de concentrarse en la conversación que mantenía con el agente.

—No —anunció—. Las acciones del astillero Esmeralda pertenecen a medias a Nathan y a mí. No nos interesa que otros posean ningún porcentaje.

—Si alguna vez cambia de parecer...

—No lo haré.

Dreyson asintió.

—La princesa Alesandra me ha comentado que usted es su tutor temporal mientras el resto de sus familiares se reponen de la enfermedad que los aqueja.

—Correcto.

—Vaya honor el que ha recibido —le dijo Dreyson. Hizo una pausa para sonreír a Alesandra—. Protéjala bien, señor. Esta joven es un exótico tesoro.

Alesandra se sintió avergonzada por el elogio de Dreyson. Sin embargo, distrajo su atención cuando el agente preguntó a Colin por su padre.

—Acabo de verlo —contestó Colin—. Ha estado bastante mal, pero ya está mejorando.

Alesandra no pudo disimular su sorpresa. Se volvió a Colin.

—No me... —Se detuvo justo a tiempo. Estuvo a punto de echarle en cara que no le hubiera creído y que hubiera ido a ver a su padre para ver si la pescaba en una mentira. A Alesandra le resultó vergonzosa la actitud de Colin. No obstante, los asuntos privados jamás debían discutirse ante a socios comerciales. Y estaba dispuesta a respetar ese principio, por enfadada que estuviera.

—¿No qué? —preguntó Colin. Su sonrisa le indicó que sabía perfectamente lo que ella había querido preguntarle.

Alesandra asumió una expresión de serenidad, pero sus ojos denotaban mucha frialdad.

—No me dirá que ha estado demasiado cerca de sus

padres, ¿verdad? —preguntó a Colin por fin—. La enfermedad que tienen podría ser contagiosa —explicó a Dreyson.

—¿Podría serlo? —Colin apenas podía hablar de tanto que se reía.

Alesandra no le hizo caso. Tenía los ojos fijos en su agente.

—El hermano mayor de Colin visitó a sus padres hace varios días. Solo se quedó allí una o dos horas y ahora él y su querida esposa están enfermos también. Yo lo habría puesto sobre aviso, pero no estaba en casa. Había salido a cabalgar. Cuando volví, me enteré de que Caine había estado allí y que ya se había marchado.

Dreyson expresó su pesar por el mal que padecía la familia en esos momentos. Alesandra y Colin acompañaron al agente hacia la entrada.

—Regresaré dentro de tres días, si le parece bien, princesa Alesandra, con los papeles listos para que usted los firme con sus iniciales.

Poco después Dreyson se marchó. Colin cerró la puerta detrás de él. Cuando se volvió, notó que Alesandra estaba a escasos treinta centímetros de él, furiosa, con las manos en las caderas.

—Me debe una disculpa —declaró.

—Sí.

—Cuando pienso cómo usted... ¿Es cierto?

Seguía furiosa. Colin sonrió.

—Sí —admitió él—. No le creí cuando me dijo que mi padre y mi hermano estaban demasiado enfermos para encargarse de usted.

—Tuvo que comprobarlo por sus propios medios, ¿no?

Colin pasó por alto la ira de la muchacha.

—Admito que creí que todo eso era mentira —le dijo—. Y pensé que podría traer a mi padre conmigo.

—¿Para qué?

Colin decidió ser totalmente honesto.

—Para que me librara de la responsabilidad que ahora tengo hacia usted, Alesandra.

Alesandra trató de disimular sus sentimientos heridos.

—Lamento que mi estancia en esta casa sea un contratiempo tan relevante para usted, señor.

Colin suspiró.

—No debe tomar esto como algo personal. Sucede que en estos momentos tengo asuntos de negocios muy importantes que resolver y no tengo tiempo para andar jugando al tutor.

Colin se dirigió a su mayordomo antes de que Alesandra pudiera decirle que sí estaba tomando las cosas como algo muy personal.

—Flannaghan, consígame algo de beber. Caliente, por favor. He pasado un frío tremendo hoy en el camino a caballo.

—Se lo merece —gruñó Alesandra—. Algún día su suspicacia lo meterá en serios problemas.

Colin se agachó hasta que su rostro estuvo a muy pocos centímetros del de ella.

—Mi suspicacia es la que me ha mantenido vivo, princesa.

Alesandra no entendió qué había querido decirle con esa frase. Pero no le agradó el modo en que estaba frunciendo el entrecejo, por lo que decidió que lo mejor era dejarlo en paz. Se volvió para dirigirse a las escaleras. Colin la siguió. Oyó que ella iba susurrando algo entre dientes, pero no pudo entender ni una sola palabra. De todas maneras, estaba demasiado distraído para concentrarse en eso. Todo lo que le preocupaba en ese momento era no quedarse embobado con el sutil movimiento de sus caderas ni con lo cautivadora y atractiva que le resultaba su espalda.

Alesandra escuchó un suspiro detrás de sí y advirtió que él la seguía. No se volvió para preguntarle:

—¿También fue a casa de Caine para corroborar que está enfermo o la palabra de su padre le bastó?

—Fui a verlo.

Entonces sí se volvió para mirarlo cara a cara y fruncirle el entrecejo. Casi chocaron. Como estaba un escalón más arriba que él, pudo mirarlo a los ojos sin necesidad de levantar la cabeza.

Advirtió su bronceado, la dureza de su boca y el brillo verde de sus ojos con aquella increíble sonrisa.

Colin notó las sensuales pecas que le pintaban la nariz.

A Alesandra no le gustó el rumbo que habían tomado sus pensamientos.

—Está cubierto de tierra, Colin, y probablemente, huele igual que su caballo. Creo que necesita un baño.

A Colin no le agradó su tono de voz.

—Tiene que dejar de hablarme y mirarme con tanta altanería —le ordenó, con una voz tan tajante como la de ella—. Una pupila no debe tratar a su tutor de esa manera tan irrespetuosa.

Alesandra no encontró una respuesta adecuada para rebatir esa verdad. Por el momento, Colin era su tutor y, probablemente, ella le debía respeto. Sin embargo, no quería admitirlo, porque él le había expresado claramente que no deseaba su presencia en la casa.

—¿Su hermano se siente mejor?

—Está medio muerto —le respondió con un tono de voz casi divertido.

—¿No quiere a Caine?

Colin se echó a reír.

—Por supuesto que quiero a mi hermano.

—Entonces ¿por qué dice con tanta alegría que está medio muerto?

—Porque está realmente enfermo y no se ha puesto de acuerdo con mi padre en todo este plan.

Alesandra meneó la cabeza, se volvió y subió corriendo el resto de las escaleras.

—¿Su esposa está mejor? —gritó por encima de su hombro.

—Está tan verde como Caine —respondió Colin—. Gracias a Dios, la pequeña hija de ambos se ha salvado. Ella y Sterns se quedaron en el campo.

—¿Quién es Sterns?

—El mayordomo, ahora niñera, de la familia —explicó Colin—. Caine y Jade se quedarán en Londres hasta que se repongan. Mi madre se siente mejor, pero mis hermanas todavía no toleran nada en el estómago. ¿No es raro, Alesandra, que usted no haya enfermado como ellos también?

Ella ni lo miró. Sabía que era responsable y detestaba tener que admitirlo.

—En realidad, ahora que lo pienso, he estado un poco indispuesta en mi viaje a Inglaterra —señaló, restándole importancia.

Colin rió.

—Caine la llama La Plaga.

Ella se volvió para mirarlo.

—No fue mi intención que todos enfermaran. ¿De verdad él me echa la culpa?

—Sí. —Colin mintió deliberadamente para molestarla.

Los hombros de Alesandra se hundieron.

—Y yo que tenía la esperanza de mudarme a casa de su hermano mañana.

—No puede.

—De modo que cree que tendrá que cargar conmigo ahora, ¿verdad?

Ella esperó la negativa de Colin. Un caballero, después de todo, habría tenido una respuesta galante, aunque no fuera cierta, solo para ser cortés.

—Alesandra, tengo que cargar con usted.

Lo miró furiosa por la franqueza.

—Podría resignarse y tratar de ser un poco más agradable, ¿no?

Alesandra recorrió a toda prisa el corredor y fue al estudio de Colin. Él se apoyó contra el marco de la puerta y la observó mientras ella recogía los papeles que estaban sobre la mesa, junto a la chimenea.

—No estará ofendida porque no creí lo de la enfermedad de mi familia, ¿verdad?

La princesa no contestó.

—¿Su padre habló con usted de las circunstancias en las que me encuentro?

El temor de sus ojos lo sorprendió.

—No estaba como para poder hablar demasiado esta noche.

Alesandra se relajó notablemente.

—Pero usted me hablará de ellas, ¿no?

Colin mantuvo la voz baja y serena, pero Alesandra seguía reaccionando como si él le hablara a gritos.

—Preferiría que se lo explicara su padre.

—Él no puede. Usted lo hará.

—Sí —aceptó ella, por fin—. Seré yo quien se lo diga. No deja pasar a Flannaghan —agregó, contenta por la interrupción.

—Princesa Alesandra, tiene visitas. Neil Perry, el conde de Hargrave, está esperando en el salón para hablar con usted.

—¿Qué quiere? —le preguntó Colin.

—Neil es el hermano mayor de Victoria —explicó ella—. Esta mañana le envié un mensaje pidiéndole que viniera a visitarme.

Colin fue hacia el escritorio y se apoyó en él.

—¿Sabe que desea interrogarlo en relación con su hermana?

Alesandra entregó sus papeles a Flannaghan, le pidió que tuviera la gentileza de llevarlos a su cuarto y luego se dirigió a Colin.

—No le comenté exactamente el motivo de mi solicitud.

Salió a toda prisa del estudio para que Colin no tuviera oportunidad de reprocharle que se había valido de esas artimañas para conseguir sus propósitos. Ignoró las órdenes que le dio para que volviera y fue a su alcoba. Había confeccionado una lista de preguntas que quería formular a Neil y no quería olvidarse de ninguna. La hoja de papel estaba sobre su mesa de noche. La dobló, sonrió a Flannaghan, quien estaba arreglando su ropa de cama y bajó a toda prisa.

Flannaghan quería anunciarla. Pero ella no se lo permitió. Neil estaba de pie, en el salón. Se volvió cuando Alesandra llegó al vestíbulo e hizo una profunda reverencia para recibirla.

—Realmente, le agradezco mucho que haya venido tan pronto —comenzó Alesandra, una vez cumplida su propia reverencia.

—En su nota mencionó que el asunto que quería discutir conmigo revestía gran importancia, princesa. ¿Nos conocíamos? Estoy seguro de que, de haber sido así, ciertamente no lo habría olvidado.

Alesandra supuso que el hermano de Victoria trataba de ser galante, pero su sonrisa indicaba cierto desdén. El conde de Hargrave apenas le llevaría entre tres y cinco centímetros de estatura. Estaba tan rígido que parecía tener la ropa almidonada hasta las orejas. Alesandra no encontró ningún parecido físico con su hermana a excepción del color de ojos. Eran del mismo tono castaño. Pero Victoria había heredado las facciones más agradables de la familia. Tenía una nariz corta y recta. La de Neil era larga, más bien aguileña y extremadamente angosta. A Alesandra le resultaba feo y, además, la alteraba su voz nasal.

Las apariencias, recordó, engañan. Rogaba para que Neil tuviera una disposición tan dulce como la de su hermana. Parecía quisquilloso. Alesandra deseaba equivocarse.

—Por favor, siéntese. Quería hablarle de un tema que me concierne y le ruego indulgencia ante algunas preguntas que deseo formularle.

Neil asintió y se volvió para dirigirse al otro lado del salón. Aguardó a que Alesandra tomara asiento en el sillón y luego hizo lo propio en la silla adyacente. Cruzó una pierna sobre la otra y colocó las manos en una rodilla. La princesa advirtió que tenía las uñas demasiado largas para ser hombre y con una perfecta manicura.

—Jamás había estado en esta casa —señaló Neil. Miró a su alrededor. Había sorna en su voz al agregar—: La ubicación es excelente, pero tengo entendido que la casa es alquilada.

—Sí, lo es —afirmó ella.

—Es terriblemente pequeña, ¿no? Creo que una princesa debe tener un ambiente mucho más apropiado.

Neil era un presuntuoso. Alesandra trataba de no despreciarlo, pero sus comentarios dificultaban sus esfuerzos. Sin embargo, era el hermano de Victoria y lo necesitaba para localizar a su amiga.

—Soy muy feliz aquí —declaró ella, forzándose por aparentar un tono amable—. Bien, señor, quería hablar con usted de su hermana.

A Neil no le gustó el anuncio. Su sonrisa se desvaneció de inmediato.

—Mi hermana no es un tema de conversación, princesa Alesandra.

—Espero hacerlo cambiar de parecer —contravino ella—. Conocí a Victoria el año pasado. Se quedó en el convento de la Sagrada Cruz cuando enfermó durante su viaje. ¿Por casualidad, ella no mencionó haberme conocido?

Neil meneó la cabeza.

—Mi hermana y yo rara vez hablábamos.

—¿De verdad? —Alesandra no pudo disimular su sorpresa.

Neil soltó un exasperado suspiro, bastante exagerado, por cierto.

—Victoria vivía con nuestra madre. Yo tengo mi propia casa —agregó con cierto tono jactancioso—. Por supuesto que ahora que se ha ido vaya Dios a saber adónde, mamá ha venido a vivir conmigo.

Empezó a tamborilear con los dedos sobre la rodilla con aparente impaciencia.

—Le pido disculpas si este tema le resulta difícil de tratar, pero estoy preocupada por Victoria. No creo que haya sido capaz de huir para casarse.

—No se preocupe —la contradijo él—. No vale la pena que nadie se preocupe por ella. Hizo la cama...

—No entiendo su necia actitud. Victoria podría estar en dificultades.

—Y yo no entiendo su actitud, princesa —le dijo Neil—. No ha estado en Inglaterra el tiempo suficiente para entender lo que puede hacer un escándalo en la posición social de una persona. Mi madre quedó prácticamente destruida por la insensatez de Victoria. Vaya, si por primera vez en quince años no fue invitada a la fiesta de Ashford. La humillación la tuvo en cama durante un mes. Mi hermana lo echó todo a perder. Es y siempre ha sido una tonta. Pudo haberse casado con quien se le antojara. Conozco al menos a tres caballeros con título que ella rechazó. Solo pensaba en sí misma, por supuesto.

Mientras mi madre se preocupaba y trataba de buscarle un buen partido, ella se escabullía por la puerta de atrás para encontrarse con su amante.

Alesandra luchó por contener sus nervios.

—No puede saber eso con certeza —discutió—. En cuanto a lo del escándalo...

Pero no pudo terminar la frase.

—Obviamente, a usted tampoco le importa el escándalo —murmuró Neil—. Con razón se llevaba tan bien con mi hermana.

—¿Exactamente, qué es lo que quiere insinuar? —le preguntó ella.

—Está viviendo en la misma casa de un hombre soltero —dijo—. Ya corren rumores.

Alesandra inspiró profundamente para mantener la calma.

—¿Y cuáles son esos rumores?

—Algunos dicen que sir Colin Hallbrook es su primo. Otros, que es su amante.

Alesandra dejó caer la lista sobre su falda y se puso de pie.

—Su hermana me habló muy poco de usted y ahora entiendo por qué. Es un hombre despreciable, Neil Perry. Si no estuviera tan preocupada por lo que puede estar pasándole a Victoria, lo echaría de esta casa en este mismo instante.

—Yo me encargaré de eso personalmente.

El anuncio de Colin se oyó desde la entrada. Estaba apoyado contra el marco de la puerta, con los brazos cruzados sobre el pecho. Parecía tranquilo, pero sus ojos... Oh, Dios, sus ojos lanzaban llamas. Alesandra nunca lo había visto tan enojado. Se estremeció.

Neil pareció asombrado por la interrupción. Rápidamente se recuperó, descruzó torpemente las piernas y se puso de pie.

—De haber sabido el verdadero motivo por el que me citó, jamás habría venido, princesa Alesandra. Buenos días.

Alesandra no pudo quitar los ojos de Colin el tiempo suficiente para responder a Neil. Tenía la sensación de que Colin estaba agazapado y dispuesto a atacar en cualquier momento.

Y su sensación fue certera. Flannaghan mantuvo la puerta abierta para el visitante. Colin se desplazó para quedar junto al mayordomo. Su expresión no era auténtica, de modo que Neil no tenía idea de que realmente Colin lo arrojaría literalmente a la calle.

Si Alesandra hubiera parpadeado una sola vez, se lo habría perdido. Neil apenas pudo soltar un chillido de indignación parecido al de un cerdo. Colin lo tomó del cuello de la camisa y de la cintura de los pantalones, lo levantó en el aire y lo arrojó al exterior. Neil aterrizó en el arroyo.

Alesandra se quedó boquiabierta. Recogió sus faldas y corrió hacia la puerta principal. Flannaghan le permitió ver al conde de Hargrave tirado en la calle antes de cerrar la puerta.

Se volvió bruscamente para enfrentar a Colin.

—¿Y ahora qué voy a hacer? Dudo que quiera volver a esta casa después del modo en que usted lo echó de aquí.

—Ese hombre la insultó. Y yo no puedo permitirlo.

—Pero necesitaba que me respondiera a unas cuantas preguntas.

Él se encogió de hombros. Ella hundió los dedos en su cabellera en un gesto de agitación. Trataba de decidir si se sentía halagada por el comportamiento de Colin o si estaba furiosa con él.

—¿Qué he hecho con mi lista?

—¿Qué lista, princesa? —preguntó Flannaghan.

79

—La lista de preguntas que iba a formularle a Neil.

Regresó corriendo al salón, se agachó y encontró la hoja de papel debajo del sillón.

Flannaghan y Colin la observaron.

—La princesa Alesandra cree firmemente en la utilidad de confeccionar listas para todo, milord —comentó Flannaghan.

Colin no hizo comentarios al respecto. Le dirigió una mirada ceñuda cuando ella pasó junto a él en dirección a las escaleras.

—No le permitiré que vuelva a invitar a Perry a esta casa, Alesandra —le gritó, aún ardiendo de ira por los ásperos comentarios de aquel hombre.

—No dude que volveré a invitarlo —contestó ella por encima del hombro—. Mientras usted sea mi tutor, esta casa es tan mía como suya. Estoy decidida a averiguar qué pasó con Victoria y si eso implica tener que soportar a su desagradable hermano, bueno, lo haré.

Colin se dirigió a su mayordomo.

—No lo deje entrar, ¿entendido?

—Perfectamente, milord. Es nuestra obligación proteger a nuestra princesa de gentuza como él.

Alesandra ya había doblado la esquina del pasillo de la planta superior, de modo que no oyó la orden que Colin impartió a Flannaghan ni el acatamiento de este. Estaba rotundamente cansada de los hombres, en general, y de Neil Perry, en particular. Decidió olvidar por el momento al hermano de Victoria. Al día siguiente se le ocurriría algo.

Valena esperaba a su señora en el cuarto. Ella y Flannaghan ya habían trasladado las pertenencias de la princesa de la alcoba de Colin a la habitación contigua.

Alesandra se sentó en el borde de la cama y se quitó los zapatos de un puntapié.

—Parece que tendremos que quedarnos aquí unos pocos días más, Valena.

—Han llegado sus baúles, princesa. ¿Desea que empiece a deshacer el equipaje?

—Mañana estará bien. Sé que todavía es un poco temprano, pero creo que me acostaré. No es necesario que te quedes aquí para ayudarme.

Valena la dejó sola. Alesandra se tomó su tiempo para acostarse. Estaba cansada de las reuniones que había tenido durante el día. Hablar con tantos amigos de su padre y escuchar tantas historias maravillosas sobre él hizo que lo echara de menos, y a su madre también, más que nunca. Alesandra pudo haberse controlado si el desagradable de Neil no hubiera sido tan descarado y duro. Habría querido gritarle que debía sentirse agradecido por tener una madre y una hermana a quien amar. Perry no lo entendería, ni le importaría, se imaginó, porque era demasiado parecido a otra gente que Alesandra había conocido, para quienes la familia era algo permanente y seguro.

Alesandra se sumió en la autocompasión en cuestión de minutos. No tenía a nadie en el mundo que la quisiera realmente. Colin le había dicho claramente que para él era una carga y su verdadero tutor, que por cierto era mucho más amable y comprensivo que el hijo, probablemente opinaría lo mismo.

Alesandra quería a su madre. Los recuerdos de su vida familiar no le servían de consuelo. La soledad la angustiaba. Se acostó pocos minutos después, se metió bajo las mantas y lloró hasta quedarse dormida. Despertó en mitad de la noche. Como seguía sintiéndose del mismo modo, comenzó a llorar otra vez.

Colin la oyó. Él también estaba acostado, pero no podía dormir. Los latidos de la pierna lo mantenían bien despierto. Alesandra no hacía mucho ruido, pero Colin estaba alerta al menor sonido de la casa. Inmediatamente, apartó las mantas y se levantó. Estaba en medio del cuarto cuando se dio cuenta de que estaba completamente desnudo. Se puso los pantalones y apoyó una mano en el picaporte de la puerta. Se detuvo.

Quería reconfortarla, pero al mismo tiempo, sabía que se sentiría incómoda por haberla oído llorar. Los sonidos eran apenas audibles, lo que indicaba que ella quería sollozar en el mayor silencio posible. No quería que la oyeran y Colin sabía que debía respetar su intimidad.

—Demonios —murmuró. Ya no sabía ni qué pensaba. Por lo general, no era tan indeciso. Sus instintos le indicaban que debía poner distancia entre él y Alesandra. La joven era una complicación que él no estaba preparado para enfrentar.

Se volvió y regresó a su cama. Finalmente, admitió la verdad. No estaba protegiendo a Alesandra del bochorno. No, estaba protegiéndose de sus libidinosas ideas. La joven estaba en la cama, probablemente, solo con un camisón y, maldita sea, Colin sabía que si se acercaba a ella no podría evitar tocarla.

Apretó los dientes y cerró los ojos. Si esa pequeña inocente hubiera sospechado siquiera lo que estaba pensando su vecino de alcoba, probablemente habría enviado a los custodios a hacer guardia alrededor de su cama durante toda la noche.

Dios, cómo la deseaba.

Mató a una prostituta. Error. No había sido para nada satisfactorio, pues faltaba la sensación de absoluto poder y excitación. Le llevó unos cuantos días de reflexión poder llegar a concebir una explicación adecuada. La satisfacción era consecuencia de una cacería propicia, exclusivamente. La prostituta había sido muy fácil y aunque sus gritos lo habían excitado, no fue lo mismo. No, no, era la inteligencia que debía emplear para hacer que la víctima mordiera el anzuelo. Era la seducción de la inocente llevada a cabo por el amo. En esos elementos radicaba la diferencia. La prostituta era sucia. No se merecía el poder descansar en paz, como las otras. La arrojó por un barranco para que se la comieran los animales salvajes.

Necesitaba una dama.

Colin ya se había marchado cuando Alesandra bajó a la mañana siguiente. Flannaghan y Raymond estaban sentados con ella a la enorme mesa del comedor, revisando una pila de invitaciones que acababan de llegar. Stefan dormía porque había hecho la guardia nocturna. Alesandra no creía que fuera necesario que alguien tuviera que quedarse levantado vigilando toda la noche, pero Raymond, el jefe de los dos guardias, no quiso escucharla. Raymond sostenía que alguien siempre debía mantenerse alerta, por si algo sucedía, y como la princesa lo había puesto al mando de esa situación, debía dejarlo hacer las cosas a su modo.

—Pero ahora estamos en Inglaterra —insistió ella una vez más.

—El general no es un hombre para tomar a la ligera —contravino Raymond—. Llegamos aquí, ¿no es verdad? Él bien pudo haber mandado a sus hombres en el siguiente barco disponible.

Alesandra dejó de discutir el asunto y siguió con la tarea que tenía entre manos.

—Es asombroso que tanta gente se haya enterado ya de que estoy en Londres —señaló ella.

—No me sorprende —contestó Flannaghan—. Me enteré por la cocinera, que se enteró por el carnicero, que usted está causando sensación. Me temo que también ha despertado ciertos chismes por vivir en esta casa. Claro que el hecho de que haya venido con su dama de compañía y dos guardias dejan sin efecto las insinuaciones mal intencionadas. También hubo un comentario gracioso... una tontería, nada más...

Alesandra estaba a punto de extraer una de las tarjetas de su sobre correspondiente. Se detuvo para mirar a Flannaghan.

—¿Qué tontería?

—Se cree que usted y mi señor son parientes —explicó—. Creen que Colin es su primo.

—Neil Perry también lo mencionó —dijo ella—. Pero agregó que otros piensan que es mi amante.

Flannaghan se quedó boquiabierto. Ella le dio unas palmadas en la mano.

—No hay cuidado. La gente siempre cree lo que quiere creer. Pobre Colin. Apenas si me soporta tal como están las cosas, como para tener que aguantar que comenten que somos primos. Solo Dios sabe cómo reaccionaría si se enterase.

—¿Cómo puede decir semejante cosa? —preguntó Flannaghan—. A milord le encanta tenerla aquí.

—Estoy impresionada, Flannaghan.

—¿Por qué, princesa?

—Porque acaba de decirme una mentira enorme y en mi propia cara.

Flannaghan no se rió hasta que la vio sonreír.

—Bueno, le encantaría tenerla aquí si no estuviera tan preocupado con sus asuntos de contabilidad.

Flannaghan estaba tratando de salvar la situación, pensó Alesandra. Asintió en silencio, como coincidiendo con él. Flannaghan le suplicó que le permitiera ayudarla. Ella le indicó la tarea de pegar su sello en los sobres. El símbolo de su sello era de lo más extraño. Flannaghan jamás había visto nada parecido. Se delineaba claramente la silueta de un castillo y de lo que aparentaba ser un águila o un halcón en lo alto de una torrecilla.

—¿Ese castillo tiene nombre, princesa?

—Sí, se llama Stone Haven, el refugio de piedra, en nuestro idioma. Mis padres se casaron allí.

Alesandra contestó a todas sus preguntas. El jovial humor de Flannaghan la renovaba. No pudo creer que ella fuera dueña no solo de uno sino de dos castillos y su expresión le resultó de lo más cómica. Realmente, el mayordomo era un hombre delicioso.

Trabajaron juntos toda la mañana, pero cuando el reloj dio la una de la tarde, Alesandra fue arriba a cambiarse el vestido. Solo dijo a Flannaghan que recibiría gente esa tarde y que deseaba estar radiante.

Flannaghan creyó que la princesa no necesitaba hacer ningún cambio. Simplemente, era imposible estar más bella de lo que era.

Colin llegó alrededor de las siete esa tarde. Estaba entumecido y de pésimo humor por haber pasado largas horas sentado al escritorio de sus oficinas en el astillero. Llevaba los libros de contabilidad debajo del brazo.

Encontró a su mayordomo sentado en los escalones de la escalera que conducía al primer piso. Fue Raymond el que le abrió la puerta principal. Flannaghan parecía exhausto.

—¿Qué le ha sucedido? —preguntó Colin.

El mayordomo salió de su estupor y se puso de pie.

—Otra vez hemos tenido compañía hoy, señor. La princesa no me avisó. Bueno, no estoy culpándola, por supuesto, porque me dijo que vendría visita, pero no me especificó de quién se trataba. Y entonces él se presentó aquí, con sus ayudantes, y yo derramé el té que la cocinera había preparado. Cuando se fue, apareció un estibador en la puerta. Yo pensé que se trataba de un mendigo y le dije que fuera por la puerta de atrás para que la cocinera le diera algo de comer. Pero la princesa Alesandra me oyó e intervino. ¡Vaya! Estaba esperando a ese hombre y ¿sabe qué? Lo trató con el mismo respeto que al otro.

—¿Qué otro? —preguntó Colin, tratando de descifrar los códigos de la insólita explicación del sirviente.

—El príncipe regente .

—¿Estuvo aquí? Que un rayo me parta.

Flannaghan volvió a sentarse en los escalones.

—Si mi tío Sterns llega a enterarse de la desgracia, me dejará las orejas coloradas.

—¿Qué desgracia?

—Derramé el té sobre la chaqueta del príncipe regente.

—Estupendo —respondió Colin—. Cuando pueda, le aumentaré el sueldo.

Flannaghan sonrió. Había olvidado lo mucho que su señor detestaba al príncipe regente.

—Yo me alteré bastante por su presencia, pero la princesa Alesandra actuaba como si nada extraordinario estuviera pasando. Fue muy digna. Claro que el príncipe regente tampoco se mostró tan presuntuoso como siempre. Parecía más bien un colegial. Creo que le tiene gran cariño a la princesa.

Alesandra apareció en lo alto de la escalera. Colin alzó la vista y de inmediato frunció el entrecejo. Un escozor en el pecho lo hizo caer en la cuenta de que había dejado de respirar.

Estaba absolutamente hermosa, con un vestido plateado y blanco que brillaba a la luz cada vez que se movía. Si bien la prenda no era muy atrevida, el escote era bastante pronunciado.

Tenía el cabello recogido con una fina cinta blanca que se confundía entre sus rizos. Algunos mechones le rozaban la nuca.

Estaba tan hermosa que nadie podía dejar de mirarla. Cada fibra del cuerpo de Colin reaccionó ante aquella imagen de femineidad. Quería estrecharla entre sus brazos, besarla, saborearla...

—¿Adónde rayos cree que va? —le gruñó con la aspereza de un general. La ira disimuló su deseo, o al menos, eso creyó él.

Ella abrió los ojos desmesuradamente ante tanta hostilidad.

—A la ópera —contestó—. El príncipe regente insistió en que ocupara su palco esta noche. Raymond vendrá conmigo.

—Usted se quedará en casa, Alesandra —declaró Colin.

—Princesa, no pretenderá que vaya a la ópera y me siente cerca del príncipe regente, ¿verdad? —preguntó Raymond, algo quejumbroso, una actitud que no cuadraba con su físico robusto y su aspecto temerario.

—Él no estará allí, Raymond —explicó ella.

—De todas maneras, no puedo ir. No sería bien visto. Esperaré en el vehículo.

—Usted no irá a ninguna parte sin mí —anunció Colin. La miró con tenacidad, para que ella se diera cuenta de que no estaba bromeando.

Alesandra tenía una sonrisa radiante. Entonces, Colin se dio cuenta de que no tenía intenciones de arrastrar a Raymond al interior del teatro. Con gran astucia, había planeado esa trampa para hacerlo caer.

—Entonces suba rápido a cambiarse, Colin. No querrá llegar tarde, ¿verdad?

—Detesto la ópera.

Colin parecía un niñito quejándose por tener que comer sus verduras. Pero Alesandra no le tuvo lástima en lo más mínimo. A ella tampoco le gustaba la ópera, pero no estaba dispuesta a reconocérselo. Si lo hacía, Colin insistiría en quedarse en casa y ella no podía darse el lujo de insultar al príncipe regente al no utilizar su palco.

—Qué pena, Colin. Ya me lo ha prometido. Venga.

Alesandra levantó sus faldas y bajó la escalera. Flannaghan la miró boquiabierto. Ella le sonrió al pasar a su lado.

—Se mueve como una princesa —murmuró a su señor.

Colin sonrió.

—Es una princesa, Flannaghan.

De repente, Colin dejó de sonreír. El vestido de Alesandra era un poquito más escotado de lo que había creído. De cerca, le veía la elevación de los senos.

—Tendrá que cambiarse el vestido antes de salir —declaró.

—¿Y por qué tendría que cambiarme?

Colin murmuró algo entre dientes.

—Este vestido es demasiado... excitante. ¿Quiere que todos los hombres se queden mirándola con insolencia?

—¿Cree que lo harán?

—Rayos, claro.

Ella sonrió.

—Bien.

—¿Quiere llamar la atención?

Colin pareció incrédulo.

Ella, exasperada.

—Por supuesto que quiero llamar la atención. Estoy tratando de encontrar un esposo, ¿lo recuerda?

—Se cambiará ese vestido.

—Me dejaré la capa puesta.

—Cámbiese.

Flannaghan empezó a experimentar dolor de cuello de tanto volverlo de un rostro al otro por tan acalorada discusión.

—Se está comportando de un modo terriblemente anticuado.

—Soy su tutor. Y me comporto como se me antoja.

—Colin, sea razonable. Valena se tomó mucho trabajo tratando de quitar todas las arrugas que tenía esta prenda.

Colin ni la dejó terminar.

—Está perdiendo el tiempo.

Ella le meneó la cabeza. No iba a ceder, por intimidante que fuera su mirada.

Él se acercó. Antes de que Alesandra pudiera adivinar sus intenciones, Colin cogió la parte superior del escote y trató de subir el vestido hasta el mentón de la muchacha.

—Cada vez que crea que su vestido necesita algún arreglo, lo haré personalmente, no me importa dónde estemos.

—Me cambiaré.

—Eso pensé.

No bien la soltó, Alesandra se volvió y subió corriendo las escaleras.

—Es usted un hombre horrible, Colin.

A Colin le resbalaron sus insultos. Se había salido con la suya y eso era todo lo que contaba. Preferiría morir antes que permitir que los depredadores la acorralaran.

No tardó mucho tiempo en bañarse y ponerse ropa adecuada. En menos de quince minutos, estuvo listo abajo.

A Alesandra le tomó mucho más rato. Estaba bajando las escaleras nuevamente, cuando Colin salía del comedor mordiendo una manzana verde. Se detuvo al verla en la escalera. Se quedó mirando fijamente el escote del segundo vestido, hasta que asintió en silencio, dando su aprobación. Sonrió satisfecho. Alesandra pensó que estaría regodeándose por su victoria. Evidentemente, había pensado que ese vestido verde esmeralda era el adecuado. Pero en realidad, no lo era. El escote era muy profundo, en «V», pero ella, astutamente, había colocado un trozo de encaje por debajo para contentar a su tutor.

No había escogido el vestido para provocarlo deliberadamente, sino porque era la única opción que le quedaba. Los demás estaban demasiado arrugados para ponérselos y Valena solo se había dedicado a alisar ese.

Colin estaba imponente. El negro le sentaba muy bien. Mientras se acomodaba su almidonada corbata, seguía devorando la manzana.

Aún parecía increíblemente atractivo. La chaqueta ceñía sus anchos hombros. Los pantalones también le quedaban indecentemente apretados. Alesandra no pudo evitar reparar en la abultada musculatura de sus muslos.

Colin se mostró preocupado durante gran parte del trayecto. Alesandra se sentó frente a él en el vehículo, con ambas manos sobre la falda. Colin tenía las piernas tan largas que la acorralaba contra un rincón. En la oscuridad, su tamaño era mucho más intimidante. Al igual que su silencio.

—No sabía que fuera amiga del príncipe regente.

—No es mi amigo. Lo conocí hoy.

—Flannaghan me dijo que el príncipe estaba impresionado con usted.

Ella meneó la cabeza.

—Estaba muy impresionado con lo que soy, no por quién soy.

—¿Qué quiere decir?

Ella suspiró antes de responder.

—Fue una visita oficial. El príncipe regente vino porque yo soy una princesa. No me conoce personalmente. ¿Lo entiende?

Él asintió.

—La mayor parte de la sociedad la apreciará por lo que es, Alesandra. Me alegra que entienda la superficialidad que puede existir en las amistades que le ofrezcan. Eso demuestra que tiene madurez.

—¿Madurez? No, cinismo.

Él sonrió.

—Eso también.

Pasaron varios minutos en silencio y luego él volvió a hablar.

—¿Le cayó en gracia?

—¿Quién?

—El príncipe.

—No lo conozco lo suficiente como para emitir un juicio.

—Se está yendo por la tangente, Alesandra. Dígame la verdad.

—Estaba siendo diplomática —le contestó—. Pero le hablaré con franqueza. No, no me agradó particularmente. ¿Está contento ahora?

—Sí. Su respuesta me confirma que juzga muy bien el carácter de las personas.

—Tal vez, el príncipe tenga un corazón tierno —señaló ella, un tanto culpable por haber reconocido que el príncipe no le caía bien.

—No lo tiene.

—¿Por qué no le cae bien a usted?

—Porque no cumplió con su palabra... Con una promesa que le hizo a mi socio —explicó Colin—. El príncipe regente tenía un tesoro importante que pertenecía a la esposa de Nathan, Sara, y después de un tiempo, decidió quedárselo. Fue un gesto deshonesto.

—Vergonzoso —coincidió ella.

—¿Por qué no le gustó a usted?

—Parecía muy... orgulloso —admitió.

Colin resopló.

—Está lleno de... —Se detuvo para no usar la palabra que tenía en la punta de la lengua. Trató de encontrarle un sustituto.... vinagre.

El carruaje se detuvo ruidosamente frente al Teatro Real de la Ópera. Alesandra se acomodó sus guantes blancos y fijó su atención en Colin.

—Jamás le habría permitido la entrada a su casa si hubiera sabido lo que le había hecho a su socio. Le ofrezco mis disculpas, Colin. Su casa es su castillo, donde solo los amigos pueden ser invitados.

—¿Lo habría rechazado?

Ella asintió. Él le guiñó un ojo. El corazón de Alesandra empezó a palpitar de inmediato. Santo Dios, era un conquistador.

Raymond había viajado en el pescante, junto al cochero. Se bajó para abrirles la puerta.

Colin descendió primero y se volvió para ayudar a Alesandra. La capa de ella se abrió cuando le tendió la mano. El pañuelo de encaje que había puesto debajo del escote se movió y cuando la joven pisó el pavimento, se cayó al suelo.

Colin lo recogió. Miró una sola vez su provocativo escote y le lanzó dardos con los ojos.

Estaba furioso con ella. Alesandra trató de evadirse de aquella mirada ceñuda y por poco cayó sobre la acera. Colin la cogió y luego la puso frente al carruaje. Volvió a colocar el encaje en su lugar.

Alesandra se sintió tan humillada que le devolvió la misma mirada ceñuda. Se miraron fijamente a los ojos durante varios minutos, hasta que por fin, fue ella la primera en ceder y bajar la cabeza.

Colin le acomodó la capa sobre los hombros, la puso a su lado y se volvió hacia los peldaños de la entrada. Alesandra supuso que debía sentirse agradecida de que Colin no hubiera hecho una escena. Por otra parte, sospechaba que nadie había visto aquel pequeño enfrentamiento. Al entrar al teatro, la tapó con el cuerpo para que los demás no la vieran. Sí, la joven debía sentirse agradecida. Pero no lo estaba. Colin se comportaba como un viejo.

—Pasa demasiado tiempo con sus libros de contabilidad, señor. Francamente, tendría que salir con un poco más de frecuencia. Así se daría cuenta de que mi vestido no es inapropiado, sino más bien bastante recatado.

No le agradó el resoplido de descreimiento de Colin. Sentía ganas de darle un puntapié.

—Se ha tomado esto de ser mi tutor muy a pecho, ¿verdad?

Colin mantuvo su brazo alrededor de los hombros de la muchacha mientras subían. Y ella trató de liberarse de él todo el tiempo. Sin embargo, Colin estaba decidido a ser posesivo y ella tuvo que ceder.

—Alesandra, mi padre me encomendó esta responsabilidad. No importa si me gusta o no. Yo soy su tutor y usted hará lo que se le ordene.

—Es una pena que no sea como su padre. Él es un hombre muy dulce y comprensivo. Podría aprender muchas cosas de él.

—Cuando deje de vestirse como una golfa, seré más comprensivo —le prometió.

Alesandra se quedó pasmada y soltó una especie de gemido.

—Nunca nadie se ha atrevido a llamarme golfa.

Colin no hizo comentarios al respecto. Solo sonrió.

Ninguno de los dos volvió a dirigirse la palabra durante un largo rato. Los condujeron hacia el palco del príncipe y se sentaron uno junto al otro.

El teatro estaba lleno a rebosar, pero Colin estaba

seguro de que solo Alesandra miraba la actuación. Todos los demás se dedicaban a mirarla a ella.

Ella fingía no darse cuenta de las miradas. También había impresionado a Colin. Estaba hermosamente modesta, con la postura bastante erguida. En ningún momento despegó los ojos del escenario. Sin embargo, Colin le miró las manos. Las tenía entrelazadas, muy apretadas, sobre la falda.

Se le acercó un poco más. Luego extendió el brazo y le cubrió ambas manos con una suya. Ella no lo miró, pero se aferró a su mano con todas sus fuerzas. Se quedaron así durante el resto de la ópera.

La corbata blanca almidonada lo estaba volviendo loco. Quería arrancársela, apoyar los pies en la baranda del palco y cerrar los ojos. Pero si lo hubiera hecho, Alesandra habría tenido palpitaciones, sin duda. No la avergonzaría, por supuesto, pero cómo odiaba tener que cuidar las apariencias frente a la gente de la alta sociedad.

También odiaba tener que ocupar el palco del príncipe regente. Nathan estaría furioso con él durante una semana entera si se enteraba. Su socio detestaba al príncipe mucho más que él, porque había sido su esposa la que había perdido su herencia por culpa del innoble magistrado.

La horrenda ópera con la que fue castigado no mejoró su pésima predisposición. Entonces, cerró los ojos y trató de no escuchar los alaridos que provenían del escenario.

Alesandra no se dio cuenta de que Colin se había quedado dormido hasta que la ópera terminó. Se volvió para preguntarle si había disfrutado de la música tanto como ella, pero cuando estuvo a punto de hablarle, Colin empezó a roncar. Alesandra a punto estuvo de echarse a reír. Debió esforzarse sobremanera para controlar su expresión. La ópera, en realidad, había sido espantosa. Ojalá ella hubiera podido dormir durante todo el espectáculo para salvarse del sufrimiento. Sin embargo, jamas lo admitiría ante Colin, por la simple y sencilla razón de que él se mofaría de ella.

Le propinó un fuerte codazo y Colin se despertó sobresaltado.

—Realmente, es usted imposible —murmuró.

Colin sonrió con ojos somnolientos.

—Me gusta saber que lo soy. —Simplemente, no era posible ofenderlo. Alesandra dejó de intentarlo. Se puso de pie, tomó su capa y se volvió para irse del palco. Colin la siguió.

Había un tumulto en el vestíbulo de la planta baja. La mayoría de los presentes esperaba para verla más de cerca. Alesandra se encontró rodeada de caballeros que le imploraban una presentación. En la confusión, perdió de vista a Colin y cuando por fin logró localizarlo nuevamente, lo vio rodeado de damas. Una de ellas, una despampanante pelirroja, con un escote que le llegaba a las rodillas, estaba colgada de su brazo. La mujer no hacía más que lamerse el labio superior. A Alesandra le recordaba un gato hambriento que acababa de descubrir un recipiente lleno de leche.

Aparentemente, Colin era la cena de la dama. Alesandra trataba de concentrarse en lo que estaba diciéndole un caballero que se había presentado como el conde de no sé dónde, pero no podía dejar de mirar a Colin. Él parecía muy contento con toda la atención que estaba recibiendo y por alguna extraña razón, Alesandra se puso furiosa.

El ataque de celos la tomó por sorpresa. Oh, Dios, era una sensación horrenda. No podía soportar ver la mano de aquella mujer en el brazo de Colin. Estaba más disgustada consigo misma que con él. Desde que pisó suelo inglés, no había hecho más que comportarse como una princesa debía hacerlo. Las santificadas palabras de la madre superiora hacían eco en su mente: dignidad y decoro. También recordaba la advertencia que la monja le había hecho sobre las acciones espontáneas. Le había mencionado al menos diez ejemplos de problemas que habían surgido por culpa de sus reacciones impulsivas.

Alesandra suspiró. Supuso que acercarse a Colin para arrancarle del brazo la mano de aquella horrible mujer habría sido considerado como una reacción impulsiva. Además, sabía que los comentarios del día siguiente la harían arrepentirse de esa acción.

Tenía la sensación de que el vestíbulo se encogía poco a poco a su alrededor. Nadie parecía tener prisa por marcharse. Cada vez más personas se acercaban a aquella reducida sala para ver quién se había hecho presente.

Necesitaba aire fresco desesperadamente. Se excusó con el caballero que estaba pidiéndole una entrevista, permitiéndole enviarle una nota para tal fin y se abrió paso entre la multitud, hacia las puertas de salida.

No le importaba si Colin la seguía o no. Salió. Se detuvo ante las escalinatas, aspiró profundamente el aire impuro de la ciudad y se puso la capa. El carruaje de Colin estaba abajo, directamente frente a donde ella estaba. Raymond la vio de inmediato. Saltó del pescante, donde había estado esperándola junto al cochero.

Alesandra recogió sus faldas y empezó a bajar. Alguien la tomó del brazo. Pensó que se trataba de Colin, que por fin la había alcanzado. Cada vez la apretaba más fuerte. Trató de zafarse y luego se volvió para decirle que le estaba haciendo daño.

No era Colin. El desconocido que la asía del brazo estaba vestido de negro de la cabeza a los pies. Llevaba un sombrero que le cubría hasta las cejas. Alesandra prácticamente no podía verle el rostro.

—Suélteme —le ordenó ella.

—Debe venir conmigo ahora, princesa Alesandra.

Sintió un escalofrío en el pecho. El hombre le había hablado en el idioma de la tierra natal de su padre. Entonces comprendió qué estaba sucediendo. Trató de no ser presa del pánico. Reculó e intentó correr, pero otro hombre la atrapó por la espalda. La lastimaba de tanto que la apretaba. Pero Alesandra estaba demasiado furiosa para pensar en el dolor. Con la ayuda de su amigo, el hombre comenzó a arrastrarla hacia un lado del edificio. Un tercer hombre apareció entre las sombras de las columnas de piedra que estaban frente al teatro y bajó corriendo las escalinatas para impedir la intervención de Raymond. El guardia subía a toda prisa para protegerla. Raymond atinó su primer puñetazo, pero su blanco solo se tambaleó ligeramente hacia atrás. Luego atacó ferozmente al guardia con un objeto afilado. Alesandra vio que la sangre corría por el rostro de Raymond y empezó a gritar.

Alguien le tapó la boca con la mano. Ella lo mordió lo más fuerte que pudo. El hombre esgrimió un grito de dolor y cambió la posición.

Ahora estaba ahogándola. No hacía más que repetirle que, si no dejaba de forcejear, tendría que lastimarla de verdad.

Alesandra estaba aterrada. No podía respirar. Siguió luchando, determinada a liberarse de esos hombres horribles y a correr hacia Raymond. Tenía que ayudarlo. Podía desangrarse hasta morir y, Dios santo, sería culpa de ella. Debió haber escuchado a Raymond, cuando este insistía en que los hombres del general podrían ir tras ella. Debió haberse quedado en casa... debió haber...

Oyó a Colin antes de verlo. Un rugido furibundo, distinto a todos los que había escuchado antes, estalló en la oscuridad. El hombre que la sujetaba desde atrás fue el primero en desaparecer de la escena. Cayó de cabeza contra los pilares de piedra. Se desplomó en el suelo como un muñeco.

Alesandra empezó a toser, tratando de respirar. El desconocido que la tomaba por el brazo trató de interponerla entre él y Colin, a modo de escudo protector. Pero no se lo permitieron. Colin se movió con tanta rapidez que Alesandra no tuvo tiempo siquiera de ayudarlo. Dio un fuerte puñetazo en el rostro del hombre. El sombrero del atacante salió volando y él cayó sobre las escaleras, junto a los pies de Raymond. El guardia de Alesandra estaba totalmente concentrado, sitiando a su adversario, con la mente fija en el brillante cuchillo que tenía en la mano.

Colin apareció por detrás. El hombre se volvió para asestarle una puñalada. Colin lo desarmó de un puntapié y lo asió por el brazo. Se lo retorció en una posición muy antinatural. El hueso crujió, seguido por un horrendo grito de dolor. Sin embargo, Colin no había terminado con su víctima. Lo arrojó de cabeza contra la parte posterior del carruaje.

Alesandra bajó corriendo las escaleras. Utilizó el pañuelo de encaje que tenía en el escote de su vestido para parar la hemorragia de la mejilla derecha de Raymond.

Colin ignoraba si habría más atacantes escondidos en las sombras dispuestos a entrar en escena. Lo único que sabía era que Alesandra no estaría segura hasta que llegaran a la casa.

—Entre en el carruaje, Alesandra. Ya.

Su voz estaba cargada de ira. La joven pensó que estaba furioso con ella. Se apresuró a acatar su orden, pero tratando de llevarse a Raymond consigo. Le rodeó los hombros con un brazo e intentó levantarlo, murmurándole que se apoyara contra ella.

—Yo estaré bien, princesa —le dijo Raymond—. Suba al carruaje. No está segura aquí.

Colin la apartó violentamente del guardia. Medio la levantó, medió la empujó hacia el vehículo. Luego, se volvió para ayudar al guardia.

Si el guardia hubiera estado en condiciones de cuidar de Alesandra, Colin se habría quedado allí para interrogar a esos bastardos y averiguar por qué se habían atrevido a tocarla. Pero Raymond había perdido bastante sangre y estaba a punto de perder el conocimiento.

Colin profirió un insulto y subió al vehículo. De inmediato, el cochero azuzó a los caballos para que emprendieran un rápido trote.

Alesandra estaba sentada junto al guardia.

—No entiendo por qué nadie nos ayudó —susurró ella—. ¿Acaso no se daban cuenta de que teníamos problemas?

—Usted era la única que estaba fuera, princesa —contestó Raymond. Estaba acurrucado en un rincón del carruaje—. Todo sucedió muy rápido. ¿Por qué no estaba su escolta con usted?

Raymond volvió la cabeza para mirar furioso a Colin mientras formulaba la pregunta. El pañuelo que sostenía contra su mejilla estaba poniéndose cada vez más colorado. Lo acomodó contra la herida y se volvió para mirar a la princesa.

Ella tenía las manos cruzadas sobre la falda y bajó la mirada.

—Es todo culpa mía—dijo ella—. Me impacienté porque había demasiada gente. Quería tomar un poco de aire fresco. Debí haber esperado.

—¡Caramba! Claro que debió haber esperado.

—Por favor, no se enoje conmigo, Colin.

—¿Dónde rayos estaba Hiliman?

—¿El conde que me presentó antes de que me dejara?

—Yo no la dejé —masculló—. Hiliman estaba presentándole a algunos de sus amigos y yo le volví la espalda por un minuto para saludar a algunos conocidos. Maldita sea, Alesandra, si quería irse, ¿por qué no pidió a Hillman que viniera a buscarme?

—No le servirá de nada levantarme la voz. Ya he dicho que acepto toda la responsabilidad por lo que pasó.

Se volvió a su guardia.

—Raymond, ¿puede perdonarme? Debí haberme quedado en casa. Lo he puesto en peligro...

Colin interrumpió.

—No tiene que quedarse encerrada bajo llave, Alesandra. Simplemente, no debió haber salido sin mí.

—Me habrían atacado aunque usted hubiera estado conmigo —le contradijo ella.

Él la miró especulativamente.

—Explíquese —le ordenó.

—Lo haré cuando usted deje de gritarme.

Colin no había gritado, pero obviamente, Alesandra estaba demasiado sensible para advertirlo. Se había quitado los guantes blancos. Colin la observó mientras los doblaba en un cuadrado y se volvía hacia Raymond. Le ordenó que los usara como venda, porque el pañuelo ya estaba completamente empapado en sangre.

—Maldición, Alesandra. Pudo haber resultado herida.

—Y usted también, Colin —le dijo ella—. Raymond necesita un médico.

—Enviaré a Flannaghan que vaya a por Winters en cuanto lleguemos a casa.

—¿Winters es su médico de cabecera?

—Sí. Alesandra, ¿conocía a los hombres que la atacaron?

—No —respondió ella—. Por lo menos, no por su nombre. Sé de dónde son, sin embargo.

—Son fanáticos —intervino Raymond.

Alesandra no podía tolerar la mirada ceñuda de Colin. Se apoyó en los cojines del vehículo y cerró los ojos.

—Los hombres son de mi tierra natal y quieren llevarme de vuelta.

—¿Para qué?

—Para que se case con el bastardo de su general —respondió Raymond—. Le pido disculpas, princesa, por usar ese término en su presencia, pero Iván es un bastardo con todas las letras.

Colin tuvo que esperar para seguir con el interrogatorio, pues ya habían llegado a la casa. No iba a dejar que Alesandra bajara del carruaje hasta que la puerta de la residencia estuviera abierta y Stefan, alerta. El guardia salió a ayudar a Raymond y Colin se encargó de Alesandra.

Pasaron más de una hora atendiendo a Raymond. Gracias a Dios, el médico de Colin vivía a solo tres calles de allí y se encontraba en su casa esa noche. Flannaghan lo trajo en el coche de Colin.

Winters era un hombre de cabellos canos y ojos castaños; con voz suave y gran sabiduría en su materia.

Creía que la multitud había sido la responsable del ataque. Nadie pudo convencerlo de que estaba equivocado.

—Ya no es seguro pasear por Londres, con todos esos rufianes merodeando por las calles. Hay que tomar medidas urgentes, antes que algún ciudadano decente muera a manos de esos delincuentes.

El doctor estaba en medio del vestíbulo, con la mano apoyada en la mejilla de Raymond mientras estudiaba la seriedad de la herida y se quejaba de las condiciones actuales de las calles londinenses.

Colin sugirió que Raymond se sentara a la mesa del comedor. Flannaghan trajo más candelabros para que el médico tuviera mejor luz.

El corte se limpió con un líquido de olor muy penetrante y se cosió con hilo negro. Pero Raymond ni cambió la expresión con cada puntada de la tortura. Alesandra se retorcía por él. Se quedó sentada todo el tiempo a su lado y, cada vez que el médico le clavaba la aguja en la carne, ella tomaba la mano del guardia y se la apretaba con fuerza.

Colin estaba parado en la puerta mirando. Su atención estaba concentrada en Alesandra. Advirtió cuán apenada estaba. Tenía los ojos llenos de lágrimas y los hombros le temblaban. Colin debió contenerse para no correr a su lado a reconfortarla.

Alesandra era una mujer dulce y compasiva. Colin también advirtió su vulnerabilidad. Estaba murmurando algo al guardia, pero él no llegó a entender las palabras precisas. Avanzó, pero se detuvo bruscamente al escuchar lo que ella estaba diciendo.

Alesandra estaba prometiendo que nada más pasaría por su culpa. Según ella, Iván, después de todo, no sería tan mal marido. Decía al guardia que ya lo había pensado bien y que había decidido regresar a su tierra natal.

Raymond no pareció nada feliz con sus promesas. Colin se puso furioso.

—No tomará ninguna decisión esta noche, Alesandra —le ordenó.

Ella se volvió para mirarlo. La ira en su voz la sorprendió. ¿Por qué le importaba tanto lo que ella decidiera?

—Sí, princesa —dijo Raymond, atrayendo su atención—. Mañana podrá tomar la decisión que desee.

Alesandra fingió estar de acuerdo. Pero de todas maneras, ya lo tenía bien decidido. No permitiría que nadie más resultara herido por su culpa. Hasta esa noche, no se había dado cuenta de lo que serían capaces de hacer los seguidores del general con tal de cumplir su objetivo. Y si Colin no hubiera intervenido, Raymond habría podido resultar muerto.

Y Colin también pudo haber resultado herido. Oh, sí, claro que la decisión ya estaba tomada.

Winters terminó con su trabajo, dio las instrucciones necesarias y se marchó. Colin sirvió a Raymond una copa grande de coñac. El guardia vació el contenido sin respirar.

En cuanto Raymond se retiró a su cuarto, Flannaghan asumió su tarea nocturna habitual de revisar todas las ventanas y puertas de la casa para asegurarse de que estuvieran cerradas debidamente.

Alesandra fue hacia su cuarto, pero Colin la interceptó justo cuando tocaba el picaporte con la mano. Colin la condujo de vuelta a su estudio. No le dijo ni una sola palabra. Solo la llevó allí y cerró la puerta.

Alesandra supuso que había llegado el momento de explicar la extraña situación en la que estaba involucrada. Fue hacia la chimenea y se calentó las manos ante el fuego que Flannaghan, inteligentemente, había encendido.

Colin la observó, pero no articuló palabra. Finalmente, la princesa se volvió para mirarlo. Colin estaba apoyado en la puerta, con los brazos cruzados sobre el pecho. No fruncía el entrecejo y tampoco parecía enojado. Solo pensativo.

—Le puse en peligro esta noche —susurró ella—. Debí haberle explicado todo claramente desde un principio.

Alesandra esperó a que asintiera. Pero él la sorprendió, al negar con la cabeza.

—Esto fue tan culpa mía como suya, Alesandra. Debí haber insistido en que me lo contara todo. Pero estaba demasiado ocupado con mis propios asuntos para prestarle atención. He sido negligente como tutor. Sin embargo, eso ha cambiado. Va a contármelo todo, ¿verdad?

Ella apretó las manos.

—Nada de esto es culpa suya, señor. No creí que estaría aquí el tiempo suficiente para perturbarlo con mis problemas personales, especialmente después de que me explicó claramente que no tenía intenciones de casarse en un tiempo bastante prolongado. También creí que el general enviaría a un embajador para solicitar mi regreso. Como ha visto, me equivoqué. Pensé que era un hombre civilizado. No lo es. Obviamente está decidido... y desesperado.

Las lágrimas humedecieron sus ojos. Respiró profundamente para controlar sus emociones.

—Lamento mucho lo que ha sucedido esta noche.

A Colin le dio pena.

—No ha sido su culpa.

—Ellos andaban detrás de mí —contravino ella—. No de Raymond ni de usted.

Colin finalmente se movió. Avanzó hacia la silla que estaba detrás del escritorio, se sentó y apoyó los pies en el taburete más cercano.

—¿Por qué quiere el general que usted regresé a su tierra natal?

—No es mi tierra natal —lo corrigió ella—, porque ni siquiera nací allí. Verá, mi padre era rey, hasta que se casó con mi madre. Ella era inglesa, por lo que se la consideraba extranjera. Mi padre renunció para poder desposarla y su hermano Edward ocupó el trono. Todo fue muy civilizado.

Colin no hizo comentario alguno, de modo que

Alesandra no tenía ni la menor idea de lo que estaba pasando por su mente.

—¿Quiere que continúe? —preguntó, obviamente preocupada.

—Quiero que me explique por qué el general quiere que vuelva —repitió.

—Mi padre era un hombre muy apreciado entre sus súbditos. Nadie lo condenó por haberse casado con mi madre. De hecho, a todos les pareció muy romántico. Renunció a reinar por ella y todos los que conocieron a mi madre también aprendieron a adorarla. Ella era una mujer muy querida, de corazón muy tierno.

—¿Usted se parece a ella físicamente?

—Sí.

—Entonces también era una mujer muy bella, ¿no?

Colin acababa de hacerle un cumplido, pero ella tuvo dificultades para aceptarlo. Su madre había sido mucho más que bella.

—Un elogio no tendría que hacerla fruncir el ceño, ¿verdad?

—Mi madre era hermosa. Pero también tenía pureza en el corazón. Ojalá hubiera sido mas parecida a ella, Colin. Mis pensamientos rara vez son puros. Esta noche me puse tan furiosa que tenía deseos de atacar a esos hombres.

Colin sonrió por primera vez.

—Yo sí los ataqué —le recordó—. Ahora, por favor, continúe con la explicación. Estoy ansioso por escucharla.

—El hermano de mi padre falleció el año pasado y el país está sumido en el caos nuevamente. Al parecer, algunos piensan que yo debería volver. El general quiere casarse y cree que podrá asegurarse el poder si me convierte en su esposa.

—¿Por qué cree eso?

Ella suspiró.

—Porque soy la única heredera al trono que sobrevive. Todos han olvidado convenientemente que mi padre abdicó. Como ya le dije, todos sus súbditos lo amaban y ese amor...

Ella no prosiguió. Colin se preguntó por qué se había ruborizado.

—¿Y ese amor qué? —le preguntó.

—Ha sido transferido a mi persona —declaró ella—. Por lo menos eso es lo que sir Richards, de su Departamento de Guerra, me ha explicado, al igual que todas las cartas que he recibido durante todos estos años de los fieles que confirman sus sospechas.

Colin se irguió en su silla.

—¿Conoce a sir Richards?

—Sí —contestó ella—. Me ha ayudado mucho. ¿Por qué se sorprende? ¿Sucede algo malo? Se ha sobresaltado cuando he mencionado su nombre.

Colin meneó la cabeza.

—¿Cómo es que el responsable de la seguridad de Inglaterra está involucrado en todo esto?

—¿Entonces también conoce a sir Richards?

—Trabajo para él.

Fue ella quien se sorprendió entonces. Y sobremanera.

—Pero él tiene un secreto... Colin, si usted trabaja para él, entonces debe de estar involucrado en un trabajo peligroso. ¿Qué piensan sus padres de la doble vida que lleva? Oh, señor, con razón no quiere casarse. Su esposa viviría preocupada. Claro que sí.

Colin se arrepintió de haberle confesado la verdad.

—Trabajaba para él —especificó.

Alesandra se dio cuenta de que le estaba mintiendo. La prueba estaba en su mirada, que se había vuelto... fría, dura. Decidió no discutir con él. Si deseaba que ella pensara que ya no tenía nada que ver con el Servicio de Seguridad, le haría creer que la había convencido.

—¿Cómo y cuándo se involucró sir Richards?

El tono irritado de Colin la devolvió al tema anterior.

—Vino a verme justo el día antes de que su padre enfermara. Él y sus ayudantes (o superiores, como suele llamarlos) desean que me case con el general Iván.

—Entonces ¿conoce al general?

Alesandra meneó la cabeza.

—Ha oído de él —explicó—. Sir Richards considera que el general Iván es el menor de los dos males.

Colin soltó un insulto. Ella fingió no haberlo escuchado.

—Sir Richards dijo a su padre que el general Iván sería fácil de controlar. Inglaterra quiere que continúen las importaciones y el general miraría su país como un aliado si sus líderes me convencieran de que me case con él. Hay otro hombre que desea arrebatarle el trono de las manos y sir Richards lo considera más peligroso. Además, opina que no cooperaría con los arreglos comerciales.

—De modo que usted sería el cordero ofrecido en sacrificio, ¿no es así?

Ella no contestó.

—¿Qué le dijo mi padre a sir Richards?

Alesandra empezó a retorcerse las manos.

—El director puede ser muy persuasivo. Su padre escuchó sus argumentos cuidadosamente y prometió que pensaría el asunto. Cuando Richards se marchó, decidió en contra de la boda.

—¿Por qué?

Alesandra bajó la cabeza y se miró las manos. Al ver lo coloradas que las tenía, dejó de estrujarlas.

—Me puse a llorar —confesó ella—. Me avergüenza admitirlo, pero lo hice. Estaba tan deprimida... Su madre se puso furiosa con su padre y yo fui la causa de esa horrenda riña entre ellos. Eso me hizo sentir más triste. Pensé que estaba amargando a todos con mi egoísmo. Mi única excusa es que mis padres tuvieron una vida tan feliz que yo deseaba encontrar la misma dicha para mí. No creí encontrar amor ni felicidad si me casaba con un hombre que solo me quiere por motivos políticos. Nunca he visto al general, pero Raymond y Stefan me han contado historias sobre él. Si la mitad de lo que me han dicho es cierto, entonces debe de ser muy alocado.

Alesandra se detuvo para respirar profundamente.

—Su padre tiene un corazón muy tierno. No soportaría verme triste. Y había prometido a mi padre cuidar de mí.

—Por eso decidió que tendría que casarse conmigo.

—Sí —contestó ella—. Esa era su esperanza, pero no contaba con ello. De haber sido así, su madre habría mandado escribir su nombre en las invitaciones. Entienda, señor, que yo fui un poco fantasiosa al decirle a su padre que quería casarme por amor. Ahora me doy cuenta de que eso es imposible, dada la urgencia que requiere hallar un esposo adecuado. Por lo tanto, decidí ver esta boda como una transacción comercial. A cambio de permitirle hacer uso de mi cuantiosa herencia, mi esposo tendrá que hacer su vida y yo la mía. Pensé que tal vez podría viajar... y en cierto tiempo, quizá, regresaría a la Sagrada Cruz. Todo era muy tranquilo en el convento.

—Demonios.

Alesandra no supo cómo interpretar la blasfemia. Frunció el entrecejo y dijo:

—También tenía la esperanza de que, al final, mi esposo y yo fuéramos amigos.

—¿Y amantes? —preguntó Colin.

Ella se encogió de hombros.

—Todo es posible, Colin, con el tiempo y la paciencia necesaria. Sin embargo, he podido examinar de nuevo mi situación. Claro que los caballeros ingleses parecen ser más civilizados, y yo tenía la esperanza de encontrar a alguien que fuera honesto, pero esta noche me he dado cuenta de que nada de eso importa ya. Voy a cooperar. Me casaré con el general. Ya he causado bastantes inconvenientes. Tal vez este hombre aprenda a... suavizar su carácter.

Colin resopló.

—Una serpiente jamás deja de arrastrarse. No cambiará y usted no se casará con él. ¿Lo ha entendido?

Ella se estremeció ante la aspereza de su voz.

—Quiero su consentimiento, Alesandra.

Ella no se lo dio. Solo podía recordar la sangre que corría por la mejilla de Raymond.

—Ya no volveré a ser la causa de...

—Venga aquí.

Alesandra se acercó para detenerse ante el escritorio. Él le indicó con un dedo que se acercara. Alesandra se aproximó por un lateral del escritorio y se detuvo solo cuando estuvo a unos treinta centímetros de él.

—El general abandonaría sus planes y me dejaría en paz si yo tuviera esposo ya... ¿No es cierto?

La combinación de temor y esperanza que se oyó en su voz lo volvió loco. Era demasiado joven para preocuparse por esas cosas. Alesandra debería vivir tan despreocupada y feliz como sus hermanas.

Maldición, necesitaba ayuda. Colin extendió el brazo y le tomó las manos. Alesandra se dio cuenta de que estaba retorciéndolas otra vez. Quiso controlarse. No pudo.

—La boda con el general está fuera de discusión. ¿Estamos de acuerdo en eso?

Colin le apretó las manos hasta que la vio asentir con la cabeza.

—Bien —dijo entonces—. ¿Ha olvidado mencionar algo en su explicación?

—No.

Colin sonrió.

—Nadie resiste ante el responsable del Servicio de Seguridad, ¿no?

—Su padre lo hizo.

—Sí, ¿verdad? —Se sentía terriblemente complacido con su padre—. Hablaré con Richards mañana y veré si logro su apoyo.

—Gracias.

Colin asintió rápidamente con la cabeza.

—Como mi padre es el responsable de usted, concertaré una reunión con él y con mi hermano en cuanto se recuperen de la enfermedad.

—¿Para qué?

—Para determinar qué rayos haremos con usted.

Colin hizo el comentario sin pensarlo, pero Alesandra se lo tomó a pecho. Arrancó sus manos de la de él. Esa franqueza la ofendió, porque era extremadamente sensible por naturaleza. Colin pensó en aconsejarle que debía endurecerse un poco para no sufrir tanto, pero luego se arrepintió por temor a que tomara el consejo como otro insulto.

—No seré una carga para nadie.

—Yo no he dicho que lo fuera.

—Lo ha dado a entender.

—Nunca doy a entender nada. Siempre digo las cosas directamente.

Alesandra se volvió y fue hacia la puerta.

—Creo que ha llegado el momento de examinar de nuevo la situación.

—Ya lo ha hecho.

—Lo haré otra vez.

Colin, repentinamente, sintió náuseas. Cerró los ojos y respiró profundamente. El estómago se quejaba y pensó que se debía a que no había cenado.

Se obligó a pensar en el último comentario de Alesandra.

—¿Y qué es lo que va a pensar de nuevo ahora?

—Nuestro trato —explicó ella—. No está dando los resultados esperados. Realmente creo que mañana tendré que buscarme otro sitio donde vivir.

—Alesandra.

Aunque Colin no había levantado la voz, la amenaza estuvo presente en su tono. Alesandra se detuvo en la entrada y se volvió para mirarlo. Se preparó para la próxima puñalada de sinceridad.

Colin se sintió terriblemente mal cuando vio que la muchacha tenía los ojos llenos de lágrimas.

—Lo siento —masculló—. Usted no es una carga para nadie. Sin embargo, la situación en la que se encuentra es un caos. ¿No está de acuerdo en eso? —le preguntó.

—Claro.

Sin pensarlo, Colin se rascó una ceja y se sorprendió al advertir que estaba sudando. Tiró de su corbata. Demonios, qué calor hacía en ese estudio. El fuego de la chimenea calentaba demasiado. Pensó en quitarse la chaqueta, pero estaba demasiado fatigado para tomarse ese trabajo.

—Es una situación muy seria, Colin —agregó, al ver que él no había hecho comentario alguno sobre lo que ella le había dicho antes.

—Pero tampoco es el fin del mundo, ¿no? Usted está demasiado preocupada por todo.

—Lo estoy —gritó—. Raymond resultó herido esta noche. ¿Ya lo ha olvidado? Podían haberlo matado. Y usted... usted también pudo ser herido.

Colin estaba frunciendo el ceño otra vez. Alesandra lamentó haberle recordado el incidente nuevamente. Decidió no terminar la noche con un tema tan triste.

—He olvidado mis modales —exclamó ella—. Debería agradecérselo.

—¿Debería? ¿Por qué?

—Porque se disculpó —le explicó—. Sé que ha sido difícil para usted.

—¿Y cómo lo sabe?

—Porque rezongaba y parecía lanzarme dardos con la mirada. Sí, fue muy difícil. Sin embargo, se disculpó. Por eso el hecho de que me haya pedido perdón fue doblemente grato para mí.

Alesandra se acercó nuevamente a Colin. Antes de perder el coraje, se inclinó hacia él y plantó un tierno beso en su mejilla.

—Pero aún sigo prefiriendo que su padre sea mi tutor —le dijo, con la esperanza de ganarse una sonrisa—. Él es mucho más fácil de...

Alesandra estaba buscando la palabra adecuada. Él ayudó:

—¿Manipular?

Alesandra rió.

—Sí.

—Mis cuatro hermanitas lo han echado a perder. Con tantas mujeres, se ha vuelto débil.

Colin soltó un suspiro de cansancio y se frotó una ceja otra vez. En los últimos minutos había sentido un dolor de cabeza tan grande que apenas podía concentrarse en la conversación.

—Vaya a acostarse, Alesandra. Ya es tarde y ha tenido un día terrible.

Alesandra fue a retirarse, pero se detuvo.

—¿Se siente bien? Creo que está muy pálido.

—Estoy bien —le dijo él—. Vaya a acostarse.

Colin le mintió con facilidad. Pero no se sentía nada bien. Como el demonio, para ser preciso. Le ardían las vísceras. Tenía la sensación de haberse tragado una brasa al rojo vivo. Su piel también ardía. Tenía calambres. Suerte que no había cenado esa noche. Con solo pensar en la comida sentía deseos de vomitar.

Estaba seguro de que se sentiría mucho mejor después de dormir. Pero a la una de la mañana, deseó poder cerrar los ojos y morir.

A las tres, se creyó muerto directamente.

Estaba ardiendo, y ya había vomitado como veinte veces la miserable manzana que se había comido antes de ir a la ópera.

Por fin, su estómago aceptó la idea de que ya no había nada más que sacar y se quedó quieto, en un apretado nudo de nervios. Colin se tumbó en la cama, boca abajo, con los brazos completamente extendidos.

Oh, sin duda la muerte habría sido preferible a ese malestar.

5

Alesandra no lo dejaría morir. Tampoco lo dejaría solo. Nada más escuchar los vómitos de Colin desde el otro lado de la puerta de su recámara, apartó las mantas de la cama y se levantó.

A Alesandra no le interesaban las apariencias. No le importaba si el hecho de que acudiera a su cuarto era visto como un comportamiento inadecuado para una joven soltera. Colin la necesitaba y ella iba a ayudarle.

Cuando se puso la bata y fue a la habitación, Colin ya había regresado a su cama. Estaba tumbado boca abajo sobre las mantas; completamente desnudo. Alesandra trató de no reparar en el detalle. Colin había abierto las ventanas y el cuarto estaba tan helado que la muchacha podía materializar su propia respiración. Las cortinas se inflaban como gigantescos globos por el intenso viento y lluvia que provenían del exterior.

—Dios santo. ¿Está tratando de suicidarse? —le preguntó.

Él no le contestó. Ella se apresuró a cerrar las ventanas antes de dirigirse a la cama. Solo podía ver una parte del rostro de Colin, pero eso le bastó para determinar que, por su expresión tensa, debía de sentirse terriblemente mal.

Fue una verdadera lucha, pero por fin, a tirones, logró sacar la colcha de debajo de su cuerpo para taparlo debidamente. Colin le dijo que lo dejara en paz de un modo no muy atento. Pero ella no le hizo caso. Tocó su frente y al sentir la fiebre, fue de inmediato a buscar unos paños y agua bien fría.

Colin se sentía demasiado débil para enfrentarla. Alesandra se quedó el resto de la noche a su lado, secándole cada cinco minutos aproximadamente y alcanzándole el orinal casi con la misma frecuencia. Aunque ya no podía vomitar nada más porque tenía el estómago totalmente vacío, le daban tremendas arcadas por el intento en vano.

Colin quería agua, pero ella no le permitía beber nada. Trataba de hacerlo entrar en razones, pero él no estaba de humor para escucharla. Afortunadamente, estaba demasiado exhausto para ir a buscar agua por sus propios medios.

—Si traga algo, lo que sea, lo vomitará de inmediato. Ya he tenido esta enfermedad, Colin. Sé lo que le digo. Ahora cierre los ojos y trate de descansar. Mañana se sentirá mejor.

Quería transmitirle un poco de esperanzas, y por esa razón le mintió deliberadamente. Si Colin repetía el mismo episodio que el resto de la familia, se sentiría en el infierno durante una semana más.

Y las predicciones de Alesandra resultaron correctas. Al día siguiente, Colin no se sintió mejor, ni al segundo tampoco. Ella era su enfermera personal. No permitió que Flannaghan ni Valena entraran en la alcoba por temor a que ellos también se contagiaran de la enfermedad si se acercaban demasiado a Colin. Flannaghan trató de convencerla, pues creía que Colin era responsabilidad suya después de todo, y a él le cabía la obligación de atenderlo. Era una noble obligación, explicó el mayordomo, ponerse en peligro por cuidarlo.

Pero Alesandra rebatió su teoría diciéndole que, como ella ya había padecido la enfermedad, sabía exactamente qué era lo que Colin necesitaba. Era altamente improbable que ella contrajera el mal nuevamente. Flannaghan corría mucho mayor riesgo de contagio, y si él enfermaba, ¿cómo funcionaría toda la casa si él no estaba en condiciones de realizar su trabajo?

Así pudo persuadirlo. Estuvo muy ocupado con el manejo de toda la casa y, además, Alesandra le delegó la tarea de responder la correspondencia en su lugar. La casa estaba cerrada a todos los visitantes. El médico, sir Winters, regresó para visitar a Raymond, y mientras estuvo allí, Alesandra aprovechó la oportunidad para preguntarle por la enfermedad de Colin. Si bien el doctor no entró en el cuarto de Colin para no contagiarse, le recetó un tónico para aliviar el malestar estomacal y sugirió baños con paños de agua fría para bajar la fiebre.

Colin era muy difícil como paciente. Esa noche, cuando su temperatura volvió a subir, Alesandra intentó darle un baño, tal como el médico había recomendado. Restregó su pecho y brazos con el paño frío primero y luego hizo lo propio con las piernas. Aparentemente, Colin estaba dormido, pero cuando ella le tocó la pierna lastimada casi se levantó de un salto.

—Preferiría morirme en paz, Alesandra. Largo de aquí.

El gruñido del hombre no la perturbó en absoluto, pues todavía estaba impresionada ante la imagen de la pierna lesionada. La pantorrilla estaba llena de cicatrices, desde la cara posterior de la rodilla hasta el talón. Alesandra no sabía cómo se habría herido de ese modo, pero supuso que el sufrimiento debía de haber sido muy intenso.

Le pareció un milagro que pudiera caminar. Colin tiró de las mantas para taparse las piernas y le repitió, aunque en un tono mucho más suave, que se retirase del cuarto.

Los ojos de Alesandra estaban llenos de lágrimas. Pensó que Colin podía haberlas visto. No quería que se enterase de que su lesión había provocado esas lágrimas. Colin era un hombre muy orgulloso e inflexible. Alesandra sabía que no apreciaría su compasión y, obviamente, tendría ciertos complejos por esa cicatriz.

Alesandra decidió distraer su atención con otra cosa.

—Sus gritos me resultan irritantes, Colin, y si sigue dándome esas órdenes tan groseras, lo más probable es que me ponga a llorar desconsoladamente como si fuera una criatura. Pero no me iré de aquí, por más que me diga lo que me diga. Ahora, tenga la amabilidad de dejarme que lave su pierna.

—Alesandra, le juro por Dios que voy a arrojarla por la ventana si no se marcha ahora mismo de mi alcoba.

—Colin, el baño con paños fríos no le molestó para nada anoche. ¿Por qué se ha puesto tan irritable ahora? ¿La fiebre es más elevada que la de ayer?

—¿Anoche me lavó las piernas?

—Sí —le contestó ella con toda honestidad.

—¿Qué rayos más me lavó?

Alesandra se dio cuenta de a qué se refería Colin. Trató de no ponerse colorada al responderle.

—Los brazos, el pecho y las piernas —dijo—. Omití la parte central. Deje de reñir conmigo, señor —le ordenó, mientras sacaba violentamente la pierna de debajo de las mantas.

Colin cedió, pero mascullando maldiciones entre

dientes. Alesandra embebió el paño en el agua fría y con mucha suavidad lavó ambas piernas.

En ningún momento abandonó su expresión seria, y no se dio cuenta hasta que volvió a taparlo debidamente de que Colin había estado observándola durante todo el proceso.

—¿Y bien? —le preguntó—. ¿No se siente mejor ahora?

La mirada furiosa de Colin fue su única respuesta. Alesandra se puso de pie y se alejó del lecho para que él no la viera sonreír. Dejó el recipiente en el palanganero y llevó un vaso de agua lleno solo hasta la mitad.

Se lo entregó y le dijo que lo dejaría solo un momento nada más. Intentó irse, pero él le tomó la mano y se la apretó.

—¿Tiene sueño? —le preguntó él, con la voz aún ronca por la irritación.

—No mucho.

—Entonces quédese a conversar conmigo.

Apartó las piernas a un lado y dio suaves golpes en la cama para indicarle que se sentara. Alesandra obedeció. Puso una mano sobre la otra y las dejó sobre su falda, tratando desesperadamente de no fijar la vista en el pecho de Colin.

—¿No tiene camisones? —le preguntó ella.

—No.

—Cúbrase, Colin —le sugirió entonces. No esperó a que él acatara la orden y lo tapó ella misma.

Colin, de inmediato, se destapó. Se sentó, apoyó la espalda sobre el respaldo y bostezó sonoramente.

—Dios, me siento fatal.

—¿Por qué lleva el cabello tan largo? Ya le llega hasta los hombros. Parece un bárbaro —añadió, aunque con una sonrisa, para que no lo tomara como un insulto—. De verdad, le da un aspecto de pirata.

Colin se encogió de hombros.

—Me hace recordar —le dijo él.

—¿Recordar qué?

—La libertad.

Alesandra no sabía de qué estaba hablando, pero aparentemente él no quería dar mayores explicaciones. Colin cambió de tema. Prefirió ponerse al tanto de los negocios.

—¿Flannaghan le ha enviado la nota a Borders?

—¿Se refiere a su socio?

—Borders no es mi socio. Se ha retirado del negocio de los astilleros, pero me ayuda cuando lo necesito.

—Sí —contestó ella—. Flannaghan envió a un mensajero y Borders está haciéndose cargo de todo. Cada noche trae un informe completo del día. Están todos sobre el escritorio de su estudio, para que los revise cuando se sienta mejor. También recibió una carta de su socio —agregó la joven—. No sabía que habían abierto otra oficina al otro lado del océano. Muy pronto se convertirán en una empresa internacional, ¿no es así?

—Tal vez. Ahora dígame qué ha estado haciendo usted. No ha salido, ¿verdad?

Ella meneó la cabeza.

—He estado cuidándolo. Escribí otra nota al hermano de Victoria implorándole una segunda entrevista. Neil respondió con una carta muy amable, pero rechazando mi petición. Ojalá no lo hubiera echado de aquí como lo hizo aquel día.

—No quiero que ese sujeto vuelva a esta casa, Alesandra.

Ella suspiró y él la miró con el entrecejo fruncido.

—Está revolviendo un pasado dudoso innecesariamente.

—Prometí ser discreta. Estoy preocupada por Victoria —añadió.

—Solo usted se preocupa —dijo él.

—Sí, ya lo sé —murmuró ella—. Colin, si usted estuviera en dificultades, yo haría cualquier cosa para ayudarlo.

Le complació tan ferviente promesa de sus labios.

—¿De verdad?

Ella asintió con la cabeza.

—Ahora somos como de la familia, ¿verdad? Su padre es mi tutor y yo trato de considerarlo a usted como a un hermano...

—Al diablo con eso.

Ella abrió los ojos desmesuradamente. Colin parecía furioso.

—¿No desea que lo considere como a un hermano?

—Desde luego que no.

Ella pareció desolada.

Colin la miró con expresión incrédula. La fiebre no había calmado el deseo que sentía por ella en lo más mínimo. Demonios, tendría que estar muerto y enterrado para poder liberarse de esa creciente necesidad de tocarla.

Ella no tenía ni idea de lo atractiva que le resultaba. Estaba sentada a su lado, cándidamente, con ese vestido blanco tan sencillo y virginal, que si bien no era para nada provocativo, a él se lo parecía. Estaba abotonado hasta el mentón de la muchacha, pero a Colin le resultaba muy sexy. Igual que su cabello. No lo llevaba recogido como siempre, sino libre, suelto sobre los hombros en rebeldes rizos. Alesandra no hacía más que apartárselos, en un gesto que para Colin era insoportablemente exquisito.

Prefería estar muerto antes de que ella lo considerara como a un hermano.

—Hace menos de una semana pensaba en mí como su futuro esposo, ¿lo recuerda?

El irracional enojo de Colin alimentó el de ella.

—Pero usted me rechazó, ¿lo recuerda?

—No me hable en ese tono tan duro, Alesandra.

—No me levante la voz, Colin.

Él suspiró. Ambos estaban agotados, pensó, y seguramente, esa era la razón por la que estaban de un humor demasiado sensible esa noche.

—Usted es una princesa —dijo entonces—. Y yo soy...

Ella terminó la frase por él.

—Un dragón.

—Bien —gruñó—. Un dragón. Y las princesas no se casan con los dragones.

—Qué irritable está esta noche.

—Siempre estoy irritable.

—Entonces es una bendición que no nos casemos. Me haría muy infeliz.

Colin volvió á bostezar.

—Probablemente —aceptó.

Ella se puso de pie.

—Necesita dormir —anunció. Se inclinó sobre él para tocarle la frente—. Todavía tiene fiebre, aunque no tanta como anoche. Colin, ¿le desagradan las mujeres que dicen: «Ya te lo dije»?

—Demonios, las detesto.

Ella sonrió.

—Bien. Recuerdo haberle dicho que su naturaleza suspicaz le traería dificultades y tenía razón, ¿no?

Colin no contestó. A ella no le importó. Estaba demasiado ocupada jactándose. Se volvió y fue hacia la puerta que comunicaba ambos cuartos. Pero todavía no había terminado de mofarse de él.

—Tenía que ir a ver con sus propios ojos si Caine estaba realmente enfermo; mírese ahora.

Abrió las puertas de par en par.

—Buenas noches, dragón.

—¿Alesandra?

—¿Sí?

—Estaba equivocado.

—¿Sí? —Estaba atónita por su admisión y esperó a escuchar el resto de la disculpa. Después de todo, el hombre no era tan ogro—. ¿Y? —lo presionó, al ver que no continuaba.

—Todavía sigue siendo una mocosa malcriada.

Colin tuvo fiebre durante siete largos días y noches más. La octava noche despertó sintiéndose un ser humano nuevamente y se dio cuenta de que la calentura había desaparecido. Se sorprendió al encontrar a Alesandra en su lecho. Estaba completamente vestida y dormida sentada, con la espalda apoyada en el respaldo de la cama. Tenía el cabello sobre el rostro y ni se movió cuando él se levantó. Colin se aseó, se puso unos pantalones limpios y regresó a la cama. Levantó a Alesandra en sus brazos y, a pesar de su débil condición, no le costó ningún trabajo. Era tan liviana como el aire para él. Sonrió al ver que se acurrucaba contra su hombro y suspiraba con un gesto muy femenino. La tendió sobre la cama de su cuarto y la tapó con la colcha de satén.

Se quedó allí, de pie, mirándola, durante un largo rato. Alesandra no abrió los ojos en ningún momento. Obviamente estaba agotada por tantas horas de no dormir. Colin sabía que no lo había abandonado en ningún momento durante su agonía. Lo había cuidado celosamente y, rayos, no sabía cómo se sentía por eso.

Aceptó el hecho de estar en deuda con ella, pero que un mal rayo lo partiera si sus sentimientos iban más allá de simple gratitud. Alesandra empezaba a importarle. Nada más admitir esa realidad, trató de hallar un modo de suavizar el impacto que causaba en él. No era el momento de relacionarse sentimentalmente con ninguna mujer. Por supuesto que no era el momento oportuno, y no dejaría sus sueños y objetivos de lado por ninguna fémina.

Pero Alesandra no era cualquier mujer. Colin sabía que si no ponía distancia de inmediato, sería demasiado tarde para él. Caramba, cómo se complicaba todo. Se sentía muy confundido emocionalmente. No la quería, se repetía una y otra vez, pero la sola idea de que otro pudiera tomarla le revolvía el estómago.

No estaba pensando con sensatez. Finalmente, se obligó a alejarse de la cama de Alesandra. Entró en su cuarto y se dirigió al estudio. Tenía acumulado un mes de trabajo sobre el escritorio como mínimo, y le llevaría aproximadamente ese tiempo transferir todas las cifras a los libros contables. Enterrarse en el trabajo era lo único que lo haría dejar de pensar en Alesandra.

Alguien había hecho el trabajo. Colin no podía creerlo cuando examinó los libros contables. Todo estaba perfectamente actualizado, finalizando con las cifras de los embarques que se habían realizado en el día de la fecha. Pasó una hora revisando que los importes fueran los correctos, que los totales fueran los precisos y luego se reclinó en el respaldo de la silla para leer las notas que le habían dejado.

Caine, obviamente, se había hecho cargo, decidió Colin. Tendría que agradecer a su hermano la colaboración recibida. Seguro que le habría llevado más de una semana de trabajo porque había más de cincuenta páginas completas anexadas al último trabajo que él había completado. Hacía más de un año que Colin no estaba tan al día.

Concentró su atención en los mensajes. Colin estuvo ocupado en su estudio desde el amanecer hasta última hora de la tarde. Flannaghan estaba muy contento de ver a su señor tan repuesto. Le subió una bandeja con el desayuno y otra llena de exquisiteces a la hora del almuerzo. Colin se había bañado y se había puesto una camisa blanca y pantalones negros. Flannaghan lo elogió, diciéndole que los colores le sentaban bien. El mayordomo revoloteaba a su alrededor como una gallina tratando de proteger a sus polluelos, de modo que pronto atrajo la atención de Colin.

Flannaghan volvió a interrumpirlo alrededor de las tres de la tarde para darle los mensajes de su padre y hermano.

La nota del duque de Williamshire transmitía su honda preocupación por la seguridad de la princesa Alesandra. Obviamente se había enterado del ataque del que habían sido víctimas después de finalizada la ópera. Solicitaba concertar una fecha para una reunión familiar y, además, que Colin llevara a Alesandra a su casa de la ciudad en cuanto se sintiera mejor.

La nota de Caine fue similar —confusa, también, porque no hacía referencia a la ayuda que le había brindado con los libros contables—. Colin pensó que la omisión de Caine solo se debía a su humildad.

—Son buenas noticias, ¿verdad? —preguntó Flannaghan—. Su familia se ha recuperado por completo. La cocinera habló con el jardinero de su padre y él le dijo que todos se sentían en forma otra vez. Su padre ya dio la orden de que se abriera la casa de la ciudad, de modo que todos se instalarán allí cuando caiga la noche. La duquesa ha venido con él, pero sus hermanas recibieron órdenes de quedarse en el campo una o dos semanas más. ¿Desea que envíe algún mensajero para informar sobre su recuperación?

Colin no estaba sorprendido por los datos que el mayordomo le dio. Los sirvientes siempre estaban al tanto de las últimas noticias de cualquier casa.

—Mi padre desea una reunión familiar. ¿También averiguó eso por el jardinero? —preguntó secamente.

Flannaghan asintió.

—Sí, pero no sé la fecha precisa.

Colin meneó la cabeza sin poder creerlo.

—Concierte la reunión para mañana por la tarde.

—¿A qué hora?

—A las dos.

—¿Y su hermano? —preguntó Flannaghan—. ¿Desea que le mande un mensaje a él también?

—Sí —respondió Colin—. Estoy seguro de que no querrá perderse la reunión.

Flannaghan salió corriendo hacia la puerta a cumplir con sus obligaciones. Cuando llegó a la puerta, se detuvo.

—Milord, ¿todavía sigue nuestra casa cerrada a los visitantes? Los pretendientes de la princesa Alesandra han implorado la entrada durante toda la semana.

Colin frunció el entrecejo.

—¿Me está diciendo que esos patanes ya están merodeando en la puerta de mi casa?

Flannaghan se estremeció por la ira de su señor.

—Se ha corrido la noticia de que tenemos a una hermosa princesa soltera y sin compromiso viviendo en esta casa con nosotros.

—Demonios.

—Precisamente, milord.

—A nadie se le permitirá la entrada sino hasta después de la reunión —anunció Colin. Entonces sonrió—. Parece tan irritado como yo por los pretendientes de la princesa Alesandra. ¿Por qué, Flannaghan?

El sirviente no fingió indiferencia.

—Estoy tan irritado como usted —confesó—. Ella nos pertenece, Colin —exclamó, volviendo al trato informal de antes, en el que ambos se llamaban por sus nombres de pila—. Y es nuestra obligación apartarle esas moscas pegajosas de encima.

Colin asintió en silencio. Flannaghan desvió el tema de conversación.

—¿Qué debo hacer entonces con el socio del padre de la princesa? Dreyson ha mandado una nota cada mañana implorando una audiencia. Tiene papeles que requieren la firma de la princesa —agregó—. Pero en una de las notas, que por casualidad leí por encima del hombro de la princesa Alesandra, Dreyson le decía que tenía noticias alarmantes que darle.

Colin se recostó en la silla.

—¿Cómo reaccionó Alesandra ante esa nota?

—No se perturbó en lo más mínimo —respondió Flannaghan—. Yo, por supuesto, le hice algunas preguntas. Le pregunté si no debía sentirse un poco preocupada. Ella dijo que, probablemente, las noticias alarmantes de Dreyson se referían a la baja producción en el mercado. Yo no entendí de qué estaba hablando.

—De pérdidas financieras —explicó él—. Envíe otra nota a Dreyson. Dígale que está invitado a visitar a Alesandra en casa de mi padre. Arréglelo para las tres de la tarde, Flannaghan. Para entonces, habremos terminado con la reunión familiar.

El sirviente seguía allí.

—¿Desea algo más?

—¿La princesa Alesandra nos dejará? —La preocupación de la voz del mayordomo fue evidente.

—Es muy posible que se mude a la casa de la ciudad con mis padres.

—Pero milord...

—Mi padre es su tutor, Flannaghan.

—Eso puede ser —dijo el mayordomo—. Pero usted es el único que tiene las condiciones físicas necesarias para defenderla. Discúlpeme la insolencia, señor, pero su padre ya está entrado en años y su hermano tiene mucho de qué preocuparse con su esposa e hija. De modo que solo queda usted, milord. La verdad es que me sentiría muy mal si algo le pasara a nuestra princesa.

—Nada le sucederá.

La convicción en la voz de Colin calmó las preocupaciones de Flannaghan. Colin actuaba como un protector. Por naturaleza, era un hombre posesivo, obcecado y un poquito obtuso, según Flannaghan, porque Colin estaba tardando demasiado en darse cuenta de que él y la princesa Alesandra habían nacido el uno para el otro.

Colin volvió a concentrarse en sus libros de contabilidad. Flannaghan tosió para informarlo de que todavía no había finalizado con su interrupción.

—¿Qué más tiene en mente?

—Solo pensé en mencionar... es decir, lo del incidente en la puerta del teatro...

Colin cerró su libro.

—¿Sí? —lo urgió.

—La ha afectado. No me hizo ningún comentario al respecto, pero sé que no lo ha superado totalmente. Todavía sigue culpándose por lo que le sucedió a Raymond.

—Es una ridiculez.

Flannaghan asintió.

—No deja de disculparse con el guardia y esta mañana, cuando bajó, era evidente que había estado llorando. Yo creo que tendría que hablar con ella, milord. Una princesa no debe llorar.

Flannaghan hablaba como si fuera toda una autoridad en materia de realeza. Colin asintió.

—De acuerdo. Tendré una charla con ella más tarde. Ahora déjeme solo. Por primera vez en meses, estoy a punto de ponerme al día y quiero ingresar los totales de hoy. No quiero que se me interrumpa hasta la hora de cenar.

Flannaghan pasó por alto la hostilidad de su señor. Colin cuidaría de la princesa y eso era todo lo que realmente importaba.

El buen humor del mayordomo debió pasar una dura prueba esa tarde. Se pasó todo el tiempo cerrando la puerta principal en las narices de los posibles pretendientes de la princesa. Y vaya si fue molesto.

A las siete de la tarde sir Richards llegó a la casa. No pidió autorización para pasar. El responsable del Servicio de Seguridad de Inglaterra exigió ser recibido.

Flannaghan condujo a sir Richards hacia la planta superior, donde se encontraba el estudio. El caballero de cabellos canos y aire distinguido esperó a que el mayordomo se retirara para empezar a conversar con Colin.

—Tiene buen aspecto —anunció—. Quería pasar a ver personalmente cómo estaba, por supuesto, y a felicitarlo por lo bien que ha hecho el trabajo. El tema de Wellingham pudo haber pasado a mayores. Pero usted lo manejó con inteligencia.

Colin se reclinó en la silla.

—Y pasó a mayores —le recordó al director.

—Sí, pero supo llevar las cosas con el tacto de siempre.

Colin tuvo que esforzarse para no lanzar una carcajada. ¿Con el tacto de siempre? Qué típico en él era resumir en términos de caballero la matanza necesaria de uno de los enemigos de Inglaterra.

—¿Cuál es el verdadero motivo de su visita, sir Richards?

—Felicitarlo, por supuesto.

Colin rió entonces. Richards sonrió.

—Me vendría bien un poco de coñac —anunció, gesticulando en dirección al bar que estaba a un lado contra la pared—. ¿Desea acompañarme?

Colin rechazó la propuesta. Intentó ponerse de pie para servir al director, pero Richards, con la mano, le indicó que lo haría él mismo.

—Yo puedo.

Sir Richards se sirvió una copa de coñac y luego tomó asiento en la silla de cuero que estaba frente al escritorio.

—Morgan vendrá dentro de pocos minutos. Sin embargo, quería hablar a solas primero con usted. Ha surgido otro pequeño problema y pensé que Morgan sería la persona ideal para solucionarlo. Una oportunidad para él de conocer esto.

—¿Quiere decir que va a unirse a las filas?

—A él le agradaría estar al servicio de este país —le dijo el director—. ¿Qué opinión le merece a usted, Colin? Deje de lado la diplomacia y dígame con toda franqueza lo que piensa de ese hombre.

Colin se encogió de hombros. Tenía el cuello tenso por haber estado tantas horas sentado trabajando en sus libros de contabilidad. Movió los hombros hacia atrás, tratando de relajarse.

—Tengo entendido que hace unos años heredó las tierras y el título de su padre. Ahora es el conde de Oakmount, ¿verdad?

—Sí —contestó sir Richards—. Pero solo está en lo cierto a medias. El título y las tierras los heredó de su tío. El padre de Morgan huyó hace muchos años. El muchacho pasó de un pariente a otro mientras crecía. Se corrió el rumor de que era ilegítimo y que por eso su padre lo había abandonado. La madre falleció cuando Morgan tenía cuatro o cinco años.

—Una infancia difícil —señaló Colin.

El director asintió.

—Lo hizo el hombre que es hoy. Aprendió a ser inteligente desde pequeño, como verá.

—Usted sabe mucho más sobre su pasado que yo —dijo Colin—. Todo lo que puedo añadir es muy superficial. Lo he visto en diferentes funciones. La gente de la alta sociedad le tiene mucho aprecio.

El director bebió un gran sorbo de coñac antes de continuar.

—Todavía no me ha dado su opinión —le recordó a Colin.

—No me voy por la tangente —le respondió Colin—. Honestamente, no lo conozco lo suficiente para emitir un juicio. Sin embargo, a Nathan no le cae muy bien. Recuerdo que hizo ese comentario.

El director sonrió.

—A su socio nadie le cae bien.

—Eso es cierto.

—¿Tuvo algunas razones específicas para decir eso de Morgan?

—No. Comentó que era un niño bontio. Morgan es bastante apuesto, o eso se comenta, según las opiniones femeninas.

—¿Y a Nathan no le gusta por su aspecto físico?

Colin se rió. Sir Richards parecía incrédulo.

—A mi socio no le agradan los graciosos. Dice que uno nunca sabe lo que piensan.

El director registró esa información en su mente.

—Morgan tiene casi tantos contactos como usted. Sería una importante adquisición para nuestro departamento. Aun así, estoy decidido a andar con pies de plomo en todo esto. No sé cómo se desenvolvería en caso de crisis. Lo he invitado a que venga aquí para hablar con usted, Colin. Hay otro asunto delicado que usted podría tener en consideración para nosotros. Si decide a favor de tomar la designación, me gustaría que Morgan estuviera involucrado. Podría aprender mucho de usted.

—Estoy retirado, ¿recuerda?

El director sonrió.

—También yo —dijo—. Hace años que trato de pasar a otro las riendas de todo esto. Ya me estoy haciendo viejo para estas cosas.

—Usted jamás renunciará.

—Y tampoco usted —vaticinó Richards—. Por lo menos, hasta que su empresa pueda sobrevivir sin sus aportes. Dígame una cosa, hijo. ¿Su socio todavía no se ha dado cuenta de dónde provienen los aportes extras que usted hace? Sé que no ha querido decirle que había empezado a trabajar para nuestro departamento otra vez.

Colin entrelazó las manos sobre su nuca.

—No lo sabe —explicó—. Nathan ha estado muy ocupado con la inauguración de la segunda oficina. Su esposa, Sara, va a dar a luz el primer hijo de ambos en cualquier momento. Dudo que Nathan haya tenido tiempo para sospechar nada.

—¿Y cuando se dé cuenta?

—Le diré la verdad.

—Podríamos volver a servirnos de Nathan —dijo el director.

—Eso queda fuera de discusión. Ahora tiene familia.

Sir Richards coincidió, aunque de mala gana. Volvió al tema de la designación que deseaba que Colin aceptara.

—En cuanto a esta nueva operación —comenzó—, no es más peligrosa que la última, pero... eh, buenas noches, princesa Alesandra. Qué placer volver a verla.

Ella estaba de pie en la puerta del estudio. Colin se preguntó hasta dónde habría escuchado la conversación.

Alesandra sonrió al director.

—Es un placer volver a verlo a usted también, señor

—respondió en un suave murmullo—. Espero no haber interrumpido. La puerta estaba entreabierta, pero si están hablando de algún asunto, puedo regresar más tarde.

Sir Richards se puso de pie de inmediato y fue hacia la puerta. Le tomó la mano e hizo una profunda reverencia.

—No ha interrumpido —le aseguró—. Venga a sentarse. Quería hablar con usted antes de irme.

La tomó por el codo y la condujo hacia una silla. Alesandra se sentó y alisó sus faldas mientras aguardaba a que sir Richards se sentara también.

—Me enteré del infortunado incidente que tuvo lugar a la entrada del teatro —señaló el director, ceñudo. Se sentó, miró a Colin y luego a la princesa—. ¿Se ha recuperado del susto?

—No hubo nada de lo que tuviera que recuperarme, sir Richards. Mi guardia resultó herido. Tuvieron que darle ocho puntos, pero se los quitaron ayer. Ahora se siente mucho mejor, ¿no es verdad, Colin?

Alesandra tenía la vista fija en sir Richards cuando formuló la pregunta a Colin para integrarlo en la conversación. Pero a él no le importó la falta de atención de la joven. Estaba demasiado ocupado tratando de disimular su diversión. Sir Richards estaba poniéndose colorado. Colin no podía creerlo. El director de operaciones tan audaces, con su nariz angulosa y su corazón de hierro, se ruborizaba como un muchachito en la escuela.

Alesandra estaba cautivando a ese hombre. Colin se preguntaba si ella se daría cuenta del efecto que producía o si todo era deliberado. Su sonrisa era inocentemente dulce; su mirada, directa, inalterable y si empezaba a pestañear, entonces Colin tendría la certeza de que la seducción no era tan inocente después de todo.

—¿Ha tenido oportunidad de indagar en aquel asunto del que hablamos? —preguntó ella—. Sé que ha sido muy insolente de mi parte pedir algo a un hombre tan importante, sir Richards, y quiero que sepa que le estoy profundamente agradecida por haber enviado a un mensajero a Gretna Green.

—Ya me he hecho cargo de eso —respondió el director—. Mi hombre, Simpson, llegó de allí anoche. Tenía usted razón, princesa. No hay ningún registro, ni en los libros de Robert Elliott, ni en los de su rival, David Laing.

—Lo sabía —comentó Alesandra. Juntó las manos, como si hubiera estado a punto de rezar y se dirigió a Colin—. ¿No se lo dije?

El entusiasmo de la muchacha lo hizo sonreír.

—¿Decirme qué?

—Que lady Victoria no huyó para casarse. Su director acaba de confirmar mis sospechas.

—Bien, princesa, todavía existe la posibilidad (remota, claro) de que ella no se haya casado allí. Tanto Elliott como Laing llevan registros precisos como para saber el número de bodas que se llevaron a cabo. Es un método muy competente. Sin embargo, no son los únicos hombres con autoridad para casar en Gretna Green. Algunos sujetos, no tan famosos por su reputación, ni siquiera llevan registros de las bodas. Solo elaboran un certificado que entregan al esposo. Como verá, querida, todavía existe la posibilidad de que esa muchacha haya escapado para casarse.

—No lo hizo.

Alesandra ponía especial énfasis en ello. Colin meneó la cabeza.

—Está revolviendo un avispero, sir Richards. Ya se lo dije, pero no me quiere escuchar.

Alesandra miró a Colin, ceñuda.

—Yo no estoy revolviendo ningún avispero.

—Sí, claro que sí —contestó Colin—. Lo único que conseguirá es que la familia de Victoria tenga que seguir sufriendo si sigue acosándolos con tantas preguntas.

Sus críticas la hirieron. Bajó la cabeza.

—Debe de tener un concepto muy bajo de mí si cree que deliberadamente me dispondría a hacer daño a alguien.

—No tenía por qué ser tan duro con ella, hijo.

Colin estaba exasperado.

—No fui duro, simplemente honesto.

Sir Richards meneó la cabeza. Alesandra sonrió al director. Estaba complacida de tenerlo de su lado.

—Si solo escuchara las razones que tengo para preocuparme tanto, no llamaría interferencia a mis inquietudes con tanta facilidad.

El director miró furioso a Colin.

—¿Que no quiso escuchar sus razones? Ella tiene un argumento muy válido, Colin. No debería juzgarla desconociendo los hechos.

—Gracias, sir Richards —resopló Colin.

Alesandra decidió pasar por alto su rudeza.

—¿Cuál es nuestro siguiente paso en la investigación? —preguntó al director.

Sir Richards pareció un tanto confundido.

—¿Investigación? No había pensado en el problema desde ese punto...

—Dijo que me ayudaría —le recordó Alesandra—. No debe desalentarse tan pronto.

Sir Richards buscó ayuda en Colin. Este sonrió.

—No es una cuestión de rendirse —dijo sir Richards—. Simplemente, no estoy seguro de qué es lo que estoy investigando. Para mí es un hecho evidente que su amiga huyó con alguien y creo que Colin tiene razón cuando sugiere que lo mejor que puede hacerse es dejar las cosas como están.

—¿Por qué es un hecho evidente?

—Victoria dejó una nota —explicó sir Richards.

Ella meneó la cabeza.

—Cualquiera puede haber escrito una nota.

—Sí, pero...

—Había confiado en que usted me ayudara, sir Richards —lo interrumpió. Había mucha congoja en su voz—. Usted era mi última esperanza. Victoria podría estar en peligro y solo nos tiene a usted y a mí para que la ayudemos. Si alguien puede descubrir la verdad, ese es usted. Es tan inteligente y astuto...

Sir Richards no hacía más que resoplar. Colin meneaba la cabeza. Un solo elogio había bastado para que el hombre se derritiera como el hielo.

—¿Se quedará satisfecha si logro encontrar un registro de la boda?

—No lo encontrará.

—Pero si lo encuentro...

—Entonces dejaré todo como está.

Sir Richards asintió.

—Muy bien —dijo—. Empezaré con su familia. Mañana enviaré a alguien para que hable con su hermano. De un modo u otro, averiguaré qué pasó.

El rostro de la muchacha se iluminó.

—Se lo agradezco mucho —murmuró—. Pero debo advertirle, yo ya he enviado una nota al hermano de Victoria y él se negó a concederme otra entrevista. Verá, Colin fue bastante grosero con Neil y él no lo ha perdonado.

—Pero no se negará a un requerimiento mío —anunció sir Richards.

Colin ya había escuchado lo suficiente de lo que consideraba un tema ridículo. No le agradaba en absoluto la idea de que el responsable del Departamento de Seguridad de Inglaterra se degradara al punto de husmear en asuntos privados de familia.

Estuvo a punto de cambiar de tema cuando el siguiente comentario de sir Richards le llamó la atención.

—Princesa Alesandra, después de toda la cooperación que nos ha brindado, atender este delicado asunto es lo menos que puedo hacer por usted. Quédese tranquila, querida, pues le conseguiré las respuestas que busca antes de que se marche de Inglaterra.

Colin se inclinó hacia delante.

—Un momento, sir Richards, retroceda —le exigió, con voz dura—. ¿De qué manera exactamente ha cooperado la princesa Alesandra?

El director pareció sorprendido por la pregunta.

—¿Ella no le explicó...?

—No creí que fuera necesario —intervino Alesandra de inmediato poniéndose de pie—. Si me disculpan ahora, caballeros, los dejaré a solas para que atiendan tranquilos sus cuestiones de negocios.

—Alesandra, siéntese.

El tono de Colin le sugirió que no debía contradecirlo. Alesandra suspiró y obedeció. Sin embargo, se negó a mirarlo. Mantuvo la vista fija en su falda. Tenía deseos de salir corriendo y esconderse en lugar de discutir la determinación que había tomado. Pero eso habría sido cobardía e irresponsabilidad, y Colin merecía enterarse de lo que se había decidido.

Dignidad y decoro, pensó. Colin nunca sabría cuán amargada estaba, y en eso había cierto triunfo, ¿no?

—Explíqueme por qué sir Richards está tan complacido por su cooperación.

—He decidido regresar a la tierra natal de mi padre —explicó apenas en un susurro—. Me casaré con el general. Su padre ya me ha dado su consentimiento.

Colin no pronunció palabra durante un largo rato. Solo contemplaba a Alesandra cabizbaja.

—¿Todo esto se decidió mientras yo estuve enfermo?

—Sí.

—Míreme —le ordenó.

Ella estaba a punto de echarse a llorar. Respiró profundamente y por fin lo miró.

Colin sabía que estaba desesperada, pues se retorcía las manos y se contenía para no llorar.

—Nadie la forzó —comentó sir Richards.

—Al diablo con eso.

—Fue una decisión mía —insistió ella.

Colin meneó la cabeza.

—Richards, aquí no se ha decidido nada, ¿entendido? Alesandra todavía reacciona así por el incidente del otro día. Su guardia resultó herido y ella se cree responsable.

—Soy responsable —corrigió.

—No —contradijo él con énfasis—. Estaba asustada.

—¿Importa cuáles eran mis motivos?

—Rayos, claro que importa —gruñó él. Dirigió su atención al director—. Obviamente, Alesandra ha olvidado la promesa que me hizo la semana pasada.

—Colin...

—Silencio.

Ella abrió los ojos desmesuradamente, sin poder creerlo.

—¿Silencio? Es mi futuro el que está en juego, no el suyo.

—Yo soy su tutor —se opuso Colin—. Yo decido sobre su futuro y usted parece haber olvidado ese detalle.

Su resoplido fue tan caliente como el fuego que sale por la boca de un dragón. Alesandra decidió no contradecirlo. Colin no actuaba con sensatez en esos momentos y, si seguía mirándola de ese modo autoritario, ella se pondría de pie y abandonaría la sala.

Colin miró al director.

—Alesandra y yo hemos hablado de este problema la semana pasada —explicó—. Decidimos que no se casaría con el general, de modo que puede decirles a sus colegas financieros que el trato ha quedado sin efecto.

Colin estaba tan furioso que ni siquiera advirtió que el director asentía en silencio mientras él continuaba.

—Alesandra no se casará con él. Parece que el general tiene un tierno corazoncito, ¿no? Mandó a una banda de asesinos a secuestrar a la novia para que se case con él. Vaya forma de hacer la corte a una mujer, ¿no cree? Cómo me gustaría que viniera a Inglaterra. Me encantaría estar unos pocos minutos a solas con ese bastardo.

Alesandra no podía entender por qué Colin cada vez se alteraba más. Jamás lo había visto tan enojado. Estaba demasiado asombrada para asustarse. No sabía qué decir ni qué hacer para calmarlo.

—Él no renunciará, Colin —susurró ella, haciendo un gesto de desaprobación por lo temblorosa que sonó su voz—. Enviará a otros.

—Ese es mi problema, no el suyo.

—¿Lo es?

El temor que Colin advirtió en los ojos de Alesandra sirvió para calmarle en cierta medida. No quería que ella le tuviera miedo. Deliberadamente, bajó el tono de voz para contestarle.

—Sí, lo es.

Se quedaron mirándose a los ojos durante un largo rato. Ella vio tanta ternura en su expresión que sintió deseos de llorar por el alivio que experimentó. Colin no iba a permitir que ella se marchase de Inglaterra.

Alesandra se obligó a desviar la mirada para que Colin no advirtiera las lágrimas que habían acudido a sus ojos. Contempló su falda otra vez, inspiró profundamente para controlar sus emociones y dijo:

—Solo trataba de ser noble. No quería que nadie más resultase lastimado y sir Richards comentó que existía la posibilidad de que hubiera una mejora en los pactos comerciales...

—Mis colegas opinan que el general cooperaría —intervino Richards—. Personalmente, no estoy de acuerdo con esa bobada. Pienso lo mismo que Colin —añadió, asintiendo con la cabeza—. El general no es hombre de fiar. Así que, como ve, querida Alesandra, no hay razones para ser noble.

—¿Y si Colin resulta herido? —exclamó.

Tanto Colin como sir Richards se mostraron sorprendidos por la pregunta. El temor había regresado a los ojos de Alesandra. Colin se reclinó contra el respaldo de su silla y la contempló. La muchacha no temía por su propia seguridad sino por la de él. Probablemente, Colin tendría que haberse enfadado con ella. Él sabía cuidarse solo y, por lo tanto, debería haberle resultado insultante que la princesa se preocupase por su bienestar.

Sin embargo, le pareció un elogio.

Sir Richards arqueó una ceja y miró a Colin esperando a que le contestara.

—Puedo cuidarme solo —dijo Colin—. No quiero que se preocupe, ¿entendido?

—Sí, Colin.

La inmediata aceptación de la muchacha lo complació.

—Déjenos a solas ahora, Alesandra. Sir Richards y yo tenemos otros asuntos pendientes.

Alesandra tenía la sensación de que los pies le pesaban tanto que no podía marcharse de allí con la rapidez que deseaba. Ni siquiera se despidió del director. Su conducta fue de lo más grosera para una dama, pero no le importó. Estaba temblando tan violentamente que ni siquiera pudo cerrar bien la puerta.

Su alivio le debilitó las rodillas. Se desplomó contra una pared y cerró los ojos. Una lágrima rodó por su rostro. Inspiró profundamente en un intento por calmarse.

Después de todo, no tenía por qué ser noble y casarse con ese hombre monstruoso. Colin le había arrebatado la decisión de las manos y ella se sentía tan agradecida que ni siquiera le importaba que él se hubiera enfadado tanto. Por algún motivo que Alesandra aún no había podido determinar, Colin se había tomado a pecho su responsabilidad de tutor. Había actuado como su protector y Alesandra se sentía tan agradecida de tener a alguien de su lado que rezó una oración.

—Princesa Alesandra, ¿se encuentra bien?

Se sobresaltó tanto que se elevó casi treinta centímetros del suelo. Luego se echó a reír a carcajadas. Flannaghan y otro hombre, al que nunca antes había visto, estaban a pocos metros de distancia. Ni siquiera los había oído acercarse.

Alesandra notó que se ruborizaba. El desconocido que estaba detrás del mayordomo le sonrió. La joven pensó que el hombre la creería loca. Se apartó de la pared, dejó de reírse y dijo:

—Estoy bien.

—¿Qué está haciendo?

—Reflexionando —contestó. Y rezando, añadió en silencio.

Flannaghan no entendió a qué se refería. Siguió mirándola perplejo. La muchacha se volvió al invitado.

—Buenas noches, señor.

El mayordomo por fin recordó los buenos modales.

—Princesa Alesandra, permítame presentarle a Morgan Atkins, conde de Oakmount.

Alesandra sonrió.

—Es un placer conocerlo.

El hombre avanzó y le tomó la mano.

—El placer es todo mío, princesa. Estaba ansioso por conocerla.

—¿De verdad?

Él sonrió al ver la sorpresa en sus ojos.

—Sí —le aseguró—. Es la comidilla de todo Londres, pero imagino que ya se habrá dado cuenta de ello.

Alesandra meneó la cabeza.

—No, no lo sabía.

—El príncipe regente no ha escatimado elogios sobre usted —explicó Morgan—. No debe sorprenderse, princesa. Solo he oído cosas maravillosas sobre usted.

—¿Qué cosas maravillosas? —se atrevió a preguntar Flannaghan.

Morgan no apartó la mirada de Alesandra cuando respondió al mayordomo.

—Me dijeron que era muy hermosa, y ahora que la veo, me doy cuenta de que la historia es cierta. Es hermosa... exquisita, por cierto.

Alesandra se sintió avergonzada por los elogios. Trató de apartar la mano, pero Morgan no se lo permitió.

—Cuando se ruboriza es deliciosa, princesa —la alabó. Se le aproximó y, a la luz de las velas, la muchacha advirtió las atractivas canas que plateaban sus cabellos castaños. Sus ojos, intensos y oscuros, se encendían cuando sonreía. No era mucho más alto que Flannaghan, pero parecía hacer sombra al mayordomo con su sola presencia. Alesandra supuso que ese halo de poder que lo rodeaba derivaría, indudablemente, de la posición que ocupaba en la sociedad. Su título le permitía ser arrogante y presumido.

Sin embargo, el hombre era un seductor y tenía plena conciencia de su propio atractivo. También sabía que estaba incomodándola ante tan descarado escrutinio.

—¿Disfruta de su estancia en Inglaterra? —le preguntó.

—Oh, sí, gracias.

Colin abrió la puerta del estudio, justo en el momento en que Morgan pedía autorización a la princesa para visitarla la tarde siguiente. De inmediato advirtió las mejillas arreboladas de Alesandra y que Morgan la tomaba de la mano.

Reaccionó antes de darse tiempo para controlarse. Extendió la mano, cogió a Alesandra del brazo y la llevó a su lado. Luego le rodeó los hombros en una actitud tan posesiva que la joven se sintió incómoda frente al invitado.

—Alesandra estará ocupada mañana —anunció—. Entre, Morgan. Sir Richards está dentro esperándolo para hablar con usted.

Aparentemente, Morgan no notó la irritación en la voz de Colin y si la notó, optó por no hacer caso. Asintió en silencio y se volvió a Alesandra.

—Con su permiso, princesa, seguiré tratando de convencer a su primo para que me permita visitarla.

Nada más asentir ella con la cabeza, Morgan le hizo una reverencia y entró en el estudio.

—Deje de estrujarme ya, primo —murmuró Alesandra.

Colin advirtió la burla en la voz de ella y la miró.

—¿De dónde rayos ha sacado la idea de que somos primos? ¿Usted se lo dijo?

—No, por supuesto que no —contestó ella—. ¿Va

a soltarme ahora? Debo ir a mi cuarto para buscar mi libreta.

Pero Colin no la soltó.

—Alesandra, ¿por qué está tan terriblemente contenta?

—Estoy contenta porque, aparentemente, no tendré que casarme con el general —dijo ella. Se zafó como pudo del brazo de Colin y salió corriendo por el pasillo—. Y —gritó por encima del hombro— porque tengo un nuevo nombre que agregar a la lista.

Mientras ella corría, Morgan se asomó a la puerta y la contempló —con una sonrisa diabólica en los labios—, hasta que la voz tajante de Colin lo obligó a regresar al estudio.

Todas las mujeres casadas son criaturas infelices. Todas esas perras se sienten ignoradas por sus esposos. Chillan, se quejan, nada las conforma. Oh, él observa, vigila. Y, por cierto, los esposos las olvidan, pero él no los culpa. Todos saben que las atenciones y el afecto son para las amantes. Las esposas solo son males necesarios para la reproducción de herederos. Uno se procura una esposa cuando le llega la inevitable hora, se acuesta con ella con la suficiente frecuencia para hacerle un hijo y después la deja en el olvido.

Él había descartado deliberadamente a las casadas porque consideraba que la cacería no le produciría demasiados beneficios. No había satisfacción al perseguir a un perro que no quiere correr. Sin embargo, esta lo intrigó. Parecía muy infeliz. Hacía más de una hora que la vigilaba. Estaba colgada del brazo de su marido, tratando, de vez en cuando, de decir o hacer algo que le llamara la atención. Fue un esfuerzo en vano. El galante esposo estaba completamente ocupado charlando con sus amigos del club. No prestaba ninguna atención a su bonita y pequeña esposa.

Pobre estúpida. Era obvio, para cualquiera que se detuviera a observarla, que amaba a su marido. Se la veía penosamente infeliz. Y él estaba a punto de cambiarlo todo. Sonrió. Ya había tomado su decisión. La cacería estaba en marcha otra vez. Pronto, muy pronto, sacaría a su mascota de su infelicidad.

6

Colin estuvo reunido con sir Richards y Morgan durante varias horas. Alesandra cenó sola en el comedor. Se quedó allí todo el tiempo que pudo, sin quedarse dormida, con la esperanza de que Colin apareciera. Quería agradecerle haber demostrado tanto interés por su futuro y hacerle algunas preguntas sobre el conde de Oakmount.

Abandonó la espera alrededor de la medianoche y subió a su cuarto. Valena golpeó su puerta quince minutos después.

—Se ha decidido que salga mañana por la mañana, princesa. Debe estar lista para las diez en punto.

Alesandra se metió en la cama y se tapó.

—¿Colin dijo adónde iríamos?

La dama de compañía asintió.

—A casa de sir Richards —contestó—. Está en la calle Bowers, número doce.

Alesandra sonrió.

—¿Te ha dado la dirección?

—Sí, princesa. Fue muy preciso en las instrucciones que me dio. Quería que le avisara que no desea esperar —dijo, ceñuda—. Había algo más que quería que... oh, sí, ahora recuerdo. La reunión de la tarde con el duque y la duquesa de Williamshire ha sido cancelada.

—¿Colin te ha dicho por qué?

—No, princesa.

Valena bostezó dramáticamente y se excusó con su señora.

—Estoy muy cansada esta noche —murmuró.

—Por supuesto que estás cansada —dijo Alesandra—. Es muy tarde y has tenido un día de mucho trabajo, Valena. Vete a la cama. Que descanses —gritó, pues la muchacha ya había salido corriendo.

Alesandra se quedó dormida pocos minutos después. Estaba tan agotada tras haber pasado tantas malas noches por cuidar de Colin que durmió de un tirón. A la mañana siguiente, despertó poco después de las ocho y se apresuró a arreglarse. Se puso un vestido rosa pálido, que Colin sin duda aprobaría porque el escote cuadrado era alto y muy recatado.

Alesandra estuvo abajo más de veinte minutos antes de la hora señalada para salir. Colin no apareció hasta pocos minutos después de las diez. Cuando lo vio bajar por las escaleras, ella le dijo:

—Ya vamos con retraso, Colin. Apresúrese.

—Ha habido un cambio en los planes, Alesandra —dijo Colin. Le guiñó el ojo cuando pasó junto a ella rumbo al comedor.

Salió corriendo detrás de él.

—¿Qué cambio de planes?

—La reunión ha sido cancelada.

—¿La reunión con sir Richards o la reunión de esta tarde? Valena dijo...

Colin apartó una silla e hizo un ademán para que Alesandra se sentara a la mesa.

—Las dos —contestó.

—¿Prefiere chocolate o té, princesa? —preguntó Flannaghan desde la entrada.

—Té, gracias. ¿Colin, cómo sabe que la reunión ha sido cancelada? He estado esperando en el vestíbulo y no ha venido ningún mensajero.

Colin no respondió. Se sentó, cogió el periódico y empezó a leer. Flannaghan apareció con un plato lleno de galletas que colocó delante de Colin.

Alesandra estaba muy irritada y confundida.

—¿Por qué exactamente sir Richards quería que nos reuniéramos? Ayer hablamos los dos con él.

—Desayune, Alesandra.

—No va a darme explicaciones, ¿verdad?

—No.

—Colin. No está bien ser grosero a primera hora de la mañana.

Colin bajó el periódico y le sonrió. Entonces ella se dio cuenta de que acababa de decirle una tontería.

—Quise decir, que no está bien ser grosero en ningún momento.

Colin volvió a desaparecer detrás del periódico. Alesandra tamborileó con los dedos sobre la mesa. En ese momento, entró Raymond. Alesandra le hizo un gesto para que se le acercara.

—¿Algún mensajero...?

Colin la interrumpió.

—¿Está desconfiando de mi palabra?

—No —contestó ella—. Solo estoy tratando de entender. ¿Va a dejar de esconderse detrás de ese periódico?

—¿Siempre se levanta de tan mal humor?

Alesandra desistió de llevar una conversación decente con él. Mordisqueó una galleta y luego pidió permiso para retirarse de la mesa. Raymond la miró compasivo cuando pasó a su lado.

Alesandra regresó a su cuarto y el resto de la mañana se dedicó a responder su correspondencia. Escribió una larga carta a la madre superiora hablándole de su viaje a Inglaterra. Describió a su tutor y a la familia, y dedicó tres hojas a explicar cómo había terminado viviendo en casa de Colin.

Estaba sellando el sobre cuando Stefan llamó a la puerta.

—Requieren su presencia abajo, princesa Alesandra.

—¿Tenemos compañía, Stefan?

El guardia meneó la cabeza.

—Vamos a salir. Necesitará su capa. El viento está muy violento hoy.

—¿Adónde vamos?

—A una reunión, princesa.

—Que se hace, que se cancela, que se hace otra vez —señaló.

—¿Cómo ha dicho, princesa?

Alesandra tapó el tintero, ordenó las cosas del escritorio y se levantó.

—Solo estaba quejándome —admitió con una sonrisa—. ¿La reunión es con el padre de Colin o con sir Richards?

—No estoy seguro —contestó Stefan—. Pero Colin está aguardando en el vestíbulo, aparentemente impaciente por salir.

Alesandra prometió al guardia que bajaría enseguida. Stefan hizo su reverencia y se marchó. Ella se apresuró a cepillarse el cabello y luego cogió la capa del guardarropas. Iba por el pasillo cuando recordó su lista. Si iba a casa del duque de Williamshire, necesitaría su libreta de anotaciones para poder discutir los nombres que había escrito en su lista con el duque y su esposa. Regresó rápidamente a su cuarto a buscar la lista y la guardó en el bolsillo.

Colin aguardaba en el vestíbulo. Alesandra se detuvo en las escaleras para colocar su capa sobre el brazo.

—¿Colin? ¿Vamos a ver a su padre o a sir Richards?

Él no le contestó. Alesandra bajó corriendo las escaleras y repitió la pregunta.

—Vamos a ver a sir Richards —explicó.

—¿Por qué quiere vernos con tanta urgencia? Estuvo aquí anoche —le recordó ella.

—Tiene sus razones.

Valena estaba junto a Raymond y Stefan cerca de la entrada al salón. La muchacha avanzó rápidamente para ayudar a su señora con la capa.

Colin le ahorró la molestia y se encargó de ponerla alrededor de los hombros de la princesa. Le tomó la mano y salió, llevándola prácticamente a rastras. Alesandra tuvo que correr para seguirle el paso.

Raymond y Stefan los siguieron. Los dos guardias subieron al pescante y se situaron junto al cochero. Colin y Alesandra se sentaron enfrente uno del otro en el interior del vehículo.

Él cerró las puertas y se apoyó en los cojines. Le sonrió.

—¿Por qué frunce el ceño?

—¿Por qué actúa de esta manera tan extraña?

—No me gustan las sorpresas.

—¿Lo ve? Es una respuesta extraña.

Colin extendió sus largas piernas. Ella acomodó sus faldas y se acurrucó contra el rincón para hacerle más sitio.

—¿Sabe de qué quiere hablarnos sir Richards? —preguntó ella.

—No iremos a verle —explicó Colin.

—Pero usted dijo...

—Mentí.

Alesandra se quedó tan pasmada que él sonrió.

—¿Me mintió?

Parecía incrédula. Colin asintió.

—Sí, le mentí.

—¿Por qué?

La ira de la muchacha le dio risa. Se ponía deliciosa cuando se enojaba. Y vaya si estaba furiosa. Tenía las mejillas muy rojas, y Colin pensó que si erguía más la espalda se le quebraría en dos.

—Más tarde daré las explicaciones pertinentes —le dijo él—. Deje de fruncir él entrecejo, mocosa. Es un día muy bello para enfadarse.

Finalmente, Alesandra cayó en la cuenta de lo alegre que estaba él.

—¿Por qué está tan contento?

Colin se encogió de hombros. Ella suspiró. Decididamente, quería confundirla.

—¿Adónde vamos exactamente?

—A una reunión con mi familia para decidir qué hacer...

Alesandra terminó la explicación por él.

—¿... conmigo?

Él asintió. Alesandra bajó la vista, pero Colin advirtió su expresión. Parecía desolada. Sabía que había herido sus sentimientos, pero ignoraba qué había dicho para que reaccionara de ese modo.

—¿Y ahora qué le pasa? —gruñó.

—Nada.

—No me mienta.

—Usted me mintió.

—Dije que se lo explicaría después. —Trató de disimular su enfado al añadir—: Ahora dígame por qué está a punto de llorar.

—Se lo explicaré después.

Colin se inclinó hacia delante. Le tomó el mentón y la obligó a mirarlo.

—No use mis palabras en mi contra —le ordenó.

Ella le apartó.

—Muy bien —anunció—. Me molesté un poco cuando me di cuenta de por qué está tan contento.

—No la entiendo, maldita sea.

El carruaje se detuvo frente a la casa de la ciudad del duque de Williamshire.

Colin quitó el cerrojo de la puerta, pero mantuvo la vista fija en ella.

—¿Y bien? —preguntó.

Alesandra se acomodó la capa sobre los hombros.

—Yo entiendo perfectamente —le dijo, asintiendo con la cabeza.

Raymond abrió la puerta y extendió la mano para ayudar a la princesa. Inmediatamente, bajó, pero se volvió para dirigir una mirada ceñuda a Colin.

—Está contento porque por fin va a librarse de mí.

Colin abrió la boca para discutir. Ella levantó la mano ordenándole en silencio que se callara.

—No tiene por qué preocuparse, señor. Ya me he recuperado de mi desazón. ¿Entramos?

Alesandra trataba de comportarse con dignidad. Pero Colin no se lo permitió. Se echó a reír. Ella se volvió y subió las escalinatas de la entrada. Raymond y Stefan la escoltaron.

—Aún parece molesta, mocosa malcriada.

El mayordomo abrió la puerta principal justo en el momento en que ella se volvía bruscamente para decir a Colin lo que pensaba de ese grosero comentario.

—Si vuelve a llamarme mocosa malcriada, o algo por el estilo, le juro que haré algo de lo más indigno. Y no estoy molesta —agregó con una voz que la delataba—. Solo creí que usted y yo nos habíamos hecho amigos. Y por mi parte, fue así. Para mí es una especie de primo...

Colin se acercó tanto a ella que apenas les seperaban unos centímetros.

—No soy su primo —refunfuñó.

El hermano de Colin tomó el lugar del mayordomo y sostuvo la puerta abierta esperando que alguien advirtiera su existencia. Solo podía ver la espalda de la princesa Alesandra. Era muy menuda y, pensó, bastante valiente. Colin estaba apuñalándola con esa mirada tan intensa suya, pero aparentemente ella no se intimidaba. No era una cobarde.

—Todos creen que somos primos —gruñó ella.

—Me importa un cuerno lo que la gente piense.

Ella inspiró profundamente.

—Esta conversación es ridícula. Si no quiere tener parentesco alguno conmigo, está bien.

—Yo no soy pariente suyo.

—No tiene por qué gritar, Colin.

—Es que me vuelve loco, Alesandra.

—Buenas tardes.

Caine casi gritó el saludo para asegurarse de que lo oyeran. Y Alesandra se sobresaltó tanto por la interrupción que se aferró a Colin.

Pero se recuperó de inmediato. Se zafó de sus brazos y se dio media vuelta. Se esforzó por demostrar una expresión serena y digna. El hombre que estaba parado en la puerta, increíblemente apuesto, por cierto, tenía que ser el hermano de Colin. Las sonrisas de ambos eran casi idénticas. Sin embargo, el cabello de Caine era un tono más claro, y sus ojos, de un color completamente distinto. Grises y, a juicio de Alesandra, no tan atractivos como los de Colin, más verdes que avellana.

Alesandra trató de hacer una reverencia. Pero Colin no la dejó. La tomó por el brazo y prácticamente la empujó al interior de la casa.

Ella lo pellizcó para que la soltara. Cuando Colin trató de quitarle la capa, se desató la guerra. La princesa no paró de golpearle en la mano para poder sacar la famosa lista del bolsillo de la prenda.

Caine estaba de pie, detrás de su hermano. Tenía las manos entrelazadas por detrás de la cintura y trataba desesperadamente de no echarse a reír. Hacía mucho tiempo que no veía a su hermano tan exaltado.

Por fin, Alesandra logró su cometido.

—Ahora sí puede quitarme la capa, gracias.

Colin volvió los ojos al cielo. Arrojó la capa en dirección a Caine. Su hermano la atrapó en el aire mientras Colin observaba la nota que la joven apretaba en el puño.

—¿Por qué, en nombre de Dios, ha traído eso?

—Porque la necesitaré —explicó—. Simplemente, no puedo entender por qué tiene tanta aversión a esta lista, Colin. Su hostilidad es de lo más irrazonable.

Dirigió su atención a Caine.

—Tendrá que disculpar la grosería de su hermano. Ha estado enfermo.

Caine sonrió. Colin meneó la cabeza.

—No tiene que disculparse por mí —declaró—. Caine, esta es la mujer a la que bautizaste como la Plaga. Alesandra, le presento a mi hermano Caine.

Otra vez, Alesandra trató de hacer su reverencia y Colin se lo impidió. La princesa estaba inclinándose ligeramente para coger la falda de su vestido cuando él la asió bruscamente y la arrastró hacia el salón.

—¿Dónde esta tu esposa, Caine? —preguntó Colin por encima del hombro.

—Arriba, con mamá —contestó.

Alesandra tiraba de la mano de Colin tratando de soltarse.

—¿Por qué no me arroja en una silla y se va directamente? Obviamente está impaciente por librarse de mí.

—¿Qué silla prefiere?

Finalmente la soltó. De inmediato, Alesandra retrocedió un paso y se topó con Caine. Se dio media vuelta, implorando que la disculpara por su torpeza y luego le preguntó por su padre. Le explicó que realmente tenía prisa por hablar con él.

Como se la veía tan seria y preocupada, Caine no se atrevió a sonreír. Pensó que la princesa Alesandra era hermosa. Sus ojos tenían un brillante tono azul y las simpáticas pecas de la nariz le recordaban el rostro de su esposa, Jade. En realidad, era bellísima.

—Jenkins subió a avisar a mi padre de su llegada, princesa Alesandra. ¿Por qué no se pone cómoda mientras espera?

Alesandra creyó que era una idea espléndida. Al parecer, Caine sí había heredado los buenos modales de la familia. Era muy solícito y gentil. Una agradable diferencia, comparado con hermano.

Colin estaba junto a la chimenea, observándola. Ella no le miró. No había prestado atención al exterior de la casa de su tutor, pero seguramente sería tan majestuosa como por dentro. El salón era por lo menos cuatro veces mas grande que el de Colin. Había tres sillones ubicados en semicírculo, alrededor de la chimenea de mármol, color marfil. Era una sala encantadora, llena de los tesoros que el duque de Williamshire había recogido en sus viajes por el mundo. Alesandra miró a su alrededor y se detuvo en el brillante objeto que estaba en el centro de la repisa de la chimenea. Después de todo, habían encontrado una excelente ubicación para la réplica en oro del castillo de su padre. La reproducción del hogar de su niñez tenía el tamaño de una copa de coñac y era exacta al castillo auténtico.

La expresión de dicha en los ojos de Alesandra cortó la respiración de Colin.

—¿Alesandra? —le preguntó, curioso por conocer los motivos de aquella reacción.

Ella se volvió y le sonrió. Luego se dirigió a toda prisa hacia la repisa. Le tembló la mano cuando la acercó al brillante objeto para acariciar su torre lateral.

—Es una réplica de mi hogar, Colin. Se llama Stone Haven. Yo vivía allí con mis padres.

—Pensé que su padre había renunciado a su reino para casarse con su madre —señaló Colin.

Ella asintió.

—Sí, lo hizo. Pero compró Stone Haven antes de casarse con ella. El general no puede tocarlo tampoco. Está situado en Austria y allí no tiene jurisdicción, aunque llegue al trono. El castillo seguirá estando seguro.

—¿Quién es el propietario ahora? —preguntó Caine.

Ella no le contestó. Él pensó que Alesandra no había escuchado su pregunta. Estaba tan intrigado por el castillo como Colin. Ambos hermanos se acercaron a la muchacha, uno a cada lado, para admirar el objeto de oro.

—El detalle es impresionante —remarcó Caine.

—Mi padre se lo regaló al suyo —explicó ella—. Fue una broma, bienintencionada, por supuesto. Yo lo busqué por todas partes cuando estuve en la casa de campo de la familia, pero no pude encontrarlo. Pensé que se habría extraviado. Me complace descubrir que le han dado un lugar de honor.

Colin estaba a punto de preguntarle por qué había dicho que el regalo de su padre fue una broma, cuando los interrumpieron.

—Por supuesto que ocupa un sitio de honor —exclamó el duque de Williamshire desde la puerta—. Tu padre era mi amigo, Alesandra.

Ella se volvió al escuchar la voz de su tutor y sonrió

para recibirlo. El duque de Williamshire era un hombre de aspecto distinguido, algunos cabellos canos y oscuros ojos grises. Sus hijos habían heredado las facciones apuestas y la altura de él, por supuesto.

—Buenas tardes, padre —dijo Colin.

Su padre correspondió al saludo y luego entró en el salón. Se detuvo en medio y abrió los brazos a Alesandra.

Ella no vaciló. Corrió hacia él y lo abrazó. El duque la estrechó y la besó en la coronilla.

Colin y Caine compartieron una mirada de descreimiento. Estaban atónitos ante la muestra de afecto de su padre hacia la pupila. El anciano, por lo general, era bastante reservado, pero trataba a Alesandra como si hubiera sido una hija que había perdido hacía mucho tiempo.

—¿Colin te ha tratado bien?

—Sí, tío Henry.

—¿Tío Henry? —Colin y Caine repitieron el nombre al unísono.

Alesandra se apartó de los brazos de su tutor y se volvió para mirar furiosa a Colin.

—A tío Henry no le importa ser pariente mío.

—Pero no lo es —le recordó Colin obcecadamente.

Su padre sonrió.

—Yo le he pedido que me llamara tío —explicó—. Alesandra es parte de nuestra familia ahora, hijo.

Se volvió hacia su pupila.

—Siéntate y hablaremos del tema del matrimonio.

Ella obedeció sin dilación. Advirtió que su libreta estaba en el suelo y de inmediato corrió a buscarla. Colin esperó a que ella se acomodara en el sofá de brocado y se sentó a su lado.

Era tan voluminoso que la obligó a apartarse hacia uno de los extremos del mismo. Alesandra empujó su pesado muslo para poder extraer las faldas que habían quedado debajo.

—Hay muchos asientos libres —murmuró para que su tío Henry no la oyera criticar a su hijo—. Siéntese en otro lado, primo.

—Si vuelve a llamarme primo, le juro que la ahorco —la amenazó Colin por lo bajo—. Y deje de moverse como una serpiente.

—La estás incomodando, hijo. Cámbiate de lugar.

Colin no cedió. Su padre frunció el ceño y luego se sentó en el sofá más grande junto a Caine frente a ambos.

—¿Y cómo os habéis llevado? —preguntó el duque.

—Colin ha estado enfermo toda la semana —anunció ella—. ¿Me mudaré a esta casa hoy, tío?

—No. —La negativa de Colin fue abrupta... y grosera también.

Su padre le dirigió una mirada ceñuda antes de volver a concentrarse en Alesandra.

—¿Te gustaría venir aquí a vivir? —preguntó.

—Pensé que eso era lo que Colin quería —contestó ella. Su confusión se evidenció en su expresión—. Tener que cuidarme fue como una imposición para él. Hoy ha estado muy irritable. Y creo que yo soy la causa de esa ansiedad.

Colin volvió los ojos al cielo.

—Volvamos al tema principal —masculló.

Su padre no le hizo caso.

—¿Que Colin estuvo ansioso? —preguntó a Alesandra.

—Sí, tío —respondió ella. Puso una mano encima de la otra sobre la falda—. Está ansioso por librarse de mí. De modo que se puede entender el motivo de mi confusión, ¿no? Hace pocos minutos estuvo a punto de arrojarme en este sofá y marcharse, y ahora dice que quiere que me quede con él en su casa.

—Eso es una contradicción —comentó Caine.

Colin se inclinó hacia delante. Apoyó los codos sobre las rodillas y miró a su padre.

—No creo que sea una buena idea que se mude justamente ahora. Hubo un incidente en la puerta del teatro el día de la ópera —añadió.

Alesandra lo interrumpió con un codazo. Él se volvió para mirarla.

—No tiene por qué entrar en detalles —murmuró—. Solo conseguirá preocuparlo.

—Hay que preocuparlo —le dijo Colin—. Si va a asumir la responsabilidad de cuidarla, tiene que saber a qué deberá enfrentarse.

Colin no le dio oportunidad de rebatirle nada. Siguió hablando con su padre. Rápidamente le explicó lo sucedido, añadió ciertos detalles pertinentes que había recabado durante su charla con sir Richards y terminó dando su opinión de que las amenazas contra la princesa Alesandra no cesarían hasta que la joven estuviera casada.

—O hasta que el general haya ganado o perdido su campaña por conseguir el trono —comentó Caine.

—Demonios, eso podría llevar un año —calculó Colin.

—Tal vez —coincidió su hermano. Se volvió hacia su padre y luego dijo—: Me parece que Colin tiene razón. Alesandra tendría que quedarse en su casa porque él tiene más experiencia en este tipo de cosas. Por otra parte, sería más seguro para ti y para mamá.

—Tonterías —los contradijo el duque—. Sé lo suficiente respecto de cómo hay que proteger a una familia. Yo puedo enfrentarme a cualquier peligro que se interponga en mi camino. Además, los chismes son algo que no debemos pasar por alto. Ahora que mamá y yo estamos repuestos, Alesandra debe venir a vivir con nosotros. No es aceptable que un hombre y una mujer solteros, sin compromiso, vivan bajo el mismo techo.

—Fue el comentario de todos la semana pasada —recordó Caine a su padre.

—Por nuestra enfermedad —contestó el duque de Williamshire—. Seguramente la gente comprenderá.

Colin no podía creerlo. No sabía qué decir al inocente comentario de su padre. Se dirigió a su hermano para buscar apoyo en contra de la mudanza de Alesandra, pero Caine parecía tan sorprendido como él.

—¿Has oído algún chisme? —preguntó el duque a Caine, preocupado.

Caine meneó la cabeza. Colin trató de contener la impaciencia.

—Padre, los chismes de la gente es lo que menos importa en todo esto —dijo—. No puedes poner a la misma altura el peligro al que expondrías a tu familia y lo que murmura la gente. Por supuesto que hay rumores. Pero a Alesandra y a mí no nos interesan.

—No permitiré que discutáis mi decisión —insistió el padre, obcecado—. Me insultas si crees que no estoy capacitado para cuidar debidamente de mi pupila. He velado por mi esposa y por mis seis hijos durante todos estos años y no me detendré justamente ahora.

—Pero nunca nadie ha querido secuestrar a mamá ni... —comenzó Caine.

—Basta —ordenó el duque de Williamshire—. El tema queda concluido aquí y ahora. —Suavizó el tono al añadir—: Mamá tenía razón cuando dijo que Alesandra tenía que casarse lo antes posible. Con eso terminaremos con todas estas tonterías.

Colin miró a Caine.

—Ella tiene esa maldita lista.

—Yo se la di, hijo.

Colin no supo qué responder a eso.

—¿Una lista de qué? —preguntó Caine.

—¿Tiene necesidad de explicárselo a Caine? —preguntó ella, con las mejillas coloradas de vergüenza—. Él ya está casado.

—Ya sé que está casado —contestó Colin con una sonrisa.

Caine fingió no haber escuchado la protesta de Alesandra.

—¿Una lista de qué? —repitió su hermano.

—De hombres —respondió Colin—. Ella y papá han confeccionado una lista de posibles candidatos para casarse.

Caine no exteriorizó reacción alguna a esa explicación. Por la expresión de la princesa, se dio cuenta de que ella estaba bastante incómoda por el tema de la conversación. Decidió tratar de serenarla.

—Me parece razonable —anunció.

—¿Razonable? Es una barbaridad —le dijo Colin.

Caine no pudo reprimir su sonrisa.

—No es divertido —se quejó Colin.

—No —coincidió Caine—. No es divertido.

—Es de lo más serio —dijo Alesandra.

Caine se irguió más en su asiento.

—¿De modo que el propósito de esta reunión es escoger uno de los hombres de esa lista? ¿Es correcto?

—Sí —contestó Alesandra—. Yo quería entrevistar a los candidatos la semana pasada, pero Colin enfermó y yo estuve muy ocupada cuidándolo.

—¿Usted lo cuidó? —preguntó Caine con una sonrisa.

Ella asintió.

—Día y noche he hecho de enfermera —dijo—, porque me necesitaba.

Colin estaba exasperado.

—No la necesitaba.

Ella hizo caso omiso de sus gruñones modales. Se reclinó contra el respaldo del sofá.

—Es muy desagradecido —murmuró.

Colin no la miró. Asintió en dirección a Caine.

—Eso me recuerda —dijo— que quiero agradecerte tu ayuda. Hace un año que mis libros de contabilidad no están tan organizados.

—¿Qué libros de contabilidad?

—Los libros de contabilidad del astillero—explicó Colin—. Te agradezco mucho tu ayuda.

Caine meneó la cabeza. Alesandra dio un codazo a Colin para atraer su atención.

—¿No podemos seguir con el tema de antes? Quiero solucionar esto lo antes posible.

—Yo ni toqué tus libros de contabilidad —dijo Caine a su hermano.

—Entonces ¿quién...?

Nadie dijo ni una palabra durante un largo rato. Alesandra se dedicó a acomodar los pliegues de su falda. Colin, lentamente, se volvió hacia ella.

—¿Usted contrató a Dreyson o a otra persona para que hiciera mi trabajo?

—Por supuesto que no. Sus libros son algo muy privado. No habría permitido que ningún extraño tuviera acceso a ellos. Por otra parte, mientras estuvo enfermo, nadie podía entrar en la casa, ¿recuerda?

—Entonces ¿quién rayos hizo el trabajo?

—Yo.

Colin meneó la cabeza. Ella asintió.

—No me tome el pelo, Alesandra. No estoy de humor para bromas.

—No estoy tomándole el pelo. También organicé sus diarios de navegación y los archivé.

—¿Quién la ayudó?

Ella se sintió profundamente insultada por la pregunta.

—Nadie me ayudó. Soy muy buena con los números —dijo—. Tiene mi permiso para escribir a la madre superiora si no me cree. Hice un segundo juego de libros de contabilidad para ella con el fin de que el banquero le otorgara... Oh, Dios, probablemente no debería haber mencionado eso. Para la madre superiora fue un pecado, pero yo no lo consideré de ese modo. Tampoco fue latrocinio. Simplemente, alteré algunas cifras para que le otorgaran el crédito.

Colin tenía una expresión de rotunda sorpresa en el rostro. Alesandra supuso que para él la confesión habría sido vergonzosa. Abandonó sus intentos por explicarse y suspiró.

—En cuanto a sus libros de contabilidad —continuó ella—, quiero que sepa que para pasar ciertos importes a las columnas correspondientes y sacar el total, no se necesita haber estudiado mucho. No fue difícil. Solo tedioso.

—¿Y los porcentajes? —preguntó Colin, aún dudando si creerla.

Ella se encogió de hombros.

—Cualquiera que tenga dos dedos de frente puede sacar los porcentajes.

Colin meneó la cabeza.

—Pero usted es una mujer...

Iba a agregar que no imaginaba dónde había aprendido contabilidad, pero ella no le permitió terminar.

—Sabía que eso saldría a la luz —gruñó ella—. Solo por el hecho de que soy una mujer a usted no le cabe en la cabeza que yo pueda tener otras cosas en mente, además de lo que hay que usar para estar a la moda, ¿verdad? Bueno, señor, me temo que va a sorprenderse, porque me importa un rábano lo que dicta la moda.

Colin nunca la había visto tan enfadada. Sus ojos parecían fuego azul. Pensó en estrangularla, pero decidió que primero preferiría besarla.

Caine salió en su ayuda.

—¿Y a la madre superiora le dieron el crédito, Alesandra?

—Por supuesto —contestó ella, llena de orgullo—. Claro que la madre no sabía que el banquero estaba investigando el juego de libros falso, porque de lo contrario, por sus votos, se habría visto obligada a confesar la verdad. Las monjas siguen reglas muy estrictas. No se enteró hasta que fue muy tarde. Ya había gastado el dinero en la nueva capilla. Así que, todo salió bien.

Colin resopló.

—Apuesto a que habrá lamentado que usted se haya ido del convento —dijo secamente.

—¿Qué tal si regresamos al motivo por el que nos reunimos aquí? —sugirió Caine. Se puso de pie y fue hacia Alesandra—. ¿Podría ver su lista?

—Sí, por descontado.

Caine tomó la hoja de papel y volvió a su asiento.

—No está completa —explicó Alesandra—. En este momento hay diez nombres anotados, pero si usted cree conveniente agregar uno o dos más, hágalo, por favor.

—Yo creo que podríamos empezar sin Gweneth —anunció el tutor—. Caine, lee el primer nombre para que podamos discutirlo como presunto candidato.

Caine desdobló la hoja de papel, leyó rápidamente el contenido y luego miró a su hermano.

—Empieza, hijo —insistió el conde.

—El primer nombre de la lista es Colin —anunció Caine, con la vista fija en su hermano.

—Sí, pero yo lo taché —explicó Alesandra—. ¿No ve la raya que puse encima? Por favor, continúe con los nombres que todavía no he tachado.

—Un momento —dijo Caine—. Quiero saber por qué mi hermano quedó descartado, Alesandra. ¿Usted lo incluyó o fue idea de mi padre?

—Yo le sugerí el nombre de Colin —contestó el duque—. Alesandra ni siquiera conocía a tu hermano cuando hicimos esa lista. En aquel momento creí que podrían hacer una buena pareja, pero ahora veo que no daría resultado. No están hechos el uno para el otro.

Caine tenía otra opinión. Las chispas que volaban entre Alesandra y Colin estaban a punto de encenderse vivamente en cualquier momento. Por otro lado, cada uno de ellos se negaba desesperadamente a reconocer la razón que se ocultaba detrás de las frustraciones personales de ambos.

—¿Cómo has llegado a la conclusión de que no están hechos el uno para el otro? —preguntó Caine a su padre.

—Solo míralos cuando están juntos, hijo. Es evidente. Alesandra parece terriblemente incómoda y Colin no ha dejado de fruncir el entrecejo desde que se sentó. Es obvio que no se llevan bien. Y como sabrás, ese es un ingrediente fundamental para lograr un buen matrimonio.

—¿Podemos seguir, Caine? —preguntó Colin.

—¿Colin, tiene que ser tan impaciente? —preguntó Alesandra.

Él no le contestó. Ella dirigió su atención a Caine.

—Ha estado muy enfermo —le dijo, refiriéndose a Colin, como ofreciendo una excusa por su mal humor.

—Sigamos —intervino el duque de Williamshire frunciendo el entrecejo en dirección a Colin.

—Si Colin aceptara casarse con usted, Alesandra, ¿estaría de acuerdo? —quiso saber Caine.

—Él ya me ha rechazado —explicó Alesandra—. Y de todas maneras, no sería aceptable.

—¿Por qué no? —preguntó Caine.

—¿Lo dejamos así? —exigió Colin.

Caine desoyó la protesta de su hermano. También Alesandra. Ella frunció el entrecejo mientras lo pensaba. No quería confundir a Caine, pero tampoco quería dar muchas explicaciones.

—No sería aceptable porque no tocaría mi herencia.

—Por supuesto que ni la tocaría, caramba.

—¿Ve? ¿Entiende ahora?

Caine no entendía nada. Sin embargo, la expresión en el rostro de su hermano le indicó que lo prudente era no seguir insistiendo en el asunto. La mirada de Colin decía que tenía ganas de estrangular a alguien y Caine no quería ser la víctima.

—¿No hay una mejor manera de arreglar esta situación? —preguntó Caine—. Alesandra debería tener la oportunidad de tomarse su tiempo para...

—Pero no hay tiempo —intervino su padre.

—Realmente le agradezco su preocupación —dijo Alesandra.

—Vamos, hijo, pasa al segundo nombre de la lista.

Caine cedió. El segundo nombre también había sido tachado. Caine siguió con el tercero.

—Horton —leyó—. El conde de Wheaton.

—Tuve oportunidad de verlo una vez —dijo el duque de Williamshire—. Me pareció un individuo bastante decente.

Caine también aprobaba en silencio mientras Colin negaba con la cabeza.

—¿Qué hay de malo en él, Colin? —preguntó su hermano.

—Le gusta beber. No servirá.

—¿Bebe? —preguntó su padre—. No sabía eso de Horton. Táchalo, Caine —agregó resoplando—. No la dejaré casarse con un borracho.

—Gracias, tío Henry.

Colin se sentía a punto de explotar en cualquier momento. Necesitó todas sus fuerzas para controlar su temperamento. La verdad era que ignoraba por qué estaba tan agitado. Él había tomado la decisión de no casarse con Alesandra, pero, demonios, la sola idea de que otro hombre la tocara le ponía los pelos de punta.

Como si hubiera sido la cosa más natural del mundo, Colin se reclinó contra los cojines del sofá y rodeó los hombros de Alesandra con su brazo. Instintivamente, ella se le acercó más. Colin la sintió temblar y se dio cuenta de que detestaba tener que pasar por ese suplicio tanto como él.

Caine tenía razón. Tenía que haber otra salida.

Caine atrajo su atención al leer el próximo nombre.

—Kingsford, conde de Lockwood.

—Gweneth sugirió a Kingsford —anunció el duque—. Estaba fascinada con los modales del hombre.

Colin negó con la cabeza.

—Puede tener muy buenos modales, pero también tiene fama de sádico.

—Por Dios —esgrimió el anciano—. ¿Sádico, dices hijo? Táchalo de la lista, Caine.

—Sí, padre —coincidió Caine. Prosiguió—: Williams, marqués de Coringham.

—Fue sugerencia mía —dijo el duque. Su voz expresó un gran entusiasmo—. Es una buena persona. Yo he conocido a su familia durante años. Harry es de buena sangre.

A Caine cada vez le costaba más trabajo contener la risa, pues Colin ya estaba descartándolo con la cabeza.

—Harry es un mujeriego —anunció Colin.

—No sabía eso de Harry —declaró el duque de Williamshire—. Creo que Gwneth y yo tenemos que salir más a menudo. Me daría cuenta de esas pequeñeces si tuviera más contacto con la sociedad. De acuerdo, él tampoco. No la casaremos con un futuro adúltero.

Caine miró a Colin al pronunciar el siguiente nombre de la lista.

—Johnson, conde de Wentzhill.

Ni siquiera había terminado de pronunciar el título completo del individuo cuando Colin empezó a menear la cabeza.

Y así continuó. Colin encontraba algo malo en todos los hombres de la lista. Cuando Caine llegó al último, el duque de Williamshire estaba hundido en el sofá, con la mano en la frente y una expresión de total desasosiego. Caine no podía contener la risa. A Colin le resultaba terriblemente difícil encontrar un vicio para el último nombre de la lista, Morgan Atkins, conde de Oakmount. Caine se moría por saber qué tendría Colin para criticar a ese pobre hombre.

—Conocí a Morgan —confesó Alesandra—. Fue a casa de Colin a discutir un asunto de negocios. Me pareció muy agradable.

La voz de Alesandra carecía de convicción. Le costaba mucho disimular su tristeza. Detestaba esa situación. Sentía que no podía controlar su futuro ni su destino. Por horrenda que fuera la verdad, tenía la sensación de que la ofrecían en caridad.

—No puedo emitir un juicio sobre Morgan —comentó Caine—. No lo conozco.

—Yo sí —dijo el duque—. Me resulta agradable. Quizá podríamos invitarlo para... ¿Y por qué rayos estás sacudiendo la cabeza ahora, Colin?

—Sí, hermano —intervino Caine—. ¿Qué tiene de malo Morgan?

Colin suspiró. No se le ocurría ningún defecto que

achacar a Morgan. Y Caine no lo dejaba concentrarse. Estaba riéndose a carcajadas.

—No le veo la gracia —gruñó Colin.

—Yo sí —le contradijo Caine—. Veamos —dijo—, hasta el momento hemos descartado nueve posibles candidatos por bebida, avaricia, gula, celos, perversión, codicia, lujuria, etcétera, etcétera. Ahora quiero que me expliques qué es lo que tiene Morgan de malo. Creo que ya has echado mano de los siete pecados capitales, hermano.

—¿Qué quieres decir, Caine? —preguntó Colin.

—Que no te agrada ninguno de ellos.

—Por supuesto que no. Estoy pensando en la felicidad de Alesandra. Ella es una princesa. Se merece algo mejor.

El último comentario reveló a Caine lo que necesitaba saber. Ahora entendía por qué Colin estaba de tan pésimo humor. Obviamente, según Caine, Colin quería a Alesandra, pero consideraba que no tenía el dinero suficiente para merecerla. Oh, sí, era eso precisamente. Colin era el segundo hijo, por lo que no había heredado tierras ni títulos. Su obsesión por hacerse un lugar en la sociedad por medios propios se debía a su imperiosa necesidad de ganarse el público reconocimiento de todos. Caine estaba orgulloso de que su hermano fuera un hombre independiente, pero, maldición, ese orgullo sería el responsable de que Alesandra se le escapara de las manos.

A menos que estuviera obligado a casarse, por supuesto.

—Pero ¿y qué pasa con Morgan? —preguntó el padre otra vez—. ¿Qué defecto tiene?

—Ninguno —protestó Colin.

El duque de Williamshire empezaba a sonreír cuando Colin añadió:

—Si a Alesandra no le importa tener hijos patizambos...

—Pero por amor de... —El duque se reclinó en los
cojines con un gesto de total derrota.

—¿Morgan es patizambo? —preguntó Caine a Alesandra. Empezaba a sentirse orgulloso de sí, pues por
primera vez había podido preguntarle algo sin sonreír.

—Debo admitir que no reparé en sus piernas, pero si
Colin dice que es patizambo, entonces será así. ¿Es necesario que tenga hijos?

—Sí —le dijo Colin.

—Entonces lo descartamos. Yo no quiero tener hijos patizambos.

Alesandra se volvió para mirar a Colin.

—¿Es doloroso? —le preguntó en voz baja.

—Sí —mintió Colin.

La discusión se prolongó durante una hora más.
Caine y su padre se turnaban para decir nombres de posibles candidatos y Colin los rechazaba a todos inventando un defecto distinto para cada uno de ellos.

Caine estaba muy divertido. Acomodó el taburе-
te para apoyar los pies y extendió las piernas para estar
más cómodo.

Colin estaba cada vez más agitado. Apartó el brazo
de los hombros de Alesandra y apoyó los codos sobre
las rodillas mientras aguardaba a que a su padre se le
ocurriera otro posible esposo para la princesa.

Cuanto más se prolongaba la charla, más decepcionada estaba Alesandra. Se ocultó tras una falsa máscara
de serenidad, pero tenía los puños muy apretados sobre
la falda.

Justo en el momento en que la joven pensó que ya
no podría soportar escuchar otro nombre, Colin se reclinó hacia atrás y cubrió ambas manos con una suya.

Si bien la muchacha no quería su consuelo, se aferró a él.

—Alesandra, ¿qué quiere hacer?

Caine fue quien formuló la pregunta. Ella estaba demasiado abochornada para decirle la verdad, para admitir que lo que más deseaba en el mundo era casarse con el hombre que amaba. Quería el mismo matrimonio que sus padres, pero no era posible.

—Pensé que quería ser monja, pero la madre superiora no me lo permitió.

Sus ojos se llenaron de lágrimas, por lo que nadie se rió de su deseo.

—¿Y por qué no se lo permitió? —preguntó Caine.

—Porque no soy católica —explicó Alesandra—. Es un requisito importante.

Entonces sí sonrió; no pudo evitarlo.

—No habría sido feliz como monja —vaticinó.

Tampoco lo era en ese momento, pero consideró que sería una grosería admitir su infelicidad.

—Alesandra, ¿por qué no vas a buscar a Gweneth? —le sugirió el tutor—. Todavía no te han presentado a Jade, ¿verdad? Preséntate tú misma a la encantadora esposa de Caine.

Alesandra se comportó como si acabara de recibir una recompensa. Su expresión de alivio no pasó inadvertida para nadie.

Alesandra se puso de pie sin darse cuenta de que aún seguía cogida a Colin. Entonces, retiró bruscamente la mano y se marchó.

Los tres hombres se pusieron de pie hasta que la princesa desapareció y luego volvieron a sentarse. Colin arrastró el taburete con los pies y los apoyó en él.

—Esto es muy difícil para ella, demonios —masculló.

—Sí —coincidió su padre—. Ojalá hubiera tiempo

para que la muchacha pudiera adaptarse a las circunstancias, pero no lo hay, Colin.

Caine decidió cambiar de tema.

—Por curiosidad, padre —dijo—. ¿Cómo conociste al padre de Alesandra?

—Fue en la fiesta anual de Ashford —explicó el padre—. Nathaniel y yo nos llevábamos bastante bien. Era un hombre excelente —añadió, asintiendo con la cabeza.

—Y también tú por haber asumido la responsabilidad de cuidar de su hija —señaló Colin.

La expresión del duque operó un dramático cambio. Estaba inmensamente triste.

—No, estás equivocado. Hay algo que ninguno de vosotros dos sabe y creo que ha llegado la hora de confesar mis pecados. Tarde o temprano, tenéis que enteraros.

La seriedad en la voz del duque de Williamshire indicó que el asunto revestía gran importancia. Le prestaron toda su atención y esperaron a que ordenara sus pensamientos.

Pasaron varios minutos antes de que el hombre volviera a hablar.

—Me metí en problemas justo después de que tu madre muriera, Caine —explicó—. Todavía no había conocido a Gweneth y había empezado a beber... bastante, por cierto.

—¿Tú? Pero si jamás bebes —comentó Colin.

—Ahora no bebo —coincidió el padre—. Pero entonces, sí. Y también jugaba. Las deudas, por supuesto, iban acumulándose y yo me mentía, pensando que algún día ganaría el dinero suficiente como para recuperar lo perdido.

Colin y Caine estaban demasiado sorprendidos para hacer alguna acotación. Se quedaron contemplando a su padre, como si de pronto se hubiera convertido en un extraño.

—Es muy difícil para mí hacer esta confesión —continuó—. A ningún padre le gusta ventilar los pecados frente a sus hijos.

—El pasado, pasado —le dijo Colin—. Déjalo donde está.

El duque meneó la cabeza.

—No es tan sencillo —explicó—. Quiero que lo entendáis. Estaba prácticamente en la ruina y aún estaría en ese estado de no haber sido por el padre de Alesandra. Todo lo que había heredado y lo que me había dado tanto trabajo construir estaba en manos de los prestamistas, en calidad de garantes de los préstamos que me habían otorgado. Sí, ahora estaría en la ruina.

—¿Y qué pasó entonces? —preguntó Caine, cuando su padre guardó silencio.

—Nathaniel vino en mi ayuda. En un momento estaba en White's y al siguiente, de vuelta a casa. Me dijeron que había perdido el conocimiento en una de las mesas por tanto alcohol. Cuando abrí los ojos, Nathaniel estaba a mi lado y, Dios, vaya si estaba furioso. Yo me sentía tan mal que lo único que quería era estar solo. Pero no se quería marchar. Hasta me amenazó y todo.

—¿Con qué? —preguntó Caine. Estaba tan azorado con la confesión de su padre que se inclinó hacia delante, entrelazó las manos y esperó a que su padre prosiguiera.

—Me dijo que tú estabas abajo —dijo el duque—. Eras tan pequeño entonces y tan impresionable... Nathaniel me amenazó con ir a buscarte para que vieras en qué estado se encontraba tu padre. No me hace falta aclarar que la amenaza me hizo recuperar la sobriedad al instante. Habría preferido morir antes de que me vieras en esa condición tan humillante.

Nadie dijo ni una palabra al respecto. Caine no recordaba nada de la época en que su padre se había dado a la bebida.

—¿Cuántos años tenía yo?

—Casi cinco.

—Si era tan pequeño, probablemente no recordaría haberte visto ebrio —declaró.

—Nathaniel sabía lo mucho que te quería —dijo su padre—. Oh, era muy astuto. Fue mi peor momento, el punto de regreso, también.

—¿Y qué pasó con las deudas? —preguntó Colin.

Su padre sonrió. Qué típico en Colin formular todas las preguntas. Su hijo menor era el más práctico de la familia, y el más disciplinado también.

—Nathaniel fue a ver a todos los prestamistas y canceló las deudas. En menos de un día, ya no debía ni un centavo. Trató de entregarme los documentos que había recuperado, pero yo rehusé su caridad. Tampoco le permití que los rompiera. Quise que los retuviera hasta que pudiera devolverle todo el dinero. Incluso insistí en que me cobrara un interés.

—¿Y la deuda quedó saldada? —preguntó Caine.

—No. Nathaniel regresó con su esposa a Stone Haven. Y me entregó ese hermoso tesoro antes de marcharse. —Hizo un ademán en dirección a la réplica en oro del castillo, que estaba sobre la repisa de la chimenea—. ¿Podéis creerlo? Después de todo lo que hizo por mí, me hizo un regalo. Seguíamos comunicándonos por carta. La vez siguiente que visitaron Inglaterra, trajeron a Alesandra con ellos. Yo traté de darle la mitad de lo que tenía, pero él no quiso aceptarlo. Fue una situación muy incómoda para mí, porque después de la honorabilidad que había demostrado hacia mí, no podía preguntarle dónde estaban los documentos. Falleció al invierno siguiente. Dios, aún lamento terriblemente su muerte. Era mi mejor amigo.

Ambos hijos coincidieron. Nathaniel había sido un excelente amigo.

—¿Quién tiene esos documentos ahora? —preguntó Caine.

—Esa es la cuestión, hijo. No lo sé.

—¿Le has preguntado a Alesandra? —lo interrogó Colin.

—No —respondió el duque—. Dudo que ella esté al tanto de la transacción. Como tutor de la muchacha, yo tengo acceso a ciertos papeles. Dreyson, su agente, se encarga de sus inversiones, pero no creo que él sepa dónde están esos documentos.

—¿Podrías pagar esas deudas y los intereses correspondientes si hoy te exigieran la cancelación inmediata de los mismos? —preguntó Caine.

—No en su totalidad —respondió el padre—. Pero ahora tengo una sólida posición financiera. Si presentaran esos pagarés, podría pedir un crédito por lo que me falta. No quiero que ninguno de vosotros dos se lleve la impresión de que estoy preocupado. Nathaniel era un hombre muy metódico y cuidadoso. Guardó esos documentos en un lugar seguro. Solo tengo curiosidad por saber dónde están.

—Yo también —coincidió Caine.

—Mi confesión tiene un doble propósito —continuó el duque de Williamshire—. Primero, que conozcáis la clase de hombre que fue el padre de Alesandra y cuánto le debo. Segundo, que sepáis qué siento por su hija. Está sola en el mundo y es mi deber velar por su seguridad y protegerla de cualquier daño que pudieran querer causarle.

—También es nuestra obligación —intervino Caine.

Colin coincidió. Los tres hombres volvieron a guardar silencio, cada uno de ellos, sumidos en sus propios pensamientos.

Colin trató de considerar todas las posibilidades.

Él no tenía nada que ofrecer a Alesandra. Tenía un imperio que construir, maldita sea, y además, no había lugar ni tiempo para una esposa en su vida.

Ella lo distraería.

Pero había que pagar la deuda y el honor comprometía a los tres hombres a cuidar de la princesa Alesandra.

Su padre ya estaba demasiado viejo para asumir esa responsabilidad personalmente. Tampoco tenía experiencia en el trato con esa clase de bastardos, decidió Colin.

Por otro lado, estaba Caine, quien tenía muchas ocupaciones con sus propios negocios. Estaba casado también y tenía que pensar en su familia.

Solo quedaba un hijo.

Colin alzó la vista y advirtió que su padre y hermano lo observaban. Él suspiró. Por supuesto, ellos ya sabían lo que estaba pensando y solo aguardaban a que Colin llegara a una conclusión lógica.

—Carajo. Voy a casarme con ella, ¿verdad?

7

El padre de Colin quiso ser quien anunciara la buena nueva a Alesandra. Pero Colin no se lo permitió, pues pensó que debía ser él quien hablara con ella del tema.

—¿Puedo darte un consejo, hermano? —preguntó Caine.

Esperó a que su hermano lo autorizara y luego dijo:

—No creo que debas decirle...

Su padre lo interrumpió.

—Ella tendrá que saberlo, Caine.

Su hijo sonrió.

—Sí, por supuesto que tendrá que saberlo —coincidió—. Sin embargo, por mi limitada experiencia con las mujeres, he llegado a la conclusión de que no les gusta que les digan nada. Colin debe pedirle que se case con él.

—Hazlo a la mesa, durante la cena entonces —sugirió el duque.

Colin sonrió.

—Yo decidiré dónde y cuándo —anunció.

—¿Me prometes que lo solucionarás antes de esta noche? —preguntó su padre—. No puedo decir ni una palabra hasta que tú se lo hayas propuesto y Gweneth tiene que empezar con todos los arreglos.

—Mamá ya se ha encargado de todo —respondió Colin.

El duque se puso de pie y se frotó las manos.

—No puedo decirte lo contento que me siento y estoy seguro de que Alesandra estará encantada también.

Por lo orgulloso que se veía el hombre, ninguno de sus dos hijos se atrevió a recordarle que, menos de una hora atrás, se había opuesto rotundamente a la boda de Colin con su pupila, pues pensaba que eran totalmente incompatibles.

Caine quería tener una conversación a solas con su hermano, pero su madre irrumpió en el salón muy apurada, exigiendo la atención de todos.

La duquesa de Williamshire era una mujer menuda, de rizos rubios y ojos color avellana. Su esposo e hijos eran mucho más altos que ella. Los años habían sido muy sutiles con la encantadora mujer. Apenas tenía algunas arrugas y unas pocas canas en el cabello.

En realidad, Gweneth era madrastra de Caine, pero nadie hacía ningún tipo de distinciones. Ella lo trataba como a su propio hijo y Caine la había aceptado hacía mucho ya como su madre legítima.

—Jade y Alesandra bajarán en cualquier momento. Pasad al comedor. La cena se enfriará. Muchachos, dad un beso a mamá. Santo Cielo, has adelgazado, Caine, ¿no es verdad? Colin, cariño, ¿cómo está tu pierna? ¿Te duele ahora?

Los muchachos sabían que la duquesa no esperaba respuestas en realidad. Lo que le encantaba era mimarlos y mostrar sus preocupaciones maternales, sin recordar siquiera que sus hijos hacía tiempo que habían dejado de ser niños.

Gweneth era la única que se atrevía a preguntarle a Colin por el estado de su pierna. Todos los demás sabían que debían olvidar la lesión.

—Caine, la princesa Alesandra es la muchacha más encantadora que he conocido.

Su esposa hizo ese comentario al entrar en el salón. Se detuvo para saludar a su suegro con un beso y luego se acercó a su esposo para plantarle otro en la mejilla.

—¿Te ha gustado Alesandra, Delfín? —preguntó a Colin, usando el apodo que le habían puesto desde sus épocas de navegante.

—¿Dónde está? —preguntó Colin.

—En la biblioteca de tu padre —respondió Jade. Sus verdes ojos brillaban divertidos—. Al ver todos los libros que había allí se quedó boquiabierta. Cuando la dejé, estaba mirando el diario de sus últimas innovaciones en astillería.

Gweneth se volvió de inmediato al mayordomo y le solicitó que subiera a avisar a Alesandra que la cena estaba lista.

Jade cogió a su esposo del brazo. Se moría por preguntarle qué habían decidido durante la conferencia familiar, pero no podía porque Colin y sus suegros estaban demasiado cerca.

Caine apartó la cobriza cabellera de Jade de sus hombros y se inclinó para besarla.

—Creo que debemos pasar —dijo Gweneth. Tomó el brazo de su esposo y salió del salón. Colin los siguió pero Caine lo detuvo.

—Después quiero hablar contigo en privado.

—No hay nada más de qué hablar —expresó Colin, pues a juzgar por la expresión de su hermano se dio cuenta de que quería volver a hablar de Alesandra.

—Creo que sí —le contradijo Caine.

—Perdonadme por la interrupción —dijo Jade—. Pero se me acaba de ocurrir un hombre que sería estupendo como esposo de Alesandra. ¿Han pensado en

Johnson? Tú lo recuerdas, Colin. Es el buen amigo de Lyon —comentó a su cuñado.

—Sí, lo recuerdo —contestó Colin.

—¿Y? —insistió Jade, urgiéndolo a continuar.

—Pues que no —respondió Caine.

—¿Por qué no? —preguntó Jade—. A mí me agrada.

—A mí también —dijo Caine—. Pero Colin ya le ha encontrado algún defecto. Además, el asunto se ha arreglado.

Caine meneó la cabeza cuando se dio cuenta de que su esposa estaba a punto de protestar. Le guiñó un ojo para no herir sus sentimientos y luego le susurró:

—Más tarde. —Quería que comprendiera que se lo explicaría todo cuando estuvieran a solas.

Colin se volvió y salió del salón. Pero no entró en el comedor. Subió las escaleras.

—Id sin mí —dijo a Caine—. Tengo que hablar con Alesandra unos minutos.

Colin creyó que no le llevaría mucho tiempo explicar a la princesa que se casaría con ella. No, el anuncio no le llevaría más de un minuto. El resto del tiempo, tendría que pasarlo en expectativas. Las de él.

La biblioteca estaba al final del pasillo. Alesandra estaba de pie junto a la ventana mirando hacia fuera. Tenía un pesado libro entre las manos y se volvió al oír que Colin había llegado.

Colin cerró la puerta y se apoyó contra ella. Frunció el entrecejo. Ella le sonrió.

—¿Ha terminado con la reunión? —le preguntó.

—Sí.

—Ya veo —murmuró, al ver que él no continuaba. Fue hacia el escritorio y dejó el libro—. ¿Qué se ha decidido? —preguntó entonces, tratando desesperadamente de aparentar un ligero interés.

Colin tuvo intención de decirle directamente que se

había decidido la boda entre ambos cuando recordó el consejo de Caine y optó por preguntárselo.

—¿Te casarías conmigo, Alesandra? —le preguntó, dejando ya de lado el trato tan formal.

—No —contestó ella en un murmullo—. Pero le agradezco la propuesta.

—Después de la boda, tú y yo podemos... ¿Cómo que no? Yo voy a casarme contigo. Ya se ha decidido.

—No, no se va a casar conmigo —le contradijo ella—. Deje esa mirada ceñuda. Relájese. Me lo ha pedido y yo lo he rechazado. Puede respirar tranquilo otra vez.

—Alesandra... —comenzó con un tono amenazante que ella desoyó por completo.

—Sé perfectamente lo que ha sucedido allí abajo después de que yo me marchara —gritó ella—. Su padre, astutamente, fue manejándolo hasta que lo obligó a que me propusiera matrimonio. Le habló del regalo que mi padre le hizo, ¿verdad?

Colin sonrió. Alesandra era realmente muy inteligente.

—Sí —contestó él—, pero no fue un regalo, sino un préstamo.

Colin se apartó de la puerta y fue hacia ella. Alesandra, instintivamente, empezó a retroceder.

—Fue un préstamo solo ante los ojos de su padre.

Colin negó con la cabeza.

—Olvida lo del préstamo —le ordenó—. Y empieza a usar la cabeza. Tienes que casarte, maldita sea, y yo he consentido en ser tu esposo. ¿Por qué te pones tan difícil?

—Porque usted no me ama.

Alesandra gritó la verdad antes de detenerse a analizarla. Colin parecía atónito. La princesa se sentía tan avergonzada que deseó poder abrir la ventana y saltar al vacío. Esa ridiculez le dio ganas de gritar. Se convenció de que debería aprender a controlar mejor sus emociones.

—¿Y qué tiene que ver el amor en todo esto? ¿Honestamente crees que alguno de los hombres que habías incluido en esa lista te habría amado de verdad? Rayos, hubieras escogido a quien hubieras escogido, no te habría conocido lo suficiente ni como para formarse una opinión de ti...

Ella lo interrumpió.

—No, por supuesto que no me habría amado. Y yo tampoco habría querido que me amase. Sería exclusivamente un acuerdo económico. En cambio, usted me dejó muy claro que no tocaría mi dinero. Me dijo que quería construir solo su fortuna, ¿lo recuerda?

—Lo recuerdo.

—¿Y ha cambiado de opinión en los últimos cinco minutos?

—No.

—Bien. ¿Entiende por fin? Como no gana nada casándose conmigo y como tampoco me ama, que sería la única razón por la que debiera contraer matrimonio conmigo, no tiene sentido que haga tan noble sacrificio.

Colin se apoyó en el borde del escritorio y la miró fijamente.

—Déjame entender bien esto —masculló—. ¿De verdad creías que podrías comprarte un esposo?

—Por supuesto —gritó exasperada—. Las mujeres lo hacen todo el tiempo.

—Tú no me comprarás.

Colin parecía furioso. Alesandra suspiró y trató de ser paciente.

—Sé que no lo compraré —coincidió ella—. Y por eso, quedaría como la parte débil de este trato. No puedo permitir quedar en esa posición frente a usted.

Colin sentía deseos de zarandearla para hacerla entrar en razón.

—Estamos hablando de matrimonio, no de un contrato de trabajo —gruñó—. ¿Entraba en tus planes acostarte con tu esposo? ¿Y qué me dices de los hijos?

Colin le hacía preguntas que ella no quería contestar.

—Tal vez... en un tiempo. Oh, no lo sé —murmuró—. No es asunto suyo.

De pronto, Colin se acercó. Antes que Alesandra tuviera tiempo de reaccionar, él la estrechó en sus brazos.

Con un brazo la sostuvo fuertemente por la cintura mientras que con la mano libre le alzó el mentón para obligarla a mirarlo.

Había pensado en discutir con ella, pero al ver las lágrimas en sus ojos descartó todo reproche.

—Yo voy a tocarte todo el tiempo —anunció en un tosco murmullo.

—¿Por qué?

Colin hizo caso omiso de su sorpresa.

—Tómalo como un beneficio a mi favor —declaró.

Probablemente Colin solo le habría dado un beso casto para sellar su promesa nupcial, pero Alesandra volvió a encolerizarlo cuando le susurró su negativa.

—Sí —murmuró él, apenas segundos antes de que su boca descendiera sobre la de ella. La intención del beso fue someterla. Fue duro, exigente, posesivo. En cuanto la tocó, Alesandra empezó a luchar por liberarse de él, pero Colin se lo impidió, abrazándola cada vez con más fuerza. Ejerció presión en su mentón con la mano que lo sostenía para obligarla a abrir la boca. Y con la lengua intentó disuadirla de que ofreciera resistencia.

El beso no fue suave en absoluto. Pero sí muy ardiente. Alesandra no sabía si estaba luchando o no. Tenía problemas para pensar con claridad. La boca de Colin le pareció tan maravillosamente deliciosa que no quería que se detuviera jamás. Nunca antes la habían besado, de modo que ignoraba el significado de la pasión. Estaba desolada. Sin embargo, Colin parecía muy experimentado. Su boca se apoyaba sobre la de ella, primero en un ángulo y luego en otro, juntando lengua con lengua en un íntimo juego de amor.

Colin se dio cuenta de que debía detenerse cuando oyó el atractivo y femenino plañido. Gimió él también y volvió a besarla. Maldición, cómo la deseaba. Le rozó el seno con la mano y al sentirlo tan cálido y turgente, experimentó el impulso de hacerle el amor en aquel preciso instante.

Pero se obligó a poner distancia entre ambos. Alesandra se dejó caer contra su cuerpo. No había advertido que lo rodeaba por la cintura con sus brazos hasta que él le indicó que lo soltara.

Estaba tan confundida por lo que acababa de pasar que no sabía qué decir ni qué hacer. Trató de retroceder, pero le temblaban tanto las piernas que apenas podían sostenerla.

Colin sabía que la había confundido. Su amplia sonrisa fue extremadamente elocuente y también arrogante.

—Es mi primer beso —le confesó, tartamudeando, como una excusa por su lamentable inexperiencia.

Colin no pudo resistirse. Volvió a estrecharla entre sus brazos y a besarla.

—Y este, el segundo —murmuró.

—Perdón —dijo Jenkins desde la puerta—. La duquesa insiste en que se reúnan con el resto de la familia en el comedor.

Alesandra se apartó rápidamente de Colin, como si acabara de quemarse. Tenía las mejillas muy coloradas por la vergüenza. Espió detrás de Colin al mayordomo. Este le sonrió.

—Ya vamos, Jenkins —dijo Colin, sin apartar la vista de Alesandra y sonriendo ante la timidez de la joven.

La princesa trató de eludirlo, pero él la tomó de la mano y no se lo permitió.

—Lo anunciaré durante la cena —le dijo, mientras la conducía hacia la puerta.

—No —se opuso ella—. Colin, sus besos nada han cambiado. No voy a casarme con usted para arruinar sus planes tan cuidadosamente trazados.

—Alesandra, yo siempre gano, ¿me entiendes?

Ella resopló de un modo muy poco femenino. Colin le apretó la mano y comenzó a bajar las escaleras. Ella tuvo que correr para alcanzarlo.

—Odio a esos hombres arrogantes que creen saberlo todo y tener siempre la razón —masculló.

—Yo también.

—Me estaba refiriendo a usted. —Dios, qué ganas de gritar tenía—. No me casaré con usted.

—Eso está por verse.

Colin no iba a ceder. Era peligrosamente obstinado. Pero ella también. Su tutor le había jurado que le permitiría a ella escoger esposo y no le importarían las tácticas intimidatorias de Colin.

La cena fue exasperante. Alesandra tenía el estómago tan cerrado que apenas podía probar bocado. Debía haber tenido apetito, pero no fue así. No hacía más que aguardar a que Colin anunciara la boda, pero al mismo tiempo rogaba para que no abriera la boca.

Jade le dio tema de conversación.

—Tengo entendido que el príncipe regente ha ido a visitarte —dijo ella.

—Sí —confirmó Alesandra—. Claro que no le habría permitido la entrada a la casa de Colin de haber sabido que defraudó a la esposa de su socio con una herencia que le pertenecía a ella.

Jade sonrió.

—Su socio es mi hermano —dijo ella. Se volvió hacia la duquesa para explicarle de qué habían estado hablando—. El príncipe regente tenía la custodia de la herencia de mi cuñada mientras se resolvía la contienda entre las familias. Pero cuando todo se arregló, decidió quedarse con toda la herencia. Era una suma cuantiosa.

—¿De verdad le habría negado la entrada al príncipe regente? —preguntó Caine.

—Por supuesto —contestó ella—. ¿De qué se sorprende? La casa de Colin es su castillo. Solo los amigos pueden ser recibidos allí.

Alesandra miró a Jade, de modo que no advirtió la sonrisa que compartieron los hermanos.

—¿Por casualidad conoces a una dama llamada Victoria Perry? —preguntó.

Jade negó con la cabeza.

—El nombre no me resulta familiar. ¿Por qué lo preguntas?

—Porque estoy preocupada por ella —le confesó Alesandra. Le explicó cómo la había conocido y lo que había oído sobre ella desde que recibió su última carta.

—Querida, no me parece una buena idea seguir insistiendo en ese asunto —intervino la duquesa—. Su madre debe de estar destrozada. Sería una crueldad sacar todo esto a la luz otra vez.

—Colin me ha dicho lo mismo —dijo Alesandra—. Tal vez tengáis razón y yo deba dejar de insistir. Es solo que no puedo evitar preocuparme.

Entonces, la duquesa cambió de conversación para referirse a su hija mayor. Ese año Catherine debía presentarse en sociedad y tenía muchos planes para su primer baile.

Caine no pronunció ni una palabra durante toda la comida. Mantuvo la vista fija en su hermano.

Colin no transmitía nada. Su expresión bien podía haber estado tallada en piedra.

Alesandra logró relajarse cuando llegó el postre, pues Colin todavía no había hecho comentario alguno sobre la inminente boda. La muchacha creyó que, tal vez, Colin había pensado mejor las cosas. Sí, había entrado en razón por fin.

—¿Has tenido tiempo de hablar con Alesandra, hijo? —preguntó el duque de Williamshire.

—Sí —contestó Colin—. Hemos decidido...

—No casarnos —exclamó ella.

—¿Pero qué es todo esto? Colin, pensé que ya estaba todo decidido —protestó el duque.

—Y está decidido —dijo Colin. Extendió la mano para cubrir con ella la de Alesandra—. Nos casaremos, Alesandra me ha dado su palabra.

Ella comenzó a negar con la cabeza, pero nadie pareció prestarle atención.

—Felicidades —declaró el tutor—. Gweneth, debemos hacer un brindis.

—¿No les parece que primero Alesandra tendría que aceptar casarse? —preguntó Jade, justo en el momento en que su suegro se ponía de pie con la copa de agua en la mano.

Volvió a sentarse.

—Sí, por supuesto.

—Ella se casará conmigo —intervino Colin con voz dura e inflexible.

Alesandra se volvió hacia él.

—No permitiré que haga este noble sacrificio. No quería casarse hasta dentro de cinco años, ¿lo recuerda? ¿Qué me dice de sus planes?

No esperó a que Colin le contestara y se volvió hacia su tío Henry.

—Yo no quiero casarme con él, tío Henry, y usted prometió que me permitiría escoger a mi esposo.

Su tutor asintió lentamente con la cabeza.

—Es cierto que prometí dejarte escoger a tu esposo. ¿Existe alguna razón específica por la que has decidido rechazar a Colin?

—Él no está de acuerdo con el pacto económico —explicó—. Quiere otra clase de beneficios.

—¿Beneficios? —preguntó Caine con suma curiosidad—. ¿Por ejemplo?

Alesandra empezó a ruborizarse. Miró a Colin con la esperanza de que él explicara la situación. Pero él se negó.

—Tú empezaste esto. Tú lo terminarás —le ordenó.

El brillo de sus ojos delató su diversión. Ella se irguió.

—Muy bien —exclamó. No obstante, no pudo mirar a Caine mientras daba las explicaciones pertinentes, por lo que optó por clavar la vista en la pared—. Colin exige... intimidad.

Nadie supo qué decir ante semejante confesión. El tutor parecía totalmente perplejo. Abrió la boca para decir algo, pero cambió de opinión.

—¿Y acaso la mayoría de los matrimonios no son íntimos? —preguntó Caine—. Está refiriéndose al lecho conyugal, ¿verdad, Alesandra?

—Sí.

—¿Y? —la instó.

—Mi matrimonio no será así —anunció, con gran énfasis en la voz. Trató de cambiar de tema al añadir—: Colin no quería casarse conmigo hasta que habló con su padre. Ahora se siente en una obligación de honor. Obviamente, se casa conmigo por deber.

El tutor suspiró.

—Yo te di mi palabra —admitió el duque—. Si no quieres casarte con Colin, no voy a obligarte.

La duquesa se abanicaba con la servilleta.

—Jade, querida, creo que debes ser tú la que hable en privado con Alesandra. Eres más joven y no tan anticuada como yo. Y tiene que ser una mujer la que trate este tema. Alesandra parece tener ciertos temores acerca de... el lecho conyugal... Yo no me siento... calificada para explicar... o sea...

No pudo terminar su petición. Estaba abanicándose violentamente con la servilleta, y su rostro estaba encendido.

—Mamá, tú has tenido hijos —dijo Colin—. Creo que por eso estás calificada.

Jade le dio un codazo a su marido para que dejara de reírse.

—Yo creo que Morgan Atkins sería el indicado —declaró Alesandra—. Si necesita mi dinero, aceptará mis términos. Y a mí no me importa tener hijos patizambos. No, no me importa en lo más mínimo.

—Si no vas a tener intimidad con tu esposo, ¿cómo rayos harás para tener hijos? —preguntó Colin.

—Estaba pensando en el futuro —balbuceó Alesandra. Se daba cuenta de que todos sus argumentos eran contradictorios, pero no sabía cómo arreglar las cosas. ¿Por qué querría compartir intimidad con un hombre al que no conocía? La sola idea le revolvía el estómago.

—Jade, creo que deberías hablar con ella directamente después de la cena —insistió la duquesa.

—Sí, mamá —aceptó Jade.

—¿Alguna vez alguien te ha hablado de la vida matrimonial? —le preguntó Caine.

Alesandra estaba tan colorada que con el calor de sus mejillas habría podido incendiar el mantel.

—Sí, por supuesto. La madre superiora me dijo todo lo que necesito saber. ¿Podríamos cambiar de tema ahora, por favor?

Su tutor sintió pena por ella.

—¿De modo que has elegido a Morgan? —preguntó. Cuando ella asintió, él continuó—. Muy bien. Lo invitaremos a cenar y hablaremos del tema.

—Yo también quiero hablar con él —dijo Colin—. Él tendrá que saberlo, por supuesto.

—¿Saber qué? —preguntó su padre.

Caine sonrió. Sabía que su hermano estaba tramando algo, pero no podía adivinar qué. Solo una cosa tenía bien clara: Colin había tomado la decisión de casarse con Alesandra y nada en el mundo lo haría retroceder.

—Sí, hijo —comentó la madre—. ¿Qué es lo que Morgan tiene que saber?

—Que Alesandra y yo dormimos juntos.

La duquesa soltó la servilleta y pegó un alarido. Jade se quedó boquiabierta. Caine empezó a reírse a carcajadas. El duque de Williamshire acababa de beber un sorbo de agua cuando escuchó la confesión. Se atragantó.

Alesandra cerró los ojos y luchó desesperadamente por no ponerse a gritar.

—¿Que has dormido con ella? —gruñó el duque, a quien casi no le salían las palabras.

—Sí —contestó Colin. Su voz fue muy agradable, alegre, de hecho. Parecía totalmente indiferente a la ira de su padre—. Varias veces, para ser franco.

—¿Cómo puede deliberadamente...? —Alesandra estaba tan mortificada que no podía retener un pensamiento lo suficiente en su mente como para expresarlo.

—¿Cómo puedo deliberadamente... mentir? —le preguntó Colin—. Sabes que nunca miento. Dormimos juntos, ¿no es verdad?

Todos la miraban a ella, esperando a que lo negara.

—Sí —susurró—, pero...

—Por el amor de Dios —gritó el tutor.

—Henry, cálmate. Te hará daño —le aconsejó su esposa al ver el color que había tomado su rostro. Nuevamente, la duquesa había empezado a abanicarse en un esfuerzo por tranquilizarse.

Colin se reclinó contra el respaldo de la silla y dejó que todo pasara. Parecía aburrido. Caine, muy divertido, por el contrario. Jade seguía dando codazos a su marido en las costillas, tratando de que tomara las cosas con más seriedad.

—Colin. ¿No tiene nada más que decir para aclarar todo este mal entendido? —casi gritó Alesandra para que su voz se oyera por encima de las carcajadas de Caine.

—Sí —contestó Colin.

Alesandra se relajó, de alivio y gratitud. Sin embargo, la sensación duró poco.

—Si Morgan te acepta después de que le cuente cómo hemos pasado la última semana tú y yo, entonces es mejor hombre de lo que pienso.

—No tiene por qué decirle nada. —Alesandra intentó controlar su ira. No quería perder su dignidad, pero, por Dios, Colin estaba dificultándole terriblemente la tarea. Su compostura pendía de un hilo y le dolía la garganta por los deseos de gritar.

—Oh, pero tengo la obligación de explicar la situación a Morgan —dijo Colin—. El honor lo exige, ¿no es cierto, Caine?

—Absolutamente —asintió Caine—. El honor lo exige.

Caine se volvió hacia su esposa.

—Cariño, creo que ya no es necesario que mantengas esa conversación en privado con Alesandra respecto de la vida conyugal.

Alesandra pareció apuñalar a Caine con la mirada, pues por su amplia sonrisa se dio cuenta de que estaba burlándose.

—Dios santo, ¿qué debe de estar pensando Nathaniel? Seguramente, debe de estar mirándonos desde el cielo, arrepintiéndose por haber dejado a su hija en mis manos.

—Tío Henry, mi padre no se arrepentiría —anunció Alesandra. Estaba tan furiosa con Colin por haber irritado a su padre de ese modo que la voz se le quebraba de tensión—. Nada pecaminoso ha sucedido. Es cierto que fui a su cuarto y que dormí con él, pero solo porque estaba muy pesado y yo, tan agotada que...

El duque de Williamshire se tapó la frente con ambas manos y gimió. Alesandra advirtió que con la explicación solo estaba empeorando más las cosas y trató de iniciarla de nuevo.

—Me dejé la ropa puesta —exclamó— y él...

Iba a explicar que Colin estaba enfermo y que necesitaba ayuda, pero la interrumpieron antes de que pudiera terminar.

—Yo no tenía nada puesto —informó Colin a su familia con desfachatez.

—Basta —gritó el duque, y estrelló el puño contra la mesa. Las copas de cristal chocaron entre sí por el impacto.

Alesandra se sobresaltó y se volvió, hecha una furia, para mirar a Colin. Jamás se había enojado tanto en toda su vida. Deliberadamente había tergiversado la verdad en su provecho y ahora su tutor la creía una golfa. Decidió no quedarse sentada a esa mesa ni un solo segundo más. Arrojó su servilleta sobre el mantel y trató de marcharse, pero Colin la atrapó antes de que pudiera retirar la silla. Le rodeó los hombros con un brazo y la atrajo a su lado.

—Vosotros dos os casaréis exactamente en tres días. Caine, encárgate de la licencia especial. Colin, guarda silencio sobre lo sucedido. No dejaré que la reputación de Alesandra quede manchada por tu lujuria.

—¿Tres días, Henry? —preguntó Gweneth—. La iglesia está reservada para dentro de dos sábados. ¿No podrías reconsiderar las cosas?

El duque de Williamshire meneó la cabeza.

—Tres días —repitió. Notó que Colin cogía a Alesandra por los hombros—. ¿No te das cuenta de que no puede quitarle las manos de encima?

—Pero, Henry... —suplicó la esposa.

—Decisión tomada, Gweneth. Puedes invitar a algunos amigos íntimos, si quieres, pero no permitiré más que eso.

—No, padre, no quiero que se corra la noticia de la boda hasta que todo haya terminado. Será más seguro para Alesandra.

El padre asintió.

—Lo había olvidado —admitió—. Sí, será más seguro. Está bien, entonces. Solo los parientes más cercanos estarán aquí.

Concentró toda su atención en Alesandra.

—Quiero tu consentimiento para casarte con Colin —le ordenó—. Y lo quiero ahora mismo.

—¿Estas de acuerdo? —preguntó Colin.

Había ganado y lo sabía. Lentamente, la princesa asintió en silencio. Colin bajó la cabeza y la besó. Alesandra se asombró tanto ante esa muestra de afecto en público que no lo rechazó.

—Basta —gruñó Henry—. No volverás a tocarla hasta que estéis casados.

Alesandra se volvió hacia Colin.

—Se arrepentirá de casarse conmigo.

Colin no parecía muy preocupado por la posibilidad. No le habría guiñado un ojo si hubiera estado verdaderamente inquieto.

Jenkins apareció en la puerta.

—Le pido me disculpe, Vuestra Alteza, pero hay alguien aguardando en la puerta. Sir Richards solicita entrevistarse de inmediato con su hijo Colin.

—Hágalo pasar al salón, Jenkins —dijo Colin.

—¿Y para qué desea verte el director del Departamento de Seguridad? —preguntó el duque—. Me dijiste que te habías retirado.

La preocupación de su voz confundió a Alesandra. Abrió la boca para preguntar a su tutor por qué lo inquietaba tanto la visita, cuando Colin le apretó con fuerza los hombros. Ella se volvió para mirarlo. Su expresión nada revelaba y la joven supo que ninguno de los presentes había notado que Colin estaba ordenándole guardar silencio.

—Después de lo que te sucedió en la pierna, no puedo imaginar por qué seguirías trabajando para el director —intervino su madre.

Colin trató de ser paciente.

—El director nada tiene que ver con mi lesión.

—Fue hace mucho tiempo —recordó Jade a la duquesa.

—Por Dios, él ya ha terminado con ese negocio de capa y espada —anunció el padre.

Caine se inclinó hacia delante atrayendo la atención de Colin.

—¿A qué ha venido sir Richards exactamente? —preguntó.

—Yo le pedí ayuda —respondió Colin—. Además, iba a recabar cierta información para mí.

—¿Sobre qué? —preguntó Caine.

—Alesandra.

El padre pareció aliviado.

—Bueno, en ese caso, está todo bien. Sí, Richards es el hombre indicado para hacer averiguaciones sobre el general. ¿Vamos al salón para ver qué tiene que decirnos?

—Nosotras no nos quedaremos fuera, Henry —declaró la esposa. Se puso de pie y miró a su marido—. Vamos, Jade. Y tú también, Alesandra. Si el asunto concierne a uno de nosotros, entonces nos concierne a todos. ¿No es cierto, Henry? —Todos salieron del salón.

Colin soltó a Alesandra. La princesa se puso de pie entonces. Le tomó la mano para impedirle que se fuera.

—Su padre ahora me cree una golfa —le susurró—. Le agradecería que aclare las cosas con él.

Colin se le acercó para decirle algo al oído.

—Explicaré todo después de que estemos casados.

Su aliento cálido le produjo placenteras cosquillas en el cuello, dificultándole la concentración. Hasta hacía una hora, cuando Colin la besó tan apasionadamente, había tratado con desesperación de pensar en él como en un amigo... o en un primo. Por supuesto que eso era una mentira, pero, demonios, le daba resultado. Sin embargo, Colin dio la vuelta a toda la situación al tocarla. Ahora, con solo estar de pie cerca de él, sentía que el corazón le latía a toda velocidad. Tenía una fragancia tan masculina, tan maravillosa... Oh, Dios, necesitaba imperiosamente controlar sus pensamientos.

—Eres un canalla, Colin.

—Me gusta pensar que lo soy.

Alesandra abandonó sus intentos de irritarlo.

—¿Por qué no quieres que tu familia se entere de que estás trabajando para...?

No la dejó terminar. Cubrió su boca con la de él en un beso rápido y posesivo. La muchacha suspiró cuando él se retiró y le repitió la pregunta. Colin la besó otra vez.

Por fin, Alesandra captó el mensaje y dejó de preguntar.

—¿Me lo explicarás después de que nos casemos?

—Sí.

Jade regresó al comedor.

—Colin, me gustaría charlar a solas con Alesandra. Estaremos con vosotros en un momento.

Alesandra esperó a que Colin saliera del comedor y luego rodeó toda la mesa hasta detenerse junto a Jade.

—¿De verdad te desagrada la idea de casarte con Colin?

—No —respondió Alesandra—. Y como verás, ese es justamente el problema.

—¿Por qué?

—Colin fue obligado a proponerme matrimonio. Actuó por compromiso. Y yo no puedo controlar esa situación.

—No lo comprendo.

En un gesto nervioso, Alesandra echó su cabello detrás de los hombros.

—Yo quería ser la que dominara la situación —murmuró—. Cuando me enteré de que tendría que casarme obligatoriamente, me enojé mucho. Me sentí tan... indefensa. No me pareció justo. No obstante, empecé a acostumbrarme a la idea y a encontrarle el lado positivo, cuando consideré el matrimonio como una transacción comercial y no como una relación personal. Decidí que, si yo escogía a mi esposo e imponía mis propios términos y condiciones, entonces no me importaría si él me amaba o no. Habría sido un convenio de negocios y nada más.

—Pero Colin no aceptará tus términos, ¿verdad?

No me sorprende —dijo Jade—. Es un hombre muy independiente. Se siente orgulloso de estar construyendo su imperio por medios propios, sin ayuda de parientes ni amigos. No se dejará dominar, pero llegará el momento, creo, en que te sentirás feliz por ello. Ten un poco de fe en él, Alesandra. Él cuidará de ti.

Sí, admitió Alesandra para sí. Él va a cuidarme.

Y ella se convertiría en una carga.

Colin no estaba interesado en sus bienes y, de hecho, le había dejado muy claro que ni los tocaría.

Tampoco estaba impresionado por el título de princesa. El hecho de estar casado con una le representaría una molestia, pues debería sufrir durante el año los compromisos oficiales. Tendría que relacionarse con el príncipe regente y Alesandra sabía cuánto lo detestaba Colin.

Él había rechazado todas y cada una de las cosas que ella podía ofrecerle.

No, no era un trato justo.

8

Sir Richards había terminado de saludar a todos los presentes cuando Jade y Alesandra entraron en el salón. El director se volvió hacia ambas damas. Ya conocía a Jade y, después de comentarle el placer que le producía volver a verla, se concentró totalmente en Alesandra.

—Henry me ha contado la buena noticia. Felicidades, princesa. Ha escogido a un buen hombre.

Alesandra le ofreció una sonrisa forzada. Dio las gracias al director, coincidió con él en que Colin era un buen hombre y le preguntó si acudiría a la boda.

—Sí —respondió sir Richards—. No me la perdería. Es una pena que tenga que mantenerse en secreto, pero me temo que usted ya conoce las razones. Siéntese. Tengo cierta información que le interesará.

Sir Richards hizo un ademán para que se sentara en uno de los sofás. Jade y Caine estaban sentados frente a ella y el duque y la duquesa en un tercer sofá.

Colin estaba de pie ante la chimenea. No prestaba atención alguna al director ni al resto de su familia. Estaba de espaldas a los presentes, estudiando minuciosamente la miniatura que había en la repisa de la chimenea. Alesandra lo observó cuando él levantó el castillo de oro para examinarlo mejor. No pudo leer nada en su expresión. Se preguntó en qué estaría pensando.

La duquesa hablaba de sus planes para la boda. Había decidido hacer la íntima recepción lo más cálida posible. Su esposo la interrumpió cuando se dirigió a Colin en voz alta.

—Ten cuidado con eso, hijo, pues para mí tiene un valor incalculable.

Colin asintió pero no se volvió. Acababa de detectar el diminuto puente levadizo, sujetado a la pieza por una cadenita aparentemente muy frágil.

—Realmente, esto es obra de un artesano —comentó, mientras que con mucha delicadeza, desenganchaba la cadena del puente. La pequeña puerta se bajó de inmediato. Colin levantó más el castillo para poder ver el interior.

Alesandra advirtió la expresión de sorpresa en sus ojos. Él sonrió. Ella también. Acababa de descubrir la broma que Nathaniel le había hecho a su padre tantos años atrás.

Colin se volvió hacia su hermano y le hizo un gesto con la cabeza para que se acercara. Caine se puso de pie y se dirigió hacia la chimenea. Colin no dijo ni una palabra. Simplemente, colocó el castillo en manos de su hermano y fue a sentarse en el sofá, junto a Alesandra.

La duquesa acababa de empezar a detallar todos sus planes para la boda. Tanto el director como su esposo la escuchaban pacientemente.

Caine, de repente, se echó a reír. Por supuesto, atrajo la atención de todo el mundo.

Caine se volvió hacia Alesandra.

—¿Sabía algo de esto?

Ella asintió.

—Mi madre me contó la historia.

—Después, cuando esté a solas con mi padre, ¿se lo mostrará? —le preguntó Caine.

—Sí, claro.

—Deja eso en su sitio —ordenó el duque—. Me pongo nervioso viéndoos manipularlo. ¿Tienes idea de lo que vale, Caine?

Su hijo se rió.

—Sí, padre, tengo idea de lo que vale. —Cerró el puente levadizo y dejó el objeto en su lugar.

—Mamá, no creo que sir Richards esté interesado en los planes para la boda —dijo Colin—. Ya ha tenido la cortesía suficiente para escucharte hasta ahora. Déjalo explicar el motivo de su visita.

Gweneth se volvió al director.

—¿Solo me ha escuchado por cortesía?

—Por supuesto que sí, Gweneth —le dijo su esposo. Suavizó su franqueza dando unas palmadas en la mano de su esposa.

Caine ya había regresado a su asiento, junto a Jade. Le rodeó los hombros con un brazo y la atrajo hacia sí.

Alesandra notó que tanto el duque como su hijo mayor no ponían reparos en demostrar en público el afecto que sentían hacia sus respectivas cónyuges. Caine acariciaba un brazo de Jade en un gesto natural y su tío Henry no había soltado la mano de la duquesa en ningún momento. Alesandra envidiaba a esas parejas que tanto se amaban. Se dio cuenta de que entre su tutor y la duquesa existía verdadero amor y, a juzgar por el comportamiento de Caine y Jade, era obvio que ellos también se habían enamorado antes de casarse.

Ella y Colin estaban en una situación totalmente distinta. Se preguntaba si él habría advertido todo lo que perdería al casarse con ella, y estuvo a punto de preguntárselo allí mismo, en presencia de todos.

Sir Richards la salvó inconscientemente del bochorno al tomar la palabra.

—Colin me ha pedido mi colaboración en un pequeño experimento. Tiene razones para creer que la dama de compañía de la princesa, Valena, está compinchada con los rufianes que trataron de secuestrarla el otro día.

Alesandra se quedó atónita ante la explicación del director. Se volvió hacia Colin.

—¿Qué razones tienes para desconfiar de esa dulce...? Colin la interrumpió.

—Déjalo terminar, Alesandra.

—Colin tenía razón —anunció sir Richards. Sonrió a su anfitrión—. Sus dos hijos son los hombres más intuitivos que he conocido desde que trabajo para el departamento.

Henry estaba radiante de placer.

—Es una cualidad que han heredado de mí —comentó.

—Sí —coincidió Gweneth. La lealtad hacia su esposo era absoluta—. Henry siempre ha sido muy astuto, como un lobo al acecho.

Colin trató de no sonreír. Consideraba a su padre más como a un cordero que como a un lobo, pero no creía que fuera un defecto. La verdad era que envidiaba su inocencia. Él había perdido su candor hacía muchos años. Su padre era un hombre muy peculiar. Parecía inmune al lado oscuro de la vida. Y el hecho de confesar el mal período que debió soportar en su juventud lo convertía en un hombre mucho más íntegro ante los ojos de Colin. Siempre actuaba de corazón y Colin sabía que, si él tenía algo de ternura, era porque la había heredado de su padre.

—Bueno, como iba diciendo —continuó el director—. Colin dijo a la criada que informara a la princesa de que habría una reunión en mi casa, a las diez de la mañana del día siguiente. Durante la noche, Valena se escapó para poner sobre aviso a sus amigos. Colin mandó a uno de los guardias de Alesandra que la siguiera. Y tal como era previsible, a la mañana siguiente allí estaban. Eran cuatro, escondiéndose en las cercanías de mi casa, aguardando a la princesa para atacarla otra vez.

—¿De modo que eran cuatro en total? —preguntó Colin. No estaba sorprendido por las noticias. Alesandra, en cambio, no podía articular palabra. Siempre había creído que sabía juzgar a las personas, pero ahora debía reconocer que con Valena se había equivocado rotundamente. Los pensamientos de la muchacha se concentraron de inmediato en Victoria y se preguntó si no se habría equivocado con ella también.

—Dios santo, yo contraté a Valena —exclamó la duquesa—. Fue ella quien vino a verme, debí haber sospechado de esa actitud. Pero estaba tan contenta de saber que había nacido en la tierra natal del padre de Alesandra... Pensé que a nuestra princesa le habría gustado tener cerca a alguien que le trajera recuerdos de su infancia. Valena también hablaba su idioma. Si bien investigué sus referencias laborales, debí haberme esmerado más en esa tarea.

—Nadie te culpa, mamá —le dijo Colin.

—¿Por qué no me comentaste nada de tus sospechas? —le preguntó Alesandra.

A Colin le sorprendió la pregunta.

—Porque era un problema que tenía que resolver yo, no tú.

Aparentemente estaba convencido de eso. Alesandra no supo cómo responder a tanta arrogancia.

—Pero ¿cómo te enteraste? ¿Qué te hizo despertar sospechas?

—El seguro de una de las ventanas estaba abierto una hora después de que Raymond lo hubiera revisado —explicó—. Y alguien tuvo que haber avisado a esos hombres de que acudiríamos a la ópera.

—El príncipe regente pudo haberlo mencionado a...

Colin la interrumpió.

—Sí, pudo —coincidió—. Pero no pudo haber abierto el seguro de la ventana.

—¿Los atrapó a todos? —preguntó Henry al director.

—Sí —contestó sir Richards—. Están encerrados, por suerte.

—Mañana a primera hora los interrogaré —anunció Colin.

—¿Puedo ir contigo? —preguntó Alesandra.

—No.

La voz de Colin dio a entender que no debía insistir. El duque avaló la decisión de su hijo.

—Queda fuera de discusión, Alesandra.

El debate había terminado. Sir Richards se marchó pocos minutos después. Colin lo acompañó a la puerta. Jade y Caine se despidieron en el mismo momento. El duque y la duquesa despidieron a la visita. Alesandra se quedó de pie junto a la chimenea, observando el modo en que los miembros de la familia compartían charlas y risas. De pronto, la sobrecogió una imperiosa necesidad de formar parte de ese afectuoso núcleo cerrado que tenía frente a sus ojos. Colin no se casaba con ella por amor. No tenía que olvidarlo en ningún momento, se dijo.

La puerta se cerró detrás de Caine y Jade, y entonces, Alesandra se dio cuenta de que Colin también se había ido.

Ni siquiera se había molestado en despedirse de ella. Alesandra se sintió tan herida por su descortesía que se dio la vuelta en dirección al fuego de la chimenea para que su tutor no advirtiera las lágrimas que habían acudido a sus ojos.

Dignidad y decoro, se repitió en silencio. Pasaría por el protocolo de la boda con una máscara de serenidad que no se quitaría en ningún momento. Si Colin estaba decidido a ser estúpidamente noble, que así fuera.

El castillo llamó su atención. La ira contra la que trataba de luchar por los métodos mal intencionados de Colin no podía caer en el olvido. Sintió añoranza por su tierra natal, por su padre y por su madre.

Santo Dios, estaba tan deprimida... Nunca debió haberse ido del convento. Justo ahora se daba cuenta del error que había cometido. Allí estaba segura y, por alguna razón, los recuerdos de su madre eran mucho más reconfortantes.

Alesandra inspiró profundamente, tratando de eliminar el pánico que empezaba a sentir. Entendió por qué tenía tanto miedo. Dios la ayudara, pero estaba enamorándose del Dragón.

Para ella era inaceptable. Colin nunca debía conocer sus verdaderos sentimientos. No iba a terminar como un perrito faldero, persiguiendo a un hombre que no la amaba. Tampoco revolotearía a su alrededor, por mucho que lo deseara, y se obligaría a pensar en ese matrimonio como una cuestión solo económica. Colin tenía sus razones para casarse con ella, por tontas que fueran, y a cambio de su apellido y protección, Alesandra le permitiría hacer lo que quisiera. No interferiría en nada en sus planes. Y a cambio de la consideración de ella, Colin la dejaría tranquila para que ella siguiera su destino.

Alesandra se secó las lágrimas de los ojos. Se sentía un poco más tranquila, ahora que había descubierto un nuevo plan de acción viable. Solicitaría una audiencia con Colin para el día siguiente a fin de informarle de su determinación.

Hasta le concedería la posibilidad de negociar, pero en los aspectos menos importantes, por supuesto.

—Alesandra, tus guardias traerán tus cosas a la casa dentro de un rato.

Su tutor le dio la información cuando volvió a entrar en el salón. Ella se volvió para darle las gracias y el duque frunció el entrecejo al ver las lágrimas en sus ojos.

—¿Qué pasa? —le preguntó—. ¿Estás tan disconforme con el esposo que te he escogido que...?

Ella meneó la cabeza.

—Estaba mirando el castillo y sentí nostalgia.

El duque de Williamshire se mostró aliviado. Se acercó a ella.

—Creo que me lo llevaré de vuelta a nuestra casa de campo. No me agrada ver que lo tocan. Colin y Caine no podían quitarle las manos de encima, ¿eh? —añadió con una sonrisa—. A veces están inquietos como chiquillos revoltosos. No me gustaría nada que me rompieran este tesoro.

Se volvió para mirar la réplica.

—¿Conoces la historia que hay detrás de este regalo? —le preguntó él.

—Mi madre me dijo que mi padre se lo había entregado a usted —le contestó Alesandra.

—El castillo fue un obsequio —explicó tío Henry—. Pero yo te preguntaba si te contaron lo del préstamo que tu padre me hizo. Tienes todo el derecho del mundo a saberlo y también a conocer los motivos por los que tu padre me ayudó.

La voz había cambiado por la emoción. Alesandra meneó la cabeza.

—No fue un préstamo, tío, y sí, sé lo que sucedió. Mamá me contó la historia porque pensó que mi padre lo había engañado de una manera muy inteligente y graciosa.

—¿Que Nathaniel me engañó? ¿Cómo?

Alesandra se volvió y levantó la miniatura de la repisa, asintiendo cuando su tutor, instintivamente, le aconsejó ser cuidadosa con la pieza. Mientras él observaba, la princesa extrajo la cadena del puente levadizo del seguro y luego entregó el castillo a Henry.

—Han estado aquí todo el tiempo —susurró ella suavemente—. Mírelos, tío Henry. Los pagarés están aquí.

El duque no parecía comprender lo que ella le decía. La miró atónito.

—Todos estos años... —Su voz se quebró y los ojos se le humedecieron.

—A papá le gustaba actuar de este modo —explicó Alesandra—. Él insistía en que era un regalo y usted, en que era un préstamo. Mamá me contó que usted exigía que se firmaran documentos pertinentes y mi padre le dio el gusto. Pero él fue el último en reír, tío, cuando le obsequió este castillo.

—Con los pagarés.

Ella le puso la mano en el brazo.

—Usted tiene esos pagarés —le dijo—. Por lo tanto, debe aceptar que la deuda fue cancelada.

El tutor mantuvo el castillo en el aire mientras miraba en su interior. Vio de inmediato las hojas de papel dobladas cuidadosamente.

—La deuda quedará cancelada cuando tú te cases con mi hijo.

El duque no tenía ni idea de cómo afectaron esas palabras a Alesandra. Como estaba exclusivamente concentrado en la pieza de oro, no pudo ver la expresión de la muchacha.

Ella se volvió y salió del salón. Pasó junto a tía Gweneth en el vestíbulo, pero no confió en la estabilidad de su voz para hablarle.

Gweneth entró a toda prisa en el salón mientras Alesandra subía corriendo las escaleras.

—Henry, ¿qué le has dicho a esa niña? —preguntó.

Henry le hizo un gesto para que se acercara.

—Alesandra está bien, Gweneth. Se siente un poco nostálgica por su tierra. Eso es todo. Mira esto —ordenó, sin apartar la vista de los documentos que estaban ocultos en el interior de la pieza de oro.

Alesandra quedó en el olvido por el momento. Se sintió agradecida de que nadie hubiera subido tras ella. Entró en el estudio de su tío, cerró la puerta y se puso a llorar desconsoladamente. Dio rienda suelta a su llanto durante veinte minutos, por lo menos, y todo porque sentía una horrenda compasión por sí misma. Sabía que estaba comportándose como una criatura, pero no le importaba.

No se sintió mejor cuando terminó de llorar. Todavía estaba totalmente alterada, con los nervios hechos trizas por la confusión y la preocupación.

Dreyson apareció una hora después. La princesa firmó todos los papeles que él le había preparado y luego escuchó atentamente su explicación referente a cómo habían sido transferidos sus fondos desde la tierra de su padre hasta el Banco de Inglaterra. El agente que Dreyson había contratado para llevar a cabo la operación tuvo algunas dificultades para conseguir que le dieran el dinero, pero Dreyson le aseguró que no había nada de qué preocuparse. Solo se requería tiempo y paciencia.

Alesandra no podía concentrarse en cuestiones financieras. Esa noche se acostó temprano y rezó para tener las fuerzas necesarias para enfrentar los tres duros días que la esperaban.

Sin embargo, las horas no pasaron con lentitud. Tía Gweneth la mantuvo ocupada con los preparativos de la boda. Sin que su esposo ni el resto de la familia supiera nada, Gweneth había invitado a algunos amigos íntimos para la celebración —treinta y ocho, de hecho— y hubo tanto que hacer antes de la boda que Alesandra apenas tuvo tiempo para llevar a cabo todas las tareas que se había anotado en la lista. Había que encargar arreglos florales para las mesas, comida para la cena formal y, además, conseguir que la no muy solícita pero increíblemente creativa Millicent Norton le cosiera el vestido. La modista y sus tres ayudantes habían ocupado una de las habitaciones más grandes del tercer piso para trabajar contra reloj en los metros y metros de encaje que Millicent Norton había estado atesorando para una ocasión tan importante como esa.

Cuando Alesandra no estaba ocupada con las pruebas, trabajaba en la tarea que su tía le había encomendado: escribir los anuncios. Había más de doscientos nombres en su lista. Por supuesto, también había que escribir los sobres y Gweneth insistió en que estuvieran listos para enviarlos con el mensajero en cuanto Colin y Alesandra estuvieran casados.

Alesandra no comprendía la necesidad de tomarse tantas molestias. Creía que solo los parientes más cercanos, sir Richards y el funcionario público asistirían a la boda. Lo comentó a su tía y ella le contestó que era lo menos que podía hacer en honor a la memoria de Nathaniel y a toda la bondad que este había demostrado con su familia.

Y por fin llegó el día de la boda. Hacía buen tiempo, para alivio de Gweneth. Por suerte podían estar en el jardín. El sol brillaba y la temperatura era bastante agradable y primaveral. La duquesa pensó que los invitados ni siquiera tendrían necesidad de ponerse sus capas. Ordenó que se abrieran las puertaventanas y ocupó a todos los sirvientes de la casa en limpiar y pulir las piedras.

La ceremonia estaba prevista para las cuatro de la tarde. Las flores comenzaron a llegar a mediodía. El desfile de mensajeros parecía interminable. Alesandra se quedó en el comedor, fuera del paso de todos. Su tía

Gweneth ya se había encargado de atenderlos, pensó, al ver los dos gigantescos floreros que llevaban arriba. Imaginó que hasta decorarían la biblioteca. Tal vez, el duque de Williamshire tenía pensado atender allí a sir Richards.

Alesandra estaba a punto de subir a su cuarto a prepararse para la ceremonia cuando llegaron las hermanas de Colin. La más pequeña, Marian Rose, solo tenía diez años y estaba tan excitada por participar en la fiesta que apenas podía estarse quieta. Marian había sido una grata sorpresa para sus padres, pues casi cuatro años después de que la última hija de los duques había nacido, pensaron que los años fértiles de Gweneth habían llegado a su fin. Por supuesto que la pequeña estaba malcriada por sus hermanos mayores y sus padres, pero afortunadamente, el hecho de tener hermanas mayores la salvaba de ser una caprichosa incorregible. Alison tenía catorce años, Jennifer quince y Catherine acababa de cumplir los dieciséis.

A Alesandra le habían caído muy bien todas las hermanas de Colin, pero su favorita era la mayor. Sin embargo, se cuidó de no expresar sus sentimientos para que ninguna se sintiera herida.

Catherine era una delicia. Era el polo opuesto de Alesandra y, tal vez, esa era la razón por la que la apreciaba tanto. Admitió que envidiaba a la hermana de Colin. Catherine era terriblemente extrovertida. Nunca había que adivinar lo que estaba pensando. Expresaba en voz alta todas sus ideas. Y también era muy dramática. Siempre se metía en líos con su queridísima amiga, lady Michelle Marie. Catherine nunca se reprimía. Alesandra dudaba mucho de que conociera el significado de las palabras decoro y dignidad, aunque era la persona más maravillosamente honesta que la princesa había conocido en su vida.

También estaba convirtiéndose en una hermosa señorita. Catherine tenía el cabello rubio oscuro y los ojos color avellana. Era más alta que Alesandra, pues le llevaba unos cinco centímetros de estatura aproximadamente.

Ninguna de las hermanas de Colin había sido informada respecto de los motivos por los que habían tenido que viajar a Londres con tanta urgencia. Cuando la duquesa las reunió a todas para darles la noticia, fue Catherine la que primero gritó de entusiasmo y corrió a dar un fuerte abrazo a Alesandra.

—Michelle Marie querrá matarte por haberle arruinado los planes —le comentó alegremente a Alesandra—. Ella cree que se casará con Colin. Lo ha estado planeando durante años y años.

Gweneth meneó la cabeza exasperada.

—Colin ni siquiera conoce a tu amiga. ¿De dónde sacó que él querría casarse con ella? Tiene tu edad, Catherine, y Colin es demasiado mayor para ella. Vaya, si casi le dobla la edad.

Alison y Jennifer también corrieron a abrazar a Alesandra. Las tres hermanas se abalanzaron sobre la princesa, quien apenas logró mantener el equilibrio para no caerse. Además, hablaban todas a la vez. Fue una especie de caos, demasiado para Alesandra.

No hubo lugar para Marian Rose. Se quedó atrás, pero no por mucho tiempo. Golpeó los pies violentamente contra el suelo para llamar la atención, pero al comprobar que su táctica no daba resultado, soltó un grito de lo más aterrador. De inmediato, todos se dieron la vuelta para ver qué sucedía y, entonces, Marian Rose aprovechó la oportunidad para abrazar a Alesandra.

Raymond y Stefan oyeron el grito y vinieron corriendo. Gweneth se disculpó con ellos por el comportamiento de su hija e indicó a la pequeña que se callara.

Luego pidió a los guardias que ayudaran a subir los cajones con copas para vino que faltaban y que aún estaban en el sótano.

Raymond hizo un gesto a Alesandra. Ella se excusó ante la familia de Colin y se aproximó a él.

—La duquesa no hace más que abrir las puertaventanas, princesa, y nosotros nada más que cerrarlas. No es seguro que la parte trasera de la casa esté abierta. ¿Tendría la amabilidad de hablar con ella? Colin se pondrá furioso si entra aquí y ve que todas las puertas y ventanas de la casa están abiertas.

—Trataré de hablar con ella —le prometió Alesandra—. Dudo que me escuche. Supongo que habremos de tener fe en que todo salga bien. Solo unas pocas horas más y la preocupación habrá terminado.

Raymond hizo una reverencia ante la princesa. No estaba dispuesto a quedarse de brazos cruzados rezando para que todo saliera bien. Tanto él como Stefan tenían los pelos de punta por la innumerable cantidad de desconocidos que habían irrumpido desde primeras horas de la mañana en la casa, trayendo flores, bandejas y regalos. Había sido casi imposible conocer la identidad de cada uno. Raymond fue a la cocina, se dirigió a uno de los sirvientes y le ordenó llevar un mensaje a Colin. La duquesa no prestaría atención al guardia, por supuesto, pero sí le haría caso a su hijo.

Sin embargo, Raymond no se detuvo allí. Subió a buscar al duque de Williamshire para alertarlo sobre el posible peligro.

El tiempo pasó volando para Alesandra. Millicent Norton y sus ayudantes bajaron y atajaron a la princesa justo cuando ella iba a subir. La modista explicó que el vestido de novia estaba colgado en el guardarropas de su cuarto y que, indudablemente, era la prenda más exquisita que había creado en toda su vida. Alesandra estaba totalmente de acuerdo. Pasó un buen rato elogiando la habilidad de la costurera y otro tanto asegurándole que tendría mucho cuidado al ponerse el delicado traje.

Gweneth entró corriendo en el vestíbulo justo cuando Millicent Norton y sus ayudantes se marchaban.

—Por Dios, Alesandra. Ya son las tres y no has empezado a prepararte. ¿Todavía no te has bañado?

—Sí, tía.

—Las muchachas empezarán a prepararse ya —le dijo Gweneth. La tomó de la mano y la llevó arriba—. Janet vendrá a ayudar en cuanto termine de trenzar el cabello de Marian Rose. ¿No sientes el estómago hecho un manojo de nervios, Alesandra? Sé que debes de estar de lo más excitada. Pero no tienes que preocuparte. Todo está listo. Será una bella boda. Apresúrate o te la perderás.

La duquesa se rió de su propia broma. Apretó suavemente la mano de Alesandra cuando llegaron a la puerta de la alcoba. Luego la abrió y entró. Alesandra escuchó las súplicas de Marian Rose para que la criada le dejara el cabello suelto y también la orden de Gweneth para que se sentara con la boca cerrada.

El cuarto de Alesandra era el último del pasillo. Abrió la puerta y entró. Tenía tanta prisa que no prestó atención a nada. Solo quería quitarse el vestido que llevaba puesto. Se abotonaba por la parte delantera, de modo que desabrochó los botones aun antes de cerrar totalmente la puerta. Se desnudó, se lavó nuevamente de la cabeza a los pies y se puso su bata blanca de algodón. Estaba asegurándose el cinturón cuando la puerta se abrió. Alesandra pensó que se trataba de la criada que venía a ayudarle. Iba a darse la vuelta cuando alguien la sujetó por la espalda. Una mano le apretó la boca para cerrar el grito instintivo que llegó a su garganta.

Oyó un portazo y se dio cuenta de que había al menos dos hombres en su alcoba.

Debió echar mano de todas sus fuerzas para no perder el control. Se obligó a no forcejear. Por dentro estaba aterrada, pero no permitiría que su miedo interfiriera en su capacidad para pensar. Podría dejar la histeria para más tarde, cuando se deshiciera de esos hombres horribles.

Tendría que ser paciente, se dijo, y esperar el momento oportuno para escapar. No gritaría, por mucho que lo deseara. Cualquiera de las hermanas de Colin podrían venir a socorrerla y, Dios querido, Alesandra no quería que ninguna resultara dañada.

Alesandra se serenó en cuanto trazó su plan de acción. Cooperaría hasta que estuviera bien lejos de la casa de la ciudad. Así, el resto de la familia estaría a salvo. Entonces sí, gritaría, pelearía y mordería, para hacer que esos malvados se arrepintieran de haberse atrevido a tocarla.

Alguien llamó a la puerta. El canalla que la tenía asida por detrás la apretó con más fuerza. Le ordenó, con un murmullo, que le dijera a quien estuviera en la puerta que se marchara.

Ella asintió con la cabeza antes que él le quitara la mano de la boca. El segundo hombre quitó el seguro de la puerta. Alesandra le miró bien el rostro. Era un individuo de cabellos oscuros, cejas espesas y piel grasienta. Su siniestra expresión la hizo estremecer de miedo. Por su aspecto, la muchacha advirtió que no le importaría en absoluto herir a quien fuera.

El que estaba detrás de ella blandió un cuchillo en el aire, frente a su rostro, y le dijo que si se atrevía a abrir la boca, la mataría.

Alesandra no se preocupó por esa posibilidad porque sabía que estaba mintiéndole. El general necesitaba una esposa viva, no muerta. Pensó en decirle a ese canalla que no le tenía miedo, pero cambió de opinión. Sería más inteligente no discutir. Si ellos creían que ella colaboraba, tal vez bajarían la guardia.

A Alesandra se le permitió abrir la puerta unos pocos centímetros. Jade estaba en el pasillo sonriéndole.

—Dios mío, Alesandra. Pero si ni siquiera te has vestido. ¿Quieres que te ayude?

Alesandra meneó la cabeza.

—No necesito tu ayuda, Catherine. Pero te agradezco el ofrecimiento. ¿Por qué no te vas abajo a esperar con tu esposo? Estoy segura de que tu Henry querrá que estés a su lado cuando lleguen los invitados.

La expresión de Jade ni se alteró. Siguió sonriendo hasta que la puerta volvió a cerrarse. Escuchó el ruido del cerrojo y entonces salió corriendo por el pasillo.

Colin acababa de entrar en el vestíbulo cuando Jade llegó a las escaleras. Marian Rose venía a toda prisa del salón y se echó en brazos de su hermano. Colin la levantó, le dio un beso en la mejilla y luego se agachó para tomar a Olivia, la hija de Caine, en su brazo libre. La pequeñita de cuatro años dio a su tío un beso húmedo.

Jade bajó corriendo las escaleras. Caine la atajó al pie de las mismas.

—Despacio, cariño. Vas a caerte...

El temor que vio en los ojos de su esposa lo hizo interrumpirse.

—¿Qué sucede? —le preguntó.

—Alesandra me llamó Catherine.

Colin escuchó el preocupado comentario de su cuñada. Bajó a ambas niñas y se acercó. Entonces advirtió que las enormes puertaventanas que daban al jardín estaban abiertas de par en par y resopló a modo de queja. ¿Acaso sus padres no entendían que era imperioso ser cautos?

—Solo se confundió —sugirió Caine a su esposa—. Es el día de su boda y, lógicamente, estará muy nerviosa.

Jade meneó la cabeza. Se volvió hacia Colin para seguir la explicación.

—Alesandra me dijo que bajara y que me quedara esperando a los invitados, junto a mi esposo Henry. Alguien está en su cuarto. Estoy segura. Ella trataba de advertirme.

Colin ya estaba avanzando hacia las escaleras.

—Que Raymond y Stefan se queden bajo la ventana de Alesandra montando guardia —ordenó Colin—. Caine, tú ve por las escaleras de atrás. Es posible que quieran sacarla por allí.

Llegó a lo alto de las escaleras antes de terminar de impartir las instrucciones. Pasó junto a sus padres, quienes se disponían a bajar, y siguió por el pasillo.

Estaba muy seguro de lo que haría. La ira ardía en sus venas, pero no estaba dispuesto a permitir que las emociones dominaran sus pensamientos. Después de que Alesandra estuviera a salvo, daría rienda suelta a su furia.

Llegó al cuarto de la princesa. Con mucho cuidado, verificó si estaba cerrado con llave. Cuando advirtió que sí, con todas sus fuerzas embistió con el hombro la puerta, y esta se astilló por las bisagras. La cerradura se salió de su lugar y lo que quedaba de la puerta voló hacia el interior de la alcoba.

Alesandra trató de gritar para prevenir a Colin, pero uno de sus captores le tapaba la boca con la mano.

El segundo hombre se abalanzó sobre Colin con el cuchillo en la mano. Colin se movió con tanta velocidad que el malhechor no comprendió qué estaba sucediendo hasta que fue demasiado tarde, pues ya lo había desarmado. Sin embargo, Colin no le soltó la mano. Se la llevó hacia la espalda y allí le retorció el brazo, hacia arriba, hasta que le dislocó el hombro. El rufián gritaba de dolor, pero Colin no tuvo piedad. Lo arrojó de cabeza contra la pared.

La furia le daba la fuerza de cuatro hombres juntos. Estaba casi ciego de rabia, ya que al mirar a Alesandra se dio cuenta de que la muchacha era presa del pánico y de ese cerdo que había osado ponerle las manos encima. La bata que tenía puesta se había abierto lo suficiente para que Colin advirtiera que no llevaba ninguna otra prenda debajo.

—Quita las manos de encima de mi novia.

Colin dio la orden a gritos y empezó a avanzar. El captor de Alesandra se dio cuenta de que estaba atrapado. Esperó a que Colin estuviera casi encima de él y luego arrojó a Alesandra hacia delante para intentar huir del cuarto.

En un solo movimiento, Colin lanzó a Alesandra sobre la cama, para que estuviera fuera de peligro, y se volvió para coger al sujeto por el cuello.

En un primer momento, pensó en quebrárselo a ese hijo de puta, allí mismo y sin demora. Pero Alesandra estaba presenciándolo todo y él no quería asustarla más de lo que ya estaba.

—Hay una forma más rápida para bajar que por las escaleras —gruñó Colin entre dientes.

Como su voz sonó tan serena y razonable, Alesandra no sospechó cuál sería su próximo paso. Colin cogió al individuo por los pantalones y lo arrojó de cabeza por la ventana.

No estaba abierta. Los cristales saltaron hacia las paredes, y el suelo y las pocas astillas que no se habían clavado en los hombros del malhechor cayeron sobre el alféizar de la ventana.

Colin parecía imperturbable.

—Carajo —barbulló, al notar que sus pantalones se

habían manchado de tierra. Suspiró y luego se volvió hacia ella.

Alesandra no sabía qué pensar. Un instante antes, Colin se había comportado como una bestia enfurecida y ahora actuaba como si nada extraordinario hubiera pasado.

¿No se daba cuenta de que podía haber matado a ese hombre? ¿No se daba cuenta, o simplemente no le importaba?

Alesandra estaba decidida a averiguarlo por sus propios medios. Se levantó de la cama de un salto y corrió hacia la ventana. Colin fue hacia ella antes de que llegara descalza a donde estaban los cristales rotos. Volvió a llevarla a la cama a rastras y, repentinamente, la estrechó entre sus brazos.

—Dios santo, Colin, ¿crees que lo has matado?

El pánico que detectó en su voz lo hizo lamentar que Alesandra hubiera sido testigo de la pelea. Era demasiado joven e inocente para comprender que, en realidad, ciertos hombres estaban mejor en el infierno que en la tierra. Por el modo en que la sintió temblar entre sus brazos, Colin advirtió que tenía miedo de él.

—No, no lo he matado —le dijo en un tosco murmullo—. Estoy seguro de que Raymond lo atrapó.

Colin se sentía muy orgulloso. Había dicho esa rotunda mentira sin reírse.

Alesandra no podía creer que Colin pensara que ella se tragaría esa estupidez. Advirtió que él también temblaba, por los nervios del enfrentamiento, y decidió que era mejor aplacarlo.

—Si tú lo dices —aceptó ella y suspiró profundamente. Luego se relajó contra él—. Olvidaste abrir la ventana, ¿no?

—Sí —mintió, contento de que ella, sin darse cuenta, hubiera comenzado a tratarlo con más familiaridad—. Lo olvidé.

Alesandra levantó la vista, por encima del hombro de Colin.

—¿Seguro que Raymond lo atrapó?

Él no escuchó su tono de picardía.

—Absolutamente seguro.

La estrechó con más fuerza entre sus brazos y le besó la coronilla.

—¿Te han lastimado? —le preguntó, preocupado ante la posibilidad.

Alesandra se sintió aliviada por su preocupación.

—No —susurró contra su pecho.

De reojo, vio que se producía un movimiento en un rincón y miró a Colin.

—El otro está tratando de escapar gateando.

—Caine está esperándolo —contestó Colin. Se agachó para besarla otra vez. En ese mismo momento, ella levantó el rostro. La tentación fue demasiado grande para resistirla. Colin le cubrió la boca con la suya, en una caricia muy suave, pero no le bastó. Profundizó el beso, feliz de no tener que forcejear para que ella abriera la boca. Deslizó su lengua en el interior, para rozar la de ella. Alesandra le oyó gemir de un modo lento y primitivo.

El beso la consumió. Por su inexperiencia, no pudo controlar su respuesta a las mágicas caricias de Colin. Tampoco se saciaba de saborearlo y, santo Dios, su perfume... tan puro, tan maravillosamente masculino... le resultaba extremadamente excitante.

La insolente respuesta de Alesandra destruyó el control de Colin. Pero supo que debía detenerse. Trató de retirarse, pero Alesandra en nada cooperó con su noble plan. Le rodeó el cuello con las manos y hundió los dedos en su cabellera, urgiéndolo a que siguiera besándola.

Él accedió. La joven suspiró contra sus labios, segundos antes de que se atreviera a rozarle tímidamente la lengua con la suya. Colin sintió que su autodisciplina se le escurría de las manos. Sus labios buscaban los de ella una y otra vez.

—¿Todo está...? Por amor de... deja eso para después de la ceremonia, Colin.

La voz de Caine interrumpió bruscamente el hechizo que había cautivado a Alesandra y Colin. Entonces él, lentamente, se apartó de la princesa. Ella, en cambio, necesitó un poco más de tiempo para volver a la realidad. Colin tuvo que ayudarla para que le quitara los brazos del cuello. También, le ajustó el cinturón de la bata. Ella no hizo nada. Solo se quedó contemplándolo hasta que acomodó la prenda, de tal modo que le cubriera cada centímetro de su piel.

—Ahora debes vestirte —le sugirió en un susurro sonriendo, por la expresión embobada de su rostro. Todavía no se había recuperado del contacto y eso lo complacía sobremanera.

—¿No me has escuchado? —le preguntó, al ver que no se movía.

Alesandra se dio cuenta de que tenía que controlarse. Retrocedió un paso ante el objeto de su embelesamiento.

—Sí, tengo que vestirme —coincidió. Inmediatamente negó con la cabeza—. No puedo vestirme. Ellos...

—Será un placer para mí ayudarte —se ofreció Jade. La cuñada de Colin tenía el entrecejo fruncido por la preocupación y la pena por Alesandra—. No nos llevará más que un momento —prometió.

Alesandra se volvió y esbozó una sonrisa forzada. Se sorprendió al ver a Caine y Jade tan cerca de ella. No había oído a ninguno de los dos entrar en la alcoba.

El beso de Colin había hecho desaparecer el mundo

y... Oh, ¿habrían visto el modo en que estaba abrazándolo? Se puso colorada al pensar en eso.

De pronto se sintió tan aturdida que no pudo pensar. Había algo que quería decir, pero no podía recordarlo. Se pasó los dedos por el cabello en un gesto distraído. La bata se le abrió ligeramente con su movimiento. Colin avanzó de inmediato para acomodársela. Actuaba como un esposo posesivo. Alesandra pudo haberlo considerado un gesto de afecto de no haber sido por su mirada ceñuda.

—No tendrías que recibir gente estando en bata —le dijo él—. ¿Esas monjas no te enseñaron nada?

Colin no estaba bromeando. Ella le golpeó la mano para quitársela del cuello y retrocedió un paso.

—¿Atrapaste al hombre que huía a gatas por las escaleras? —preguntó a Caine.

—Sí.

—Bien —susurró ella—. Ellos entraron aquí con las flores —añadió, asintiendo con la cabeza—. Debí haberme dado cuenta... cuando subieron los floreros, pero...

Todos esperaban a que terminara la explicación, pero después de breves minutos advirtieron que no diría nada más.

—¿Qué pasó con el otro? —preguntó Caine.

—Colin lo arrojó por la ventana.

—Raymond lo atrapó —dijo Colin.

Caine estuvo a punto de soltar una carcajada, pero su hermano le hizo un gesto con la cabeza, en dirección a Alesandra. Entonces, al instante, asintió en silencio a pesar de la ridiculez de la mentira.

—Qué suerte.

—¿Es posible que haya más esperando en las otras habitaciones? —preguntó Alesandra.

Colin le contestó:

—No.

—Sus guardias han revisado cuidadosamente toda la casa. —Caine hizo el comentario para tranquilizarla—. No queda ninguno más.

—Jade atrajo la atención de su esposo con un suspiro. Se volvió hacia ella y vio las lágrimas en sus ojos.

—¿Qué pasa, cariño? —le preguntó con ternura.

Jade señaló al suelo, frente al guardarropas. Caine se volvió, vio el traje de novia y soltó un improperio.

Alesandra no prestaba atención a nadie, excepto a Colin. Acababa de decidir que había algo diferente en él, pero no podía acertar qué era.

—Nos casamos en diez minutos, Alesandra. Si todavía sigues con esa bata puesta, nos casaremos así. Caine, por favor, cambiémonos las chaquetas. La mía se ha rasgado.

—No creo que sea una buena idea casarnos hoy —murmuró Alesandra.

—En diez minutos —repitió Colin.

El temblor de su mandíbula le advirtió que no atendería otras razones. Sin embargo, ella hizo un último intento.

—No —dijo, con una expresión ilegible.

Colin se le acercó hasta que quedó a escasos centímetros de su rostro.

—Sí.

Alesandra suspiró. Luego asintió. Colin estaba tan contento por su cooperación que plantó un rápido beso en sus labios. Luego se volvió y fue hacia la puerta.

—Han roto su vestido de novia, Colin.

Fue Jade la que dio la noticia. Alesandra se puso a llorar desconsoladamente. Todos creyeron que estaba deprimida por el traje, por supuesto, pero esa no fue la verdadera razón de su angustia. Se había dado cuenta del cambio que se manifestaba en Colin.

—Te has cortado el cabello.

La furia de su voz asombró a Colin. Se volvió, advirtió las lágrimas que resbalaban por sus mejillas y fue hacia ella a reconfortarla. A medida que avanzaba, ella retrocedía. Colin se detuvo para que ella hiciera lo propio. No quería que, accidentalmente, pisara algún trozo de cristal roto, ni que cayera presa del pánico.

Alesandra había pasado por un momento muy trágico, que, sumado a la histeria que todas las novias experimentan el día de su boda, la hacía comportarse con insensatez.

Colin se dio cuenta de que jamás lograría hacerla bajar para que se casara con él si antes no la tranquilizaba. Decidió que si ella deseaba tocar el tema del corte de cabello en ese momento, en lugar de tratar lo que realmente importaba, se lo permitiría.

—Sí —dijo él con una voz muy serena—. Me he cortado el cabello. ¿Te desagrada?

Alesandra asintió.

—Oh, sí, claro que me desagrada —dijo, con la voz temblorosa de ira—. De hecho, me pone furiosa.

Alesandra advirtió, por la expresión de Colin, que él no entendía por qué estaba tan enfadada. Obviamente, no recordaba lo que le había contestado cuando ella le preguntó por qué llevaba el cabello tan largo.

Libertad. Sí, de eso le había hablado él. Recordaba cada palabra de su explicación. El cabello largo hasta los hombros le recordaba que era un hombre libre.

Alesandra concentró su atención en los pies de Colin.

—¿Por qué no llevas grilletes, Colin?

—¿De qué estás hablando? —Colin no pudo disimular su exasperación al hablar.

—Alesandra está amargada por lo del vestido —explicó Caine.

—Métete en tus cosas —ordenó Alesandra.

Caine arqueó una ceja ante semejante orden. Alesandra actuaba como una verdadera princesa ahora, tratando a Caine como si fuera uno de sus súbditos. Él no se atrevió a sonreír por miedo a que su diversión enfadara aún más a la muchacha. Aparentemente, estaba furiosa y amargada.

—Oh, Dios, mira lo que me has hecho hacer —gruñó a Colin. Se cruzó de brazos y lo miró furiosa antes de dirigirse a su hermano—. Por favor, ruego que me disculpes por mi grosería. Por lo general no permito que nadie se dé cuenta de cuándo estoy irritada, pero este hombre me hace olvidar los preceptos sagrados de la madre superiora. Yo no estaría en este estado si él no se hubiera cortado el cabello.

—¿Ese hombre? —repitió Caine con una sonrisa.

—¿Qué preceptos sagrados? —preguntó Jade.

—¿No estás disgustada por el traje de novia?

—Dignidad y decoro —explicó Alesandra a Jade, antes de volverse hacia Colin—. No, no es por el traje de novia —anunció. Inspiró profundamente, decidida a calmarse. Supuso que Colin no podía evitar ser un zoquete insensible y, además, estaba renunciando a su libertad—. Oh, no importa. Sí, por supuesto que estoy amargada por el traje de novia. Tu madre se afligirá terriblemente. Pagó una fortuna por ese encaje. Se le romperá el corazón si descubre que se ha roto.

—Entonces ¿estás preocupada por los sentimientos de mi madre? —preguntó Colin, con la esperanza de llegar al corazón de la cuestión.

—¿No acabo de decirlo? Colin, ¿cómo puedes sonreír en una situación como esta? No tengo qué ponerme.

—Seguramente...

Ella no lo dejó terminar.

—Prométeme que no se lo dirás a tu madre —exigió

Alesandra—. Quiero tu palabra. Echarás a perder su boda si lo haces.

—Es tu boda, Alesandra. No la de ella.

Ella no quiso entrar en razones.

—Prométemelo.

Colin suspiró.

—No se lo diré. —Ni se molestó en añadir que su madre, por supuesto, advertiría enseguida que no llevaba el vestido. Alesandra estaba demasiado aturdida para reparar en ese detalle y no sería Colin quien se lo recordara.

Arrancó la misma promesa de labios de Caine y Jade. Todos aceptaron de inmediato con tal de calmarla. Colin meneó la cabeza por el extraño comportamiento de su futura esposa. La tomó por los hombros, la abrazó y la besó. Luego la soltó y salió del cuarto. Su hermano lo siguió.

—Parece un poquito nerviosa, ¿verdad? —comentó Colin a su hermano.

Caine se echó a reír.

—No me imagino por qué —le contestó—. La han atacado, casi la secuestran los bastardos más horribles que he visto en mi vida y, ciertamente, la han aterrado. También ha dejado bien claro que no quiere casarse contigo y, por otra parte, han hecho trizas su vestido de novia. No, realmente, no veo razón para que esté un poquito nerviosa.

Colin dejó caer los hombros.

—Ha sido un día muy difícil —murmuró.

—Puede mejorar —predijo Caine. Tenía la esperanza de que así fuera.

Ninguno de los dos volvió a hablar hasta que llegaron al vestíbulo. Se intercambiaron las chaquetas mientras bajaban las escaleras. La talla era prácticamente la misma, pues en los últimos años Colin había incrementado la masa muscular de sus hombros de modo que eran prácticamente iguales a los de su hermano mayor.

Colin advirtió la multitud que comenzaba a reunirse en el salón y decidió entrar. Pero se detuvo súbitamente y se dirigió a Caine.

—Te equivocas.

—¿No va a mejorar?

Colin meneó la cabeza.

—Dijiste que Alesandra no se quiere casar conmigo. Te equivocas. Sí que quiere.

Caine sonrió.

—¿De modo que te has dado cuenta de que está enamorada de ti?

Él lo daba por hecho, pero Colin lo tomó como una pregunta.

—No, todavía no me ama. Pero lo hará. Dentro de cinco años, después de que yo haya hecho mi fortuna, se dará cuenta de que no cometió ningún error.

Colin no podía creer que su hermano fuera tan obtuso.

—Ella ya tiene una fortuna, Colin. Necesita...

—Casarse —terminó Colin por él—. ¿Qué está haciendo toda esta gente aquí?

Cambió de tema a propósito, por supuesto. Colin no quería entrar en una acalorada discusión sobre los motivos de Alesandra. Tampoco quería pensar en las razones particulares que tenía para casarse con ella.

La ceremonia tuvo lugar una hora más tarde. Colin estaba de pie junto a su hermano frente al funcionario del registro civil. La espera lo inquietaba tanto que casi no podía controlar su agitación. Hasta él mismo se asombró de su alteración, pues prefería pensar que era una persona que podía dominarse en cualquier circunstancia. Nada lo perturbaba, recordó. Demonios, admitió con un suspiro, ahora sí que estaba perturbado y la sensación era tan extraña a su naturaleza que no sabía cómo luchar contra ella. Culpaba a Alesandra por su falta de disciplina. Hasta que ella apareció en su vida, la sola idea de casarse le producía náuseas. Y ahora, no obstante, su inquietud se debía exactamente a lo opuesto. Quería terminar con eso de una vez por todas, antes de que algo saliera mal.

Todavía podía perderla.

—Por amor de Dios, Colin. Esto es una boda, no un entierro. Deja de resoplar.

Colin no estaba de humor para complacer a su hermano. Estaba demasiado ocupado pensando en todas las cosas que todavía podían salir mal.

Después, el duque de Williamshire escoltó a Alesandra hacia el salón. Ella tomaba del brazo al padre de Colin, pero él no prestó atención alguna al duque. Todas sus miradas eran para la novia. Cuanto más se le acercaba, más se tranquilizaba. Una sensación de dicha borró sus preocupaciones, y cuando la princesa llegó a su lado, dejó de fruncir el entrecejo.

Alesandra estaba a punto de ser suya.

Estaba tan nerviosa que temblaba. Llevaba un vestido de satén color marfil. Sencillo, pero elegante. Si bien el escote no revelaba demasiado, era muy provocativo. No llevaba ninguna joya, ni flores en la mano. Tampoco el pelo recogido. Los rizos oscuros que se movían con tanta gracilidad sobre los hombros, a cada paso que avanzaba, fueron el único adorno que necesitó.

Dios santo, cómo le gustaba. Colin sonrió por la timidez de la muchacha. No se atrevía a mirarlo, mantenía la vista gacha en todo momento, aun cuando su tutor la besó en la mejilla. Pero se negaba a soltarlo. El duque tuvo que quitarle la mano de su brazo para colocarla en el de Colin.

Los familiares y amigos los rodearon. Alesandra tenía deseos de salir corriendo. Se sentía atrapada, devastada y aterrada ante la sola idea de que ambos estuvieran cometiendo un error. Cada vez temblaba más. No podía quedarse quieta y le faltaba el aire. Entonces, Colin la tomó de la mano y se la apretó ligeramente. Fue extraño, pero el gesto logró tranquilizarla un poco.

La pequeña hija de Caine ayudó a Alesandra a disipar por completo su temor. Como no podía ver la ceremonia porque los mayores le obstaculizaban la visión, fue escurriéndose entre todos los presentes hasta que por fin logró llegar junto a Alesandra. Fingió no ver a su madre, que desesperadamente negaba con la cabeza, y extendió su bracito para tomar la mano de la princesa.

El ministro acababa de abrir su libro cuando bajó la vista y advirtió la presencia de la niña. De inmediato, empezó a toser como advertencia.

Pero Alesandra no fue tan cauta. Miró a la pequeñita de cabellos oscuros y ojos verdes y se echó a reír. Obviamente, Olivia estaba pasando el mejor momento de su vida y quienquiera que hubiera tenido la responsabilidad de cuidarla no había cumplido debidamente con sus obligaciones. La niña era un desastre. La parte de abajo de su vestido estaba muy sucia, claro indicio que de la mocosa había estado corriendo y jugando en el jardín. Una mancha colorada sobre la pechera delataba que la muy pilla se había metido en la cocina para probar el ponche rojo que su abuela pensaba hacer servir después de la ceremonia. El cinturón le caía sobre las caderas, pero lo que descontroló totalmente la compostura de Alesandra fue el lazo rosa del cabello. Seguía precariamente sujeto a él y las cintas le caían sobre el ojo derecho, de modo que cada vez que la niña levantaba la vista para sonreír a Alesandra tenía que apartárselas de la cara.

Probablemente, la aparición inesperada de Olivia había hecho sentir palpitaciones a su madre. Caine se agachó y trató de pasar por detrás de Colin y Alesandra para llevarse a su hija. Pero la pequeña se le escapó y empezó a reírse divertida.

Alesandra se hizo cargo. Nada podía hacer por las manchas de su vestido, pero sí por mejorar un poco su aspecto. Soltó la mano de Colin, le aseguró el cinturón en el lugar correspondiente y volvió a atarle el lazo en la cabeza. Olivia debió soportar el proceso y, cuando Alesandra terminó con la tarea, la niña volvió a tomarla de la mano.

La princesa se irguió y se concentró en el ministro. Todavía no se atrevía a mirar a Colin, pero le rozó los dedos con los de ella. Colin captó el mensaje y volvió a tomarla de la mano.

Ahora estaba totalmente tranquila. La voz apenas le tembló al responder las preguntas del ministro. Advirtió que cuando dio su consentimiento para convertirse en la esposa de Colin, él se relajaba por completo. Entonces sí lo miró y lo vio sonriente. El brillo de sus ojos aceleró los latidos de su corazón.

Por fin todo había terminado. Colin, suavemente, le volvió la cabeza y se inclinó para besarla. Todos celebraron. Colin apenas tuvo la oportunidad de rozar la boca de su esposa cuando alguien lo cogió por detrás y lo alejó de ella para felicitarlo.

No obstante llevó a Alesandra con él. No la perdería de vista... ni dejaría de tocarla. Le rodeó la cintura con el brazo y la atrajo hacia sí.

Alesandra no recordaba mucho de la fiesta que siguió a la ceremonia. Creía flotar en medio de una espesa bruma en lugar de caminar. Hubo brindis antes, durante y después de la cena, pero ella no recordaba nada de lo que se dijo. La rodearon los familiares y amigos de

Colin y el modo en que la aceptaron fue muy placentero para ella.

Sir Richards insistió en hablar en privado con Colin y Caine en la biblioteca, pero Colin no hizo más que posponer el compromiso. Sin embargo, el director no aceptó la negativa y finalmente, después de que Alesandra prometiera no separarse de sus guardias, Colin accedió. Ambos hermanos subieron con sir Richards. Tuvieron su charla y bajaron en menos de quince minutos.

Colin halló a su flamante esposa en el salón. Trataba de escuchar tres conversaciones distintas a la vez. Marian Rose solicitaba permiso para ir a la casa con ella, Catherine le preguntaba cuándo volvería a verla y el duque contaba una anécdota divertida de la niñez de sus hijos varones.

Alesandra parecía un poco abrumada y Colin comentó que había llegado el momento de llevársela a su casa. La princesa no discutió la decisión. Por el contrario, se mostró aliviada.

Les llevó veinte minutos despedirse de todos y agradecerles su presencia. Cuando la paciencia de Colin ya se había agotado, subieron por fin al carruaje que los conduciría a su casa de la ciudad.

El silencio del vehículo fue un severo contraste con el caos que acababan de abandonar. Colin extendió sus largas piernas, cerró los ojos y sonrió.

Estaba pensando en la noche de bodas.

Alesandra estaba frente a él, con una postura rígida y las manos fuertemente entrelazadas sobre la falda.

También ella pensaba en la noche de bodas.

Colin abrió los ojos y la vio con la mirada ceñuda. También notó que se retorcía las manos.

—¿Pasa algo malo? —preguntó, aunque ya sospechaba de qué se trataba.

—Esta noche...

—¿Sí?

—¿Insistirás en que comparta tu cama?

—Sí.

Al instante, Alesandra dejó caer los hombros hacia delante. Palideció por completo y pareció angustiada. Colin casi soltó una carcajada, pero se detuvo a tiempo. Se sentía como un cretino por burlarse de la preocupación de Alesandra. Ella era completamente inocente y, lógicamente, temía a lo desconocido. La función de Colin era ayudarla en hacer desaparecer esos temores, no incrementarlos.

Se inclinó hacia delante y le tomó ambas manos.

—Todo saldrá bien —le aseguró en un murmullo.

Por la forma en que ella lo miró, Colin se dio cuenta de que no le creía.

—Entonces ¿no estás interesado en renegociar?

—¿Renegociar qué?

—Tus beneficios.

Colin meneó la cabeza lentamente. Ella retiró las manos.

—Alesandra, todo saldrá bien —repitió.

—Como digas —comentó desalentada—. Pero no tengo ninguna información que demuestre que tienes razón. ¿Tienes algún libro sobre el tema para que yo pueda leer antes de acostarme contigo?

Colin se reclinó hacia atrás, apoyó el pie en el asiento opuesto y la miró con seriedad.

—¿Qué clase de libro?

—Pensé que tal vez tendrías un manual... —explicó. Trataba de no retorcerse las manos para que él no advirtiera lo nerviosa que estaba—. Cualquier cosa que me explique lo que sucederá —añadió, encogiéndose de hombros—. Simplemente, tengo curiosidad.

Colin notó que ella estaba completamente aterrada.

Asintió para que pensara que él había creído esa mentira y le preguntó con tono indiferente:

—¿No dijiste que la madre superiora te había enseñado todo lo que necesitabas saber?

Ella no le contestó enseguida. Colin esperó pacientemente. Alesandra volvió el rostro y miró por la ventana. Ya estaba muy oscuro, pero la luna brillaba tanto que esa luz le bastó para reconocer la calle por la que circulaban. Estaban casi llegando a destino. Pensó que no caería presa del pánico. Ya era una mujer adulta, le parecía ridículo tener miedo.

—Alesandra, contéstame —ordenó Colin.

La joven trató de disimular su vergüenza y procuró aparentar indiferencia al responder.

—La madre superiora tuvo una charla en privado conmigo, pero ahora me doy cuenta de que no me brindó una información muy completa.

—¿Qué te dijo ella exactamente?

Alesandra no quería continuar con el tema. De hecho estaba arrepentida de haberlo sacado.

—Oh, un poco de esto, un poco de aquello... —murmuró, encogiéndose de hombros.

Colin no podía dejar las cosas como estaban.

—¿Qué es, exactamente, un poco de esto y un poco de aquello?

El carruaje se detuvo ante la puerta de la casa. Todo lo que Alesandra atinó a hacer fue abrir el cerrojo sin demora alguna. Colin la tomó de la mano y se la sostuvo.

—Todavía no me has respondido —le recordó.

Alesandra miró la mano de Colin sobre la de ella. Dios, era casi el doble en tamaño. ¿Pero por qué rayos no habría reparado antes en ese detalle? Porque no había pensado en que tendría que compartir el lecho con él, recordó, por lo menos, durante años y años, hasta que se acostumbrase a la idea... Oh, qué concepto tan cándido e ignorante. Se sintió repentinamente como una estúpida.

La verdad, debería haber insistido en ser monja, decidió.

—La madre superiora me dijo que yo no tenía la sagrada vocación —estalló, en voz alta y luego suspiró—. No tengo la humildad suficiente. Eso me dijo.

Deliberadamente, Alesandra trataba de cambiar el tema de conversación y Colin, por supuesto, sabía cuál era su objetivo.

—¿Y qué te dijo del lecho conyugal?

Alesandra volvió a mirarle la mano para responder.

—Dijo que el cuerpo de una mujer es como un templo. Listo. Ya lo he dicho. ¿Ahora me vas a soltar? Quiero bajar.

—Todavía no —se opuso él. La ternura de su voz mitigó parte de su vergüenza.

—Harás que te lo diga, ¿no?

Colin sonrió por lo confundida que parecía.

—Sí. Haré que me lo cuentes todo.

—Colin, tal vez no te has dado cuenta, pero este tema me avergüenza mucho.

—Me he dado cuenta.

Alesandra advirtió por su voz que estaba divirtiéndose. Pero se negó a mirarlo, pues si lo hacía y lo veía sonreír, sentiría deseos de gritar como una loca.

—¿Tú estás avergonzado? —preguntó ella.

—No.

Una vez más, la princesa trató de retirar la mano. Él se la apretó. Dios, qué cabeza dura era. Entonces cayó en la cuenta de que Colin no le permitiría bajarse del vehículo hasta que ella se lo explicara todo.

—Los hombres quieren rendir su culto allí —exclamó.

—¿Dónde? —preguntó Colin, obviamente confundido.

—En el templo —le dijo, casi en un grito.

Colin no se rió. Le soltó la mano y se echó hacia atrás. De todas maneras, con la pierna bloqueaba la puerta en caso de que ella intentara salir.

—Entiendo —contestó. Trató de mantener la voz lo más neutra posible con la esperanza de que aquella actitud la liberara del bochorno.

El color había retornado al rostro de la muchacha a modo de venganza. Parecía que había permanecido horas bajo el sol. A Colin le encantó tanta inocencia.

—¿Qué más te dijo?

—Que yo no debo dejarlos.

—¿Rendir su culto?

Ella asintió.

—Que no debo dejar que nadie me toque hasta que me case. Después, según la madre superiora, todo está bien porque el resultado de la unión es noble y válido.

Alesandra alzó la vista para ver su reacción, advirtió una expresión de incredulidad y pensó que Colin no había comprendido.

—Un hijo es el resultado válido.

—Eso imaginé.

Alesandra se sentó y se ocupó diligentemente de arreglar los pliegues de su falda. Pasó un largo minuto de silencio antes de que Colin volviera a hablar.

—Omitió unos cuantos detalles, ¿no?

—Sí —murmuró Alesandra. Se sintió aliviada de que su esposo por fin hubiera comprendido su ignorancia en la materia—. Si hubiera algún libro o manual que yo pudiera leer...

—No tengo nada sobre ese tema en mi biblioteca —le dijo él—. Ni siquiera estoy seguro de que haya algo impreso al respecto.

—Pero seguramente...

—Oh, claro que hay libros dando vueltas por ahí, pero no de la clase que yo te permitiría leer —comentó—. Tampoco se venden en el mercado libre.

Colin se inclinó, quitó el seguro de la puerta y la abrió sin dejar de mirar a su ruborizada esposa en ningún momento.

—¿Qué sugieres que haga?

Alesandra hizo esa pregunta a su falda. Colin le levantó el mentón con el dedo para obligarla a mirarlo. Sus ojos azules estaban atormentados por la preocupación.

—Te sugiero que confíes en mí.

Para ella, fue una orden más que una sugerencia. No obstante, decidió que confiaría en él, por la simple y sencilla razón de que no le quedaba alternativa. Asintió en silencio.

—Está bien. Confiaré en ti.

Colin se sintió complacido al ver que ella accedía de inmediato. Entendía también el porqué de su insistencia en leer algo al respecto. Era una manera de controlar la situación. Cuanto más supiera sobre lo que iba a sucederle menos temor tendría.

La tradición indicaba que una joven que llegaba al matrimonio recibía toda la información de su madre, por supuesto. Al menos, Colin pensaba que eso era lo habitual. Suponía que su madre ya habría hablado con Catherine en relación con los actos maritales. Pero la madre de Alesandra había fallecido mucho antes de que ella tuviera la edad necesaria para informarse al respecto.

Por eso, una de las monjas había tratado de asumir la responsabilidad.

—¿Cuántos años exactamente tiene la madre superiora? —preguntó Colin.

—Parece que tiene ochenta, pero seguramente, debe de ser más joven —contestó Alesandra—. Nunca me atreví a preguntarle. ¿Por qué quieres saberlo?

—No tiene importancia. Alesandra, yo voy a explicarte todo lo que tienes que saber.

La ternura de su voz le produjo la misma sensación agradable que una caricia suya sobre la mejilla.

—¿De verdad?

—Sí —le prometió casi distraído. Pero lo cierto era que estaba muy ocupado tratando de imaginarse a la vieja monja explicando la realidad de la vida a Alesandra, utilizando términos descriptivos tales como «templo» y «rendir culto». Dios, cómo le habría gustado escuchar semejante conversación.

Alesandra vio picardía en la mirada de Colin y de inmediato advirtió que su candidez le hacía gracia.

—Lamento actuar con tanta... inexperiencia.

—Eres inexperta —le recordó él con dulzura.

—Sí y lo siento.

Colin rió.

—Yo no —le aseguró.

—¿De verdad vas a contestar a todas mis preguntas? —le preguntó, aún insegura de si debía o no creerle—. No omitirás nada, ¿verdad? No me agradan las sorpresas.

—No omitiré nada.

Ella suspiró. También dejó de alisar las arrugas de su vestido. La promesa de Colin le había bastado para recuperar el control de sus emociones. Ni siquiera le importó que a él le resultara divertida su vergüenza, pues estaba dispuesto a darle los datos necesarios y eso era lo único que interesaba. Sintió una enorme gratitud.

—Bueno, entonces todo saldrá bien —anunció Alesandra—. ¿Podemos bajar del carruaje ahora?

Colin aceptó. Bajó primero y se volvió para ayudarla. Ambos guardias tenían la mirada ceñuda, preocupados por su princesa. La querían encerrada bajo llave.

Flannaghan estaba en la puerta, ansioso por saludar a su flamante señora. Tomó la capa de la muchacha, la dobló cuidadosamente sobre su brazo y le dio sus más sentidas felicitaciones.

—Si desea subir ahora, princesa, le prepararé el agua para el baño —le sugirió.

La idea de un largo baño caliente, después del día que había tenido, la atrajo sobremanera. Sería el segundo baño del día para ella, pero la madre superiora le había dicho que su pulcritud era loable, por lo que no se sintió culpable en lo más mínimo.

—Colin va a conversar conmigo en el estudio —dijo Alesandra a Flannaghan—. Después tomaré el baño.

—Báñate primero —le sugirió Colin—. Tengo algunos papeles que revisar.

Era mentira, por supuesto. Colin no tenía intenciones de ponerse a trabajar en su noche de bodas, pero pensó que un baño la ayudaría a relajarse. Era obvio que necesitaba un poco de distracción.

Para ella, había sido una boda terrible y aunque aparentemente estaba más serena y controlaba más sus emociones, Colin sabía que sus nervios aún estaban alterados.

—Como quieras —dijo Alesandra. Se volvió para subir las escaleras detrás del mayordomo. Colin los seguía a la zaga.

—¿Fue una boda hermosa? —preguntó Flannaghan.

—Oh, sí —respondió Alesandra con la voz llena de entusiasmo—. Todo salió bastante bien, ¿verdad, Colin?

—Casi te secuestran —le recordó él.

—Sí, pero descontando eso, fue maravillosa, ¿no?

—Y aterradora.

—Sí, pero...

—Rompieron tu traje de novia.

Alesandra se detuvo en lo alto de las escaleras y se volvió bruscamente, para mirarlo furiosa. Evidentemente, no quería que le recordara esos incidentes.

—Toda novia desea creer que su boda fue perfecta —anunció.

Él le guiñó el ojo.

—Entonces lo fue —anunció.

Ella sonrió satisfecha.

Flannaghan esperó hasta que él y la princesa estuvieron a solas en el cuarto para preguntarle sobre todos los detalles. Raymond y Stefan traían más cubos con agua caliente para llenar la tina ovalada. En un gesto muy considerado, Flannaghan había acomodado la ropa de la dama y había colocado un camisón blanco y una bata sobre la cama.

Alesandra se quedó un largo rato en la tina de baño. El agua caliente la ayudó a aliviar tensiones y contracturas musculares. Se lavó el cabello con jabón de rosas y luego se sentó junto al fuego para secárselo. No se apresuró en lo más mínimo porque sabía que Colin estaba trabajando y cada vez que lo hacía solía perder la noción del tiempo.

Pasó casi una hora antes de que decidiera interrumpirlo. El cabello ya se le había secado, pero después de ponerse la bata, se tomó otros diez minutos para cepillarlo. Bostezaba de vez en cuando. El baño caliente y el fuego de la chimenea le habían dado sueño, pero no quería quedarse dormida durante la explicación de Colin.

Salió al pasillo rumbo al estudio. Llamó a la puerta y entró. Colin no estaba en su escritorio. Alesandra no sabía si habría ido abajo o subido a su alcoba. Decidió aguardarlo en el estudio; pensando que él querría conversar allí con ella. Se acercó al escritorio para coger una hoja de papel. Estaba tomando la pluma y el tintero cuando Colin apareció en la puerta que daba a su cuarto.

Su imagen le cortó la respiración. Obviamente, él también acababa de bañarse, porque tenía el cabello húmedo todavía. Solo llevaba unos pantalones puestos. Y desabrochados.

Tenía una complexión fuerte y la piel bellamente bronceada. Sus formas sinuosas ocultas bajo su exterior cauteloso le recordaron una pantera. Cada vez que se movía, sus músculos se contraían poderosamente. Un vello rizado y oscuro cubría su pecho, formando una «V» en su cintura.

Alesandra no quiso mirar más abajo.

Colin se apoyó contra el marco de la puerta, se cruzó de brazos y le sonrió. Un pálido rubor arrebolaba sus mejillas. No hacía más que doblar y desdoblar la hoja de papel que tenía en las manos, y trataba de aparentar desesperadamente la mayor indiferencia posible. Colin supo que tendría que progresar muy lentamente con ella para que no temiera. Claro que no le resultaría una tarea para nada sencilla. Nunca antes se había llevado una virgen a su cama y el solo hecho de verla allí, con su camisón blanco y su bata, bastaba para que la pasión lo abrasara. Se excitaba con solo mirarla. No podía quitarle los ojos de la boca, mientras pensaba en las cosas que le gustaría que ella le hiciera con esos labios dulces y carnosos.

—Colin, ¿en qué estás pensando?

No le pareció una buena idea decirle la verdad.

—Me preguntaba qué estás haciendo con ese papel —mintió.

Alesandra estaba tan alterada por los nervios que debió mirarse las manos para entender de qué hablaba su esposo.

—Notas —contestó al instante.

Colin arqueó una ceja.

—¿Notas?

—Sí. Pensé que sería bueno tomar algunas notas durante tu explicación para no olvidar nada importante. ¿Te parece bien, Colin?

La preocupación de su voz terminó con la diversión de Colin.

—Qué organizada eres —le dijo.

Ella sonrió.

—Gracias. Mi padre fue el primero en enseñarme las ventanas de la organización. Luego, la madre superiora continuó mi formación en ese sentido.

Por Dios, cómo deseaba poder dejar de decir tonterías.

—¿Cuántos años tenías cuando tu padre murió?

—Once.

—Y todavía recuerdas...

—Oh, sí, recuerdo todo lo que me enseñó —contestó la muchacha—. Era mi manera de complacerlo, Colin; yo disfrutaba plenamente de los momentos que pasaba con él. A él lo hacía feliz hablar de sus negocios, y a mí, ser tomada en cuenta.

Alesandra convirtió la hoja de papel en una bola arrugada. Colin dudaba que hubiera advertido lo que acababa de hacer.

—Solo anotaré las palabras claves —prometió ella.

Lentamente, él meneó la cabeza.

—No necesitarás tomar ningún apunte —le aseguró—. Recordarás cada cosa que te diga.

Colin se sentía muy orgulloso de sí mismo. Casi no aguantaba la risa, pero afortunadamente, logró contenerse.

—Muy bien, entonces. —Regresó al escritorio con la intención de devolver la hoja de papel a su lugar y fue

242

entonces cuando se dio cuenta del lío que había hecho. La arrojó a la papelera y se volvió para contemplar a Colin.

El cálido brillo de sus ojos la estremeció. Aquella maravillosa media sonrisa le aceleró el corazón. Alesandra inspiró profundamente y se ordenó serenarse.

Dios santo, qué hermoso era Colin. Inconscientemente expresó ese pensamiento en voz alta.

Y él se echó a reír por el elogio. Pero su diversión no la molestó. Muy por el contrario, le devolvió la sonrisa.

—Para ser un dragón... —añadió.

Por el modo en que Colin la miraba, Alesandra tuvo la sensación de que decenas de pequeñas mariposas volaban enloquecidas en su estómago. Desesperadamente pensó que necesitaba poner algo en sus manos para entretenerlas y optó por entrelazarlas.

—¿Hablaremos ahora?

—Lo primero es lo primero —anunció él—. Acabo de darme cuenta de que no te he dado un beso de casados como normalmente hace la gente.

—¿No?

Colin meneó la cabeza. Luego la llamó con el dedo. Lentamente, la princesa fue acercándose hasta que se detuvo justo frente a él.

—¿Vas a besarme ahora? —le preguntó, murmurando apenas.

—Sí.

Muy despacio, Colin se apartó del marco de la puerta para aproximarse a su esposa. Instintivamente ella retrocedió un paso. De inmediato, se detuvo. Recordó que no tenía miedo de Colin y que realmente deseaba que la besara. Volvió a avanzar.

—Me gusta cómo me besas —susurró.

—Ya lo sé.

Su sonrisa fue arrogante. Sabía que estaba nerviosa.

No le cabían dudas al respecto. Y también disfrutaba de la vergüenza de Alesandra.

—¿Cómo lo sabes? —preguntó, pensando en darle una respuesta inteligente cuando él le contestara.

—El modo en que me respondes me indica que te agrada que te toque.

En realidad, a Alesandra no se le ocurrió ninguna salida inteligente para esa respuesta. A decir verdad, le resultaba difícil pensar hasta en la cosa más simple. Por supuesto, Colin era el único responsable de que ella estuviera en esas condiciones. La calidez de su mirada le cerraba el estómago.

Sintió las manos de él en su cintura, bajó la vista y lo observó mientras él le desataba el cinturón de la bata. Trató de detenerlo, pero antes que tuviera tiempo de apoyar las manos sobre las de él, Colin le deslizó la bata por los hombros.

—¿Por qué has hecho eso?

—Parece que tienes calor.

—Oh.

La bata cayó al suelo. El camisón que llevaba era lo suficientemente transparente para que él pudiera ver sus delicadas curvas. Alesandra trató de cubrirse con la prenda la parte superior del cuerpo, pero Colin no le dio tiempo a taparse. La atrajo con fuerza hacia él.

—Rodéame con tus brazos, Alesandra. Estréchame con fuerza mientras te beso.

Ella le rodeó el cuello con los brazos, en el momento en que él comenzaba a besarla. Delineó con la punta de la lengua su labio inferior haciéndola estremecer. Ella lo abrazó con más fuerza y se puso de puntillas para profundizar el beso. Restregó sus senos contra el fuerte pecho de Colin y soltó un débil suspiro ante la extraña sensación que le produjo su piel contra la de ella. No fue una sensación desagradable; solo extraña y maravillosa. A propósito, volvió a restregarse contra él, pero siempre con mucha delicadeza, como para que él no advirtiera sus intenciones. No quería que pensara que era una descarada. Sin embargo, quería serlo, pues el calor que Colin irradiaba la afectaba como un afrodisíaco. Era como si no pudiera acercarse a él lo suficiente.

Estaba volviéndola loca con la lengua y los dientes. Ya no podría soportar ese suave tormento durante mucho tiempo más. Tiró delicadamente de su cabello con un gesto impaciente, tratando de informarle de que quería más.

Por fin, la boca de Colin se posó sobre la de ella y su lengua buscó el interior de la cavidad para acariciar la de Alesandra. Colin actuaba como si tuviera todo el tiempo del mundo. Era lento, deliberado, y apenas ejercía presión cuando inyectaba el fuego de la pasión en su boca.

El ronco gemido de la princesa le informó de lo mucho que le agradaba lo que él estaba haciéndole. Se retiró ligeramente y leyó pasión en sus ojos, espejo de los propios. También él gimió entonces.

—Tan dulce —susurró contra sus labios—. Ábrete a mí —le ordenó, con un tosco murmullo.

Ni siquiera le dio tiempo a acatar la orden. Con el dedo pulgar, tiró de su mentón hacia abajo. Incursionó con la lengua, se retiró y volvió a entrar. Ella se mostró muy bien dispuesta y su inocente respuesta le hizo olvidar que debía progresar lentamente. De pronto se sintió tan hambriento de ella que no pudo controlarse. Su boca se tornó implacable y exigente. El juego del amor entre las lenguas —el de ella tímido, el de él, insolente— los hizo temblar de deseo. La muchacha se había dejado llevar por el fuego de su pasión hasta tal punto que ya no temía lo que vendría. No podía pensar;

solo reaccionar. Empezó a moverse contra él instintivamente, sin saber qué hacía, qué estaba haciéndole a Colin. No dejaba de despeinarlo con los dedos y Colin creyó que el dominio se le iba de las manos cuando Alesandra empezó a moverse, en una danza cautivadora, sobre su erecto miembro. El beso se tornó carnal, abrasador. La pasión llegaba a la cumbre. Su apetito despertaba el de ella.

El beso pareció eterno y, al mismo tiempo, demasiado fugaz. Cuando Colin se retiró, Alesandra tenía la boca húmeda y rosada por el contacto. Si bien aún perduraba el sabor de ella en sus labios, no fue suficiente para Colin.

Ella se reclinó contra su pecho y acomodó la cabeza debajo de su mentón. Colin sintió la respiración agitada de ella contra su cuello.

La levantó en sus brazos y la llevó a su cuarto. Suavemente la colocó en el centro de la cama y se detuvo a un lado para mirarla.

Alesandra se sentía aturdida por sus besos. Se le despejó la mente al ver que Colin introducía ambos pulgares en la cintura de su pantalón y tiraba de ellos hacia abajo para quitárselos. Alesandra cerró los ojos y trató de escapar. Pero Colin fue más rápido que ella. Se quitó los pantalones y se acostó junto a ella antes de que la muchacha tuviera tiempo de llegar al otro extremo del lecho.

La tomó del camisón. El delicado género se rasgó cuando Colin tiró de él. Alesandra solo tuvo tiempo de abrir la boca, despavorida, antes de que la prenda quedara rota por completo y Colin, desnudo, sobre su cuerpo.

La muchacha estaba tan rígida como una tabla. Suavemente, le separó las piernas con la rodilla y se tumbó completamente sobre ella, tal como tantas veces había soñado hacer desde el día en que la conoció. Su miembro erecto presionó contra el suave vello rizado del pubis femenino y la sensación fue tan grata que gruñó en voz alta, sumamente satisfecho.

Sin embargo, la realidad resultó ser mucho mejor que la fantasía, pues él jamás había podido llegar a imaginar lo suave que sentiría su piel contra la de él. Tenía los pechos mucho más voluminosos de lo que había creído y aún no había podido capturar la intensidad de su temblor, debajo de su masculino cuerpo. Era lo más cercano al paraíso que había vivido.

—Colin, ¿no crees que tendríamos que hablar ahora?

Colin se incorporó sobre los codos, para contemplarla. La preocupación se veía en los ojos de ella y la victoria en los de él.

—Absolutamente. —Le tomó el rostro entre las manos, se lo mantuvo quieto y luego la besó prolongadamente.

La hizo estremecer de deseo. Alesandra no pudo resistir la tentación de abrazarlo con fuerza, para gozar mejor de su calidez. Tenía los pies alrededor de sus piernas y, de pronto, no le bastó con solo abrazarlo. Necesitaba tocarlo, acariciarlo de otra manera. Sus manos ascendieron por la espalda de Colin, para descender luego por los musculosos brazos.

Los escarceos de Alesandra fueron tan delicados como el aleteo de una mariposa, y sin embargo, Colin supo que se trataba de la caricia más erótica que jamás hubiera recibido. Concentró toda su atención en el cuello de la muchacha. Ella volvió la cabeza para permitirle un mejor acceso. Colin mordió con delicadeza el lóbulo de su oreja, haciéndola estremecer hasta los dedos de los pies. Dios santo, la lengua de Colin le impedía pensar.

Alesandra comenzó a moverse, exigiendo más, en silencio. Colin cambió de posición y trazó una delicada línea de besos en su cuello. Descendió más para besar el valle entre sus senos. Olía a rosas, a mujer. Fue una combinación devastadora. Colin aspiró la dulce fragancia y luego se dedicó a saborearla.

Estaba tomándose demasiadas libertades con su cuerpo. Pero Alesandra pensó que moriría si se detenía. Tomó un seno en cada mano e, inmediatamente, estos ansiaron más. La princesa no comprendía por qué comenzaba a sentirse frustrada por dentro. Tenía la sospecha de estar confeccionada enteramente con costuras múltiples y que estas estaban abriéndose por completo. Fue entonces cuando Colin le pasó la lengua por el pezón. Alesandra casi cayó de la cama. Gritó de temor y de placer. La experiencia fue demasiado intensa para soportarla y a la vez exquisitamente maravillosa. Dejó caer ambas manos a los costados de su cuerpo y se agarró de las sábanas, como para defenderse de la tormenta de emociones que amenazaba con envolverla.

—¡Colin!

Pronunció su nombre en un sollozo y empezó a contorsionarse contra él cuando advirtió que había tomado el pezón entre sus labios para succionarlo. Hacía que ella perdiera el control. La acariciaba por todas partes. Alesandra respiró profundamente y comenzó a gemir. La boca de Colin atrapó la de ella en el mismo instante que con la mano buscaba el suave vello rizado que protegía su virginidad. Ella trató de detenerlo, pero él no iba a aceptar un rechazo. Sus dedos penetraron lentamente en el estrecho canal y luego retrocedieron. Con la yema del pulgar, tocó el sitio preciso que la volvería loca indudablemente.

Le hizo el amor con los dedos hasta que Alesandra perdió la razón no deseó otra cosa más que la plena satisfacción. Colin nunca había estado con una mujer que respondiera con tanta honestidad. Fue imposible mantener su disciplina.

—Cariño, eres tan estrecha... —murmuró, con la voz áspera.

La joven casi no podía concentrarse en lo que él le decía.

—Estás haciéndome sufrir. Por favor...

Alesandra no sabía qué más pretendía de él. Solo que se volvería loca si Colin no tomaba alguna medida urgente para rescatarla de ese dulce tormento.

Colin rezó por que ella ya estuviera lista para recibirlo. Le cogió las manos y las puso alrededor de su cuello. Le separó más las piernas con la rodilla y pasó las manos por debajo de sus caderas, para acercársela más. El extremo de su miembro se vio rodeado por el calor líquido de la muchacha. Lentamente, presionó hacia el interior, pero se detuvo al detectar la barrera de la virginidad. Después, siempre paso a paso, trató de pasar el escollo. La barrera no cedía. Colin apretaba muy fuerte sus mandíbulas y tenía la respiración tan agitada como si hubiera corrido dos kilómetros sin parar, pues el placer era tan inmenso que ya no podía mantener el poco control sobre sí que le quedaba. Sabía que estaba lastimándola. Alesandra gritaba contra su boca y trataba de apartarlo al mismo tiempo.

Colin la tranquiliizaba con palabras tiernas.

—Cariño, todo saldrá bien. El dolor no durará mucho. Abrázame. Oh, niña, no te muevas así... no todavía.

Tratar de ser amable solo prolongaba el dolor de la joven... y a él, estaba matándolo. Tenía la frente cubierta de transpiración y supo que perdería totalmente los estribos si no penetraba de inmediato en ella.

Entonces cambió de táctica. Elevó las caderas de Alesandra y penetró en ella con un solo movimiento. Ella gritó, pues su dolor fue tan intenso como el placer de Colin. Otra vez intentó alejarlo. Pero le resultaba tan pesado que no lo movió. La posesión estaba completa y, Dios, Alesandra estaba hecha a su medida. Debió contener la necesidad de retirarse ligeramente hacia atrás, para luego volver a penetrar, pues quería darle tiempo a que se adaptara a él. Sentía que ella le clavaba las uñas en los omóplatos tratando de que la dejara. Colin intentó besar su boca una vez más, pero ella volvió el rostro. Entonces le besó la oreja, luego la mejilla, esforzándose al máximo por controlar su cuerpo a fin de volver a encender en ella la misma pasión del principio. Las lágrimas bañaron el rostro de Alesandra y soltó un sollozo de angustia.

—Cariño, no llores. Lo lamento. Dios santo, te he lastimado. Será mejor dentro de unos pocos minutos. Me produces una sensación tan bella... Abrázame, niña. Abrázame.

La preocupación de su voz la calmó más que sus palabras. El placer entró en guerra con el dolor. Estaba tan confundida por sus contradictorias emociones que no sabía qué hacer. Sintió el aliento caliente de Colin contra su oreja. Agitado, también. El sonido la excitó. No entendía qué estaba pasándole. Su cuerpo exigía liberación, pero ¿liberación de qué? No lo sabía. Sintió urgencia por moverse.

—Quiero moverme. —Su voz fue apenas un susurro de confusión.

Colin se apoyó sobre los codos para mirarla. Los ojos de ella brillaban de pasión, pero lo más importante para él era que había dejado de llorar.

—Yo también quiero moverme. Quiero sacarlo, para hundirlo profundamente en ti otra vez.

Su voz denotó una gran emoción. Instintivamente ella lo estrechó con todas sus fuerzas. Decidió probar, solo para asegurarse de que mejoraba. Hacía un minuto tenía la sensación de que Colin la había partido en dos, pero ahora el dolor no era tan fuerte. Más aún, cuando se movía contra él, ya no sentía dolor. Se sorprendió.

—Empiezo a sentirlo... agradable.

Fue todo el permiso que Colin necesitó. El control se le escapó de las manos. Cubrió la boca de Alesandra con un beso desesperado. El apetito que sentía por ella le hizo perder los estribos. Se retiró lentamente de su interior, para volver a incursionar con mayor profundidad. El ritual de la unión lo consumió y, al sentir que ella elevaba más aún las caderas para que ambos órganos calzaran a la perfección, Colin hundió el rostro en su cuello y emitió un audible gemido. La presión que crecía en su interior le resultó intolerablemente hermosa. Colin nunca había experimentado algo así antes. Alesandra parecía de fuego entre sus brazos. Su reacción salvaje y desinhibida le llegó hasta el alma. No se guardó nada para sí, y esa falta de egoísmo lo obligó a imitarla. La cama crujía a modo de protesta, pues él empujaba una y otra vez. No le importaba más que alcanzar la satisfacción mutua.

Y esta llegó con la violencia y sorpresa de una erupción. Primero se produjo en Alesandra, que al apretarse y arquearse contra él, lo urgió a dar rienda suelta a su orgasmo.

La muchacha necesitó un largo rato para volver a la realidad. Abrazó con fuerza a su esposo y dejó que las olas de la bendita sumisión la envolvieran por completo. Una parte de sí comprendía que, mientras estuviera aferrada a él, estaría a salvo. No tendría que preocuparse por su control. Él la cuidaría. Alesandra cerró los ojos y se dejó llevar por la maravilla de aquel sublime acto de amor.

Nunca se había sentido tan protegida, tan libre.

Colin experimentaba la sensación opuesta. Estaba alterado por lo que acababa de sucederle, pues nunca antes se había permitido abandonar completamente el control. Nunca. Lo asustó terriblemente su comportamiento. Las piernas de seda de Alesandra habían exprimido hasta la última de sus ideas coherentes. Ella era la inocente y él el experimentado, y sin embargo, había sido Alesandra la que había destruido sus defensas. No había logrado contenerse y hacia el final, cuando ambos iban a alcanzar el clímax, se había encontrado tan a merced de ella como Alesandra de él. Y... Dios lo amparase, pero nunca antes se había sentido tan bien. Estaba muy asustado.

Por primera vez en la vida se sentía vulnerable, atrapado.

Todavía eran uno solo. Muy despacio, Colin se retiró de su cuerpo, antes de que ella lo excitara otra vez. Apretó lo dientes ante el placer que le causó ese simple movimiento. Aún no tenía fuerzas para abandonarla, pero sabía que con su peso estaba aplastándola. Alesandra tenía los brazos alrededor de su cuello. Colin se levantó y, con ternura, se los quitó. Volvió a agacharse para besarle el cuello y sintió los veloces latidos de su corazón. Halló arrogante satisfacción en ello, pues se dio cuenta de que ella tampoco se había recuperado por completo.

Un minuto después, se volvió de espaldas, alejándose de ella. Inspiró profundamente y cerró los ojos. El olor del acto de amor que acababan de vivir flotaba en el aire, alrededor de ambos. Aún tenía el sabor de Alesandra en la boca y, por Dios, sintió que el pene se erguía otra vez.

Alesandra por fin despertó de su ensueño y se volvió hacia él. Se apoyó sobre un codo para mirarlo.

La mirada ceñuda de Colin la sorprendió.

—¿Colin? —murmuró—. ¿Estás bien?

Volvió la cabeza para mirarla. En una cuestión de segundos, su expresión se modificó. No estaba dispuesto a permitir que ella advirtiera su vulnerabilidad. Sonrió y le acarició una mejilla con el dorso de la mano. Ella disfrutó del gesto.

—Se supone que tengo que preguntarte si tú estás bien —explicó.

Pero a simple vista, se notaba que estaba perfectamente. En sus ojos aún quedaba alguna chispa de pasión. Tenía la boca hinchada por sus besos y todo el cabello sobre un hombro. Colin la consideró la mujer más atractiva del mundo.

—Te hice daño, ¿no es cierto?

Lentamente Alesandra asintió. Pero notó que a él no le preocupaba la confesión.

—Estaba...

—¿Caliente?

Ella se puso colorada. Él se rió. Entonces la estrechó entre sus brazos para darle el gusto de poder esconder el rostro en su pecho.

—Es un poquito tarde para que te hagas la vergonzosa, ¿no? ¿O ya has olvidado lo salvaje que estabas hace unos minutos?

Claro que no lo había olvidado. Se puso colorada hasta las raíces del cabello al recordar lo insolente que había sido su reacción. Colin ronroneaba divertido. Pero a Alesandra poco le importaba que estuviera riéndose de ella. Acababa de sucederle la cosa más maravillosa del mundo y no permitiría que nada se la echara a perder. Un cálido resplandor todavía la tenía acogida en su seno, haciéndola sentir dichosa y somnolienta a la vez.

—No fui muy digna, ¿verdad?

—¿Te refieres a que no fuiste muy digna cuando me suplicabas que no me detuviera?

Colin le acarició la espalda con gran ternura mientras esperaba la respuesta.

—Hice eso, ¿verdad?

El tono de sorpresa de su voz lo hizo sonreír.

—Sí —respondió—. Eso has hecho.

Alesandra suspiró.

—Fue bello, ¿no?

Colin rió.

—Es mucho más que bello.

Pasaron largos minutos en silencio. Colin rompió el apacible interludio con un sonoro bostezo.

—¿Colin? ¿Yo...? ¿Fui...?

No podía terminar la pregunta. Su propia vulnerabilidad la tornaba demasiado tímida para averiguar si había logrado satisfacerlo.

Colin sabía qué era exactamente lo que ella necesitaba de él en ese momento.

—¿Alesandra?

El modo en que pronunció su nombre pareció una caricia.

—¿Sí?

—Estuviste perfecta.

—Gracias por decirlo.

La muchacha se relajó contra él y cerró los ojos. El sonido de los latidos de su corazón, combinados con sus risas, le daban una inmensa sensación de paz. Con una mano le masajeaba la espalda, mientras que con la otra, le acariciaba el cuello. Estaba a punto de quedarse dormida cuando él pronunció nuevamente su nombre.

—¿Hum?

—¿Quieres que empiece con la explicación ahora?

Colin esperó varios minutos, hasta que por fin se dio cuenta de que la muchacha se había quedado dormida. Le acarició el cabello y se acomodó mejor, para poder besarle la cabeza.

—El cuerpo de una mujer es como un templo —susurró.

No esperaba respuesta a su comentario, aunque tampoco la obtuvo. Tapó a ambos con las mantas, abrazó a su flamante esposa y cerró los ojos. Lo último que pensó antes de quedarse dormido lo hizo sonreír. La monja había estado en lo cierto cuando comentó a Alesandra que los hombres querrían rendir culto allí.

Él lo había hecho, sin ninguna duda.

No estaba loco ni descontrolado. Todavía tenía conciencia. Simplemente, decidió hacer oídos sordos. Sí, sabía que lo que estaba haciendo no era correcto. Aún le importaba, o al menos, la primera vez le había importado. Ella lo había rechazado, por lo que mereció la muerte. La ira había guiado sus manos, su daga. Solo había querido matarla. No sospechó el embate, sin embargo. No imaginó lo poderoso que se sentiría, cuán invencible.

Podía detenerse. Levantó su copa y bebió un largo sorbo. Se detendría, juró.

Sus botas viejas estaban en el rincón. Las contemplo durante un largo rato y decidió deshacerse de ellas al día siguiente. Había flores sobre la mesa... esperando... listas... hechizándolo.

Arrojó la copa contra la chimenea. Los cristales saltaron sobre el suelo. Fue a por la botella mientras canturreaba su promesa.

Se detendría.

9

A la mañana siguiente Alesandra despertó muy tarde. Colin ya se había ido de la habitación. Le pareció bien, pues no quería que la viera en esa lamentable condición. Estaba tan tensa y dolorida que se quejó como una viejecita al levantarse de la cama. Y con razón, se dijo, al ver las manchas de sangre en las sábanas. Nadie le había advertido que al hacer el amor sangraría. Frunció el entrecejo, preocupada e irritada, porque era un hecho de la vida sobre el cual nadie le había comentado ni una palabra. ¿Sería normal la sangre? ¿Y si Colin había rasgado otra cosa que no tenía solución?

Trató de no caer presa del pánico y lo logró hasta que se bañó. La mancha de sangre sobre la esponja la asustó. También estaba avergonzada. No quería que Flannaghan viera las manchas de sangre cuando cambiara las sábanas, de modo que ella misma se encargó de la tarea.

Alesandra siguió preocupándose mientras se vestía. Se puso un vestido celeste y unos zapatos de badana a juego. La prenda tenía un ribete blanco alrededor del escote cuadrado, motivo que se repetía en los puños de las mangas largas. El vestido era muy femenino y uno de los favoritos de Alesandra. Se cepilló el cabello y salió a buscar a su esposo.

El primer encuentro con él, a plena luz del día, después de la intimidad que habían compartido la noche anterior, iba a ser muy difícil para ella, de modo que quería afrontarlo y terminar lo antes posible. Si lo intentaba, estaba segura de que lograría disimular su vergüenza.

Colin estaba sentado al escritorio de su estudio. La puerta que daba al corredor estaba abierta. Alesandra se quedó allí, debatiendo si debía o no interrumpirlo. Colin debió de presentir su mirada porque, de repente, levantó la vista. Todavía estaba frunciendo el entrecejo, concentrado en su lectura, pero de inmediato le cambió la expresión. Había ternura en sus ojos cuando le sonrió.

Alesandra pensó que debía corresponder a su sonrisa. No podía estar segura. Dios santo, ¿algún día se acostumbraría a tenerlo cerca? Era un hombre muy apuesto. Ese día, sus hombros parecían más anchos, su cabello más oscuro y su piel más bronceada. La camisa blanca que llevaba acentuaba su atractivo. Era un imponente contraste con su color natural. Ella posó la mirada en su boca, pues de pronto recordó lo bien que se había sentido cuando él la besó... por todas partes.

Se apresuró a desviar la mirada a su mentón. No permitiría que él descubriera su bochorno. Tenía que ser digna y sofisticada.

—Buenos días, Colin. —Cuando habló, pareció una rana croando. Sentía el rostro hecho fuego. Irse le pareció la única alternativa. Lo intentaría más tarde, cuando estuviera más serena—. Veo que estás ocupado —le dijo de forma apurada y retrocedió—. Me iré abajo.

Se volvió para alejarse.

—Alesandra.

—¿Sí?

—Ven aquí.

Alesandra regresó a la entrada. Colin se inclinó hacia delante, flexionó el índice y le hizo un gesto con él para que se acercara. Ella irguió la espalda, esbozó una sonrisa forzada y entró. Se detuvo al llegar a su escritorio. Eso no fue suficiente para él. Volvió a gesticular para que se pusiera a su lado. Alesandra mantuvo su aire indiferente y dio la vuelta alrededor del escritorio. Colin nunca sabría lo incómoda que estaba sintiéndose en ese momento.

La miró durante un largo rato.

—¿Vas a decirme qué pasa contigo?

La joven dejó caer los hombros.

—Es difícil engañarte —le dijo.

Colin frunció el entrecejo.

—Como nunca tratarás de engañarme, ese hecho carece de toda importancia, ¿no?

—No.

Esperó uno o dos minutos más y al ver que ella no daba explicaciones, volvió a preguntar.

—Dime qué te perturba.

Ella bajó la vista.

—Es... difícil para mí, verte después de...

—¿Después de qué?

—De anoche.

Un pálido rubor tiñó levemente sus mejillas. A Colin le resultó una reacción deliciosa... excitante, también. La sentó en su regazo, le levantó el mentón y sonrió.

—¿Y?

—A la luz del día, el recuerdo de lo que hicimos anoche me hace sentir avergonzada.

—El recuerdo me hace desearte otra vez.

Alesandra abrió los ojos desmesuradamente al escuchar la confesión.

—Pero no puedes.

—Seguro que puedo —dijo él, contento.

Ella negó con la cabeza.

—Yo no puedo —murmuró.

Él frunció el entrecejo.

—¿Por qué no puedes tú?

Estaba tan colorada que sentía que le quemaba la piel.

—¿No te basta con que te diga que no puedo?

—Rayos, no, no me basta.

Posó la mirada en su falda.

—Me lo pones difícil —le dijo—. Si mi madre estuviera aquí, yo podría hablar con ella, pero...

No siguió. La tristeza de su voz lo hizo olvidar su irritación. Alesandra estaba preocupada por algo, y él, decidido a averiguar por qué.

—Puedes hablar conmigo —murmuró—. Soy tu esposo, ¿lo recuerdas? No debe haber ningún secreto entre los dos. Te gustó hacer el amor —añadió.

Colin le pareció terriblemente arrogante.

—Tal vez —contestó, solo para molestarlo.

Él demostró su exasperación.

—¿Tal vez? Viviste la gloria entre mis brazos —susurró. El recuerdo le cambió la voz—. ¿Lo has olvidado tan pronto?

—No, no lo he olvidado. Colin, me hiciste daño.

Exclamó esa verdad con todas las letras y esperó a que se disculpara. Entonces, le contaría lo de su lesión y él entendería por qué no podía volver a tocarla.

—Niña, sé que te he lastimado.

El calor de su voz, tan tosco, tan masculino, la estremeció. Se movió sobre el regazo de Colin. De inmediato, él la tomó por las caderas y le dijo que se quedara quieta. Alesandra no tenía idea del efecto que estaba produciendo en él esa conversación, por supuesto... Tener su dulce trasero restregándose tan íntimamente sobre su miembro lo hacía arder de deseo una vez más.

Alesandra ya no tenía vergüenza. Estaba irritada porque su esposo no actuaba con delicadeza. No parecía nada arrepentido.

Esa expresión confusa de sus ojos lo hizo sonreír.

—Cariño —comenzó él con voz tersa—. No volveré a lastimarte así.

Ella meneó la cabeza. Como no quería mirarlo a los ojos, posó la mirada en su mentón.

—No entiendes —susurró—. Pasó... algo.

—¿Qué pasó? —preguntó, tratando de ser paciente.

—Sangré. Había manchas por toda la cama y...

Por fin, Colin comprendió. La abrazó y la atrajo hacia su pecho por dos motivos. Primero, porque quería tenerla entre sus brazos, y segundo, porque no quería que lo viera sonreír. Podría pensar que se estaba burlando de ella.

Alesandra no quería su abrazo, pero él era mucho más fuerte que ella y lo había decidido. Iba a tranquilizarla, le gustara o no. Cuando ella por fin se rindió y se relajó contra él, Colin suspiró y masajeó la cabeza de la muchacha con su mentón.

—Y pensaste que era algo malo, ¿no? Debí habértelo explicado. Lo lamento. Te has preocupado injustificadamente.

La ternura de su voz la tranquilizó levemente. Sin embargo, todavía no estaba segura de creerle.

—¿Me estás diciendo que es natural que sangre?

Parecía incrédula y asombrada al mismo tiempo. Colin no se rió.

—Sí —asintió—. Es natural que sangres.

—Pero eso es... una barbaridad.

Colin no estuvo de acuerdo con esa opinión. Le dijo que a él le parecía tan agradable como excitante, a lo que ella respondió que eso era otra barbaridad.

Alesandra había vivido en un capullo de seda con las

monjas. Llegó al convento cuando era una niñita y se fue de allí hecha una mujer. No se le había permitido hablar con nadie sobre los cambios que se operaban en su cuerpo, ni de los sentimientos que esos cambios involucraban. Colin se consideraba muy afortunado, porque la sensualidad de su esposa no se había destruido ni dañado. Tal vez la madre superiora no quiso hablarle de sexo, pero tampoco le había llenado la cabeza de temores tontos. La monja había elevado el concepto del acto matrimonial, usando eufemismos tales como «templo» y «rendir culto», e incluso, los términos «noble» y «válido», y por la actitud de Alesandra, para ella no había sido degradante.

Su dulce esposa era como una mariposa que salía de su aislado refugio. Era probable que su propia sensualidad y respuesta apasionada la aterraran.

—Me siento afortunado porque esas monjas no te han llenado la cabeza de miedos —señaló él.

—¿Y por qué habrían de hacerlo? —preguntó, obviamente confundida—. Los votos nupciales que hemos pronunciado son sagrados. Habría sido un pecado burlarse de un sacramento.

Colin se sentía tan complacido con ella que la estrechó fuertemente entre sus brazos. Volvió a disculparse por omitir la explicación que hizo que ella se preocupara inútilmente y después le contó exactamente por qué era natural que hubiera sangrado. No se detuvo allí. La madre superiora le había contado que un hijo era el resultado valioso y noble de tal unión. Colin le explicó cómo tenía lugar la concepción. Le habló de las diferencias entre el cuerpo masculino y el femenino mientras le frotaba la espalda en un gesto espontáneo. La lección duró aproximadamente veinte minutos. Cuando Colin comenzó con la clase Alesandra se sintió un poco avergonzada, pero al verlo hablar con tanta naturalidad sobre el tema fue perdiendo su timidez. Las referencias al cuerpo de un hombre despertaron tanta curiosidad en ella que lo abrumó con preguntas. Pero él respondió a todas y cada una de ellas.

La princesa se alivió enormemente cuando Colin terminó. Se alejó un poco de él, pensando en darle las gracias por la conferencia, pero al ver el cálido brillo de sus ojos, olvidó lo que iba a decir. Entonces, lo besó.

—¿De verdad creíste que nosotros nunca...?

Alesandra no lo dejó terminar.

—Estaba preocupada porque no pudiéramos.

—Te deseo ahora.

—Todavía estoy muy sensible —murmuró—. Y tú acabas de decirme que tardaría algunos días en sentirme mejor.

—Hay otras maneras de llegar al orgasmo.

El comentario llamó la atención de Alesandra.

—¿Sí? —preguntó, y Colin asintió.

—Muchas maneras.

Por el modo en que él estaba mirándola, sintió un deseo incontenible. Experimentó un extraño cosquilleo en la boca del estómago y una urgencia inexplicable por acercarse más a él. Le rodeó el cuello con los brazos, pasó los dedos por su cabellera y le sonrió.

—¿Cuántas maneras?

—Cientos —exageró él.

Su sonrisa le indicó que estaba mintiendo. Ella le respondió de igual modo.

—Entonces, tal vez tenga que tomar apuntes mientras tú me las explicas. No me gustaría olvidar ninguna de ellas.

Colin rió.

—Las demostraciones prácticas son mucho más divertidas que tomar apuntes.

—Perdón, milord, pero tiene visitas.

Alesandra casi se levantó de un salto del regazo de Colin al escuchar la voz de Flannaghan. Colin no la dejó ir. Siguió mirando a su esposa mientras preguntaba al mayordomo.

—¿Quién es?

—Sir Richards.

—Maldita sea.

—¿No te agrada? —preguntó Alesandra.

Colin suspiró. Levantó a Alesandra de su regazo y se puso de pie.

—Claro que me agrada —contestó—. Dije eso porque sé que no puedo posponer la entrevista con él. Tendré que atenderlo ahora. Flannaghan, hágalo subir.

El mayordomo se marchó para transmitir el mensaje al director. Alesandra se volvió para irse, pero Colin le tomó la mano y la atrajo de nuevo. La abrazó, inclinó la cabeza y le dio un largo beso. Tenía la boca caliente, mojada, exigente y cuando se retiró, ella estaba temblando de deseo. Esa respuesta tan desinhibida lo complacía terriblemente.

—Después —susurró, antes de dejarla ir.

La promesa de sus ojos no dejó dudas respecto de lo que sucedería entre ellos más tarde. Alesandra no confiaba en poder hablar, por lo que simplemente asintió en silencio. Se volvió y salió del estudio. Le temblaron las manos cuando apartó su cabello del rostro, echándolo por detrás de los hombros, y se chocó contra la pared, mientras regresaba al pasillo. Suspiró por su estado lamentable. Todo lo que Colin tenía que hacer era mirarla para que ella se derritiera. Un beso y caía rendida a sus pies.

Era un pensamiento un poco excéntrico, pero muy real también. Tal vez, cuando tener esposo dejara de ser una novedad para ella, se acostumbraría a Colin. Ciertamente, tenía esa esperanza, pues no deseaba pasar el resto de sus días chocando con las paredes ni caminando como un zombi.

Tampoco quería dar todo por sentado en cuanto a él concernía. Esa idea la hizo sonreír. Colin nunca le permitiría ser negligente. Era un hombre exigente y lujurioso y si la noche anterior se tomaba como ejemplo, ella también poseía las mismas cualidades.

Alesandra regresó al cuarto de Colin y se detuvo a mirar por a una de las ventanas. Era un día glorioso y todo porque Colin la deseaba. Debió de haber estado perfecta la noche anterior, pensó. No había sido un elogio por compromiso, pues de ser así, no sentiría ganas de tenerla otra vez, tan pronto, ¿verdad?

Desear y amar no era lo mismo. Alesandra comprendía la diferencia, pues se consideraba una mujer realista. Sí. Colin se había casado con ella por obligación. Ella no podía cambiar ese hecho. Tampoco podría lograr que se enamorara de ella, por supuesto, pero creía que, con el tiempo, su corazón le pertenecería. Ya se habían hecho amigos, ¿no?

Sería un matrimonio sólido y fuerte. Ambos habían jurado ante Dios y los hombres ser marido y mujer hasta que la muerte los separara. Colin era demasiado honesto para violar su promesa y, seguramente, en los años venideros, aprendería a quererla.

Alesandra ya estaba enamorándose de él. De inmediato meneó la cabeza. No estaba preparada para pensar en sus sentimientos.

Su propia vulnerabilidad la asustaba. El matrimonio, decidió, era mucho más complejo de lo que jamás había imaginado.

—Princesa Alesandra, ¿la molesto mucho si cambio las sábanas?

Ella se volvió y sonrió a Flannaghan.

—Será un placer ayudarlo.

El mayordomo reaccionó como si ella acabara de insultarlo. Pareció atónito. Ella se echó a reír.

—Sé cómo se cambian las sábanas, Flannaghan.

—Realmente ha...

Estaba demasiado asombrado para continuar. Y su comportamiento resultó desconcertante a los ojos de Alesandra.

—En el sitio donde vivía antes de venir a Inglaterra, yo era responsable de mi ropa y de mi cuarto. Si quería darme el lujo de tener las sábanas limpias, yo misma tenía que cambiarlas.

—¿Quién exigiría semejante cosa a una princesa?

—La madre superiora —contestó—. Yo vivía en un convento y no recibía ningún trato especial. Me sentía feliz de que no me consideraran diferente.

Flannaghan asintió.

—Ahora comprendo por qué no está malcriada —señaló—. Lo dije como un... cumplido —agregó, tartamudeando.

—Gracias —contestó ella.

El mayordomo se precipitó hacia la cama y empezó a desdoblar las sábanas.

—Ya he cambiado las de su cama, princesa. Se la abriré después de la cena.

Su explicación la confundió.

—¿Y por qué va a tomarse esa molestia? Voy a dormir en esta cama, con mi esposo.

Flannaghan no advirtió la preocupación en su tono de voz. Estaba muy ocupado colocando perfectamente la sábana de abajo.

—Milord me dijo que dormiría en su cuarto.

Esa explicación ambigua la confundió más todavía. Alesandra se dio la vuelta y fingió mirar por la ventana para que Flannaghan no pudiera ver su expresión. Dudaba poder disimular el dolor que se translucía en sus ojos.

—Entiendo —dijo, pues no se le ocurrió nada más inteligente—. ¿Colin explicó por qué?

—No —respondió Flannaghan. Se enderezó y se dirigió al otro lado de la cama—. En Inglaterra, la mayoría de los matrimonios duermen separados. Y en esta casa se sigue la tradición.

Alesandra empezó a sentirse mejor. Luego, Flannaghan continuó con la explicación.

—Por supuesto, el hermano de Colin, Caine, no sigue esas reglas. Sterns es el mayordomo del marqués y también mi tío —agregó con una nota de orgullo en la voz—. Una vez se le escapó, sin querer, que su señor y su esposa jamas duermen separados.

Al instante volvió a deprimirse. Era lógico que Caine y Jade durmieran en la misma cama, pues se amaban. Seguramente los duques también compartirían la misma cama, pues ellos también sentían un gran afecto mutuo.

Irguió los hombros. No le preguntaría a Colin por qué no la quería en su lecho. Después de todo, ella también tenía su orgullo. Colin dejaba entender a las claras lo que pensaba del matrimonio. Primero, se cortó el cabello y ahora, la dejaría dormir sola. Que así fuera, decidió ella. Ciertamente, no se sentiría herida. No, por supuesto que no. Era una incomodidad compartir la cama. No necesitaba su calor por las noches y tampoco echaría de menos dormir entre sus brazos.

Las mentiras no estaban dándole resultado. Por fin, Alesandra dejó de consolarse. Decidió que tendría que ocuparse de algo para distraer su mente.

Flannaghan terminó de hacer la cama. Ella lo siguió hasta el vestíbulo. La puerta del estudio estaba cerrada. Alesandra esperó hasta haber pasado la entrada para preguntarle al mayordomo cuánto tiempo estimaba que Colin estaría reunido.

—El director llegó con un montón de papeles —dijo Flannaghan—. Seguramente pasará más de una hora antes de que terminen.

Flannaghan se equivocó en el cálculo por varias horas. Eran más de las dos de la tarde cuando subió la bandeja con la comida que la cocinera había preparado. Volvió a bajar y dijo a Alesandra que los hombres aún estaban revisando la documentación.

Dreyson había programado entrevistarla a las tres y Alesandra estaba apresurándose a leer la correspondencia que ella y su esposo habían recibido esa mañana. Había más de cincuenta cartas de felicitaciones y otras tantas invitaciones que debía seleccionar. Alesandra las había dividido en distintas pilas y había confeccionado listas para cada una de ellas. Entregó a Flannaghan la pila de invitaciones que rechazaría, mientras escribía otra nota a Neil Perry, rogándole le concediera una hora de su tiempo para conversar sobre su hermana.

—Debo hablar con milord para solicitarle permiso para contratar una dama de compañía y una secretaria para todo el día —señaló Flannaghan.

—No —se opuso Alesandra—. No necesito a ninguna de las dos, a menos que a usted no le agrade ayudarme de vez en cuando, Flannaghan. Colin está muy ocupado construyendo su propia empresa y no tenemos que ocasionarle gastos innecesarios.

La vehemencia de su voz informó al mayordomo de que se enfadaría bastante si decidía hablar con Colin al respecto a sus espaldas. Asintió en silencio.

—Qué bien que sea tan comprensiva por el estado financiero de su esposo. No seremos pobres por mucho tiempo —añadió con una sonrisa.

No lo eran en ese momento tampoco, pensó Alesandra. Si Colin aceptara el dinero de ella.

—Su señor es muy obstinado —murmuró.

Flannaghan no entendió el porqué de ese comentario. Llamaron a la puerta. El mayordomo se excusó para ir a atender.

Morgan Atkins entró en el vestíbulo. Vio a Alesandra en el comedor y se volvió para sonreírle.

—Felicidades, princesa. Acabo de enterarme de su boda. Les deseo una inmensa dicha.

Alesandra hizo ademán de ponerse de pie, pero Morgan le indicó que se quedara sentada, explicando que ya llegaba tarde para reunirse con Colin y el director.

En realidad era un caballero encantador. Hizo una reverencia y se volvió hacia el mayordomo para seguirlo hasta el estudio. Alesandra lo observó hasta que desapareció de su vista y meneó la cabeza. Colin se había equivocado. Morgan Atkins no era patizambo.

Pasaron otros veinte minutos más y luego sir Richards y Morgan bajaron juntos. Intercambiaron algunos saludos formales con Alesandra y se marcharon. Dreyson entraba justo en el momento en que los dos hombres se iban.

—Estoy un poco alarmado, princesa —anunció Dreyson, tras los saludos pertinentes—. ¿Hay algún lugar donde podamos conversar en privado?

Raymond y Stefan estaban en el vestíbulo con Flannaghan. Los guardias aparecían a toda prisa cada vez que entraba una visita en la casa. Alesandra creía que la vigilancia ya no era necesaria, pues al ser una mujer casada, estaba fuera del alcance del general. Pero sabía que los guardias seguirían cumpliendo sus funciones hasta que los despidieran. Sin embargo, ella no les permitiría irse de su casa hasta que no les encontrara un puesto adecuado en Londres. Raymond y Stefan le habían dicho claramente que su deseo era permanecer en Inglaterra y Alesandra estaba decidida a acomodarlos de alguna manera. Era lo menos que podía hacer por hombres tan leales como ellos.

—¿Vamos al salón? —sugirió Alesandra al agente.

Dreyson asintió. Esperó a que la princesa pasara a su lado y luego se dirigió a Flannaghan.

—¿Sir Hallbrook está en casa? —preguntó.

Flannaghan asintió. Dreyson pareció aliviado.

—¿Le importaría ir a buscarlo? Creo que querrá escuchar estas importantes noticias.

El mayordomo se volvió y subió corriendo las escaleras para cumplir el requerimiento. Dreyson entró en el salón y se sentó frente a Alesandra.

—Su expresión denota gravedad —dijo ella. Puso las manos sobre su falda y sonrió al agente—. ¿Tan terribles son las novedades, señor?

—Tengo dos malas noticias —admitió Dreyson—. Lamento mucho tener que molestarla el segundo día tras su boda. —Suspiró antes de continuar—. Mi contacto acaba de informarme de que una parte sustanciosa de su dinero, mejor dicho, todo lo que tiene en la cuenta en su tierra natal, no será transferida, princesa. Al parecer, un general llamado Iván ha hallado la manera de confiscar su fortuna.

Alesandra casi no reaccionó ante la noticia. Estaba ligeramente confundida por la explicación de Dreyson.

—Tenía entendido que el dinero ya había sido transferido al banco en Austria —dijo ella—. ¿Entendí mal?

—Sí, fue transferido —respondió Dreyson.

—El general Iván no tiene jurisdicción allí.

—Sus tentáculos tienen gran alcance, princesa.

—¿Realmente extrajo el dinero de la cuenta o la congeló?

—¿Qué diferencia hay?

—Por favor, contésteme y después le explicaré mis motivos.

—La cuenta fue congelada. El banco no dejaría a Iván tocar el dinero, pero como este individuo, tan falto de moral, intimidó a los funcionarios, se decidió rechazar la transferencia al banco de Inglaterra.

—Vaya problema —dijo Alesandra.

—¿Problema? Princesa, yo lo llamaría desastre. ¿No tiene idea de la cantidad de dinero que está muerto en esa cuenta bancaria? La mayor parte de su fortuna.

Dreyson parecía estar a punto de echarse a llorar y ella trató de tranquilizarlo.

—Todavía tengo lo suficiente para vivir cómodamente —le recordó—. Gracias a sus inteligentes inversiones, nunca seré una carga para nadie y menos para mi esposo. Sin embargo, estas noticias me confunden. Si el general creía que me casaría con él, ¿por qué habría de...?

—Sabía que usted abandonaría el convento —explicó Dreyson—. Y me imagino que también sospechaba que trataría de huir de él. Quiere castigarla, princesa, por haberlo desafiado.

—La venganza siempre es un grato motivo.

Colin hizo el comentario desde la entrada. Alesandra y Dreyson se volvieron para mirarlo. El agente se puso de pie. Colin se volvió, cerró la puerta y fue a sentarse junto a Alesandra en el sofá. Hizo un gesto a Dreyson para que volviera a ocupar su lugar.

—No hay nada grato en una venganza, Colin —le contradijo Alesandra.

Volvió a mirar al agente.

—Creo que sé cómo podríamos hacer para extraer esos fondos. Escribiré a la madre superiora dándole un cheque a su nombre por la cantidad total. Los banqueros pueden estar muy intimidados por el general, pero la superiora los asustará cuando se presente a cobrar. Oh, sí, realmente creo que esa es la salida, Dreyson. La Sagrada Cruz necesita ese dinero. Yo no.

Colin meneó la cabeza.

—Tu padre trabajó mucho para hacer su fortuna. No quiero que la regales.

—¿Para qué la necesito? —preguntó ella.

Dreyson dijo de cuánto dinero se trataba. Colin se quedó sin habla. Alesandra se encogió de hombros.

—Se destinará a una buena causa. Mi padre estaría de acuerdo. La madre superiora y las otras monjas cuidaron de mi madre cuando estuvo enferma. Fueron muy cariñosas conmigo. Sí, mi padre estaría de acuerdo. Escribiré la carta y firmaré ese cheque antes que usted se vaya, Matthew.

Alesandra se volvió a su esposo. Sin embargo, él no estaba complacido con la determinación que ella había tomado, pero ella le agradeció secretamente que no discutiera el asunto.

—En cuanto al barco, princesa—prosiguió Dreyson—. Han aceptado sus términos y la fecha de llegada.

—¿Qué barco? —preguntó Colin.

Alesandra se apresuró a cambiar de tema.

—Dijo que había otra mala noticia, Matthew. ¿Cuál es?

—Primero explique lo del barco —insistió Colin.

—Se suponía que iba a ser una sorpresa —murmuró ella.

—¿Alesandra? —Colin no iba a conformarse con evasivas.

—Cuando estuve en la biblioteca de tu padre, por casualidad, leí algo sobre una maravillosa invención nueva. Se llama barco de vapor, Colin, y puede cruzar el Atlántico en solo veintiséis días. ¿No es sorprendente?

—añadió—. Vaya, si mi carta para la madre superiora llegará en tres meses o más.

Colin asintió. Por supuesto, sabía lo de la nueva invención. Él y su socio ya habían discutido la posibilidad de comprar uno para agregarlo a la flota. Sin embargo, el coste les resultó prohibitivo y la idea quedó en suspenso.

—Y tú compraste uno, ¿verdad? —gritó Colin con enfado. No dio tiempo a Alesandra para contestar y volvió su mirada ceñuda y su enfado al agente—. Cancele el pedido —le ordenó.

—No puedes decirlo en serio —gritó Alesandra con evidente desazón. De pronto se enojó tanto con Colin que tuvo ganas de golpearle. El barco de vapor incrementaría considerablemente sus ganancias y él, obcecadamente, estaba rechazándolo solo porque el dinero para comprarlo provenía de la herencia de Alesandra.

—Lo digo muy en serio —gruñó. Estaba furioso con ella porque le había dicho ya, muy claramente, que no tocaría ni un penique de su fortuna y ella había desoído su decisión.

El modo en que apretó la mandíbula le indicó que no aceptaría discusiones. Alesandra estaba a punto de decir al agente que cancelara el pedido cuando Dreyson intervino.

—Me resulta difícil de entender —señaló—. Sir Hallbrook, ¿está diciéndome que rechazará el regalo de bodas del tío Albert de la princesa? Creo que es habitual recibir obsequios.

—¿Y quién es el tío Albert?

Colin le formuló la pregunta a Alesandra. No sabía qué hacer. Si le decía la verdad, que tío Albert no existía, Dreyson se sentiría insultado. Probablemente, también se negaría a seguir haciendo negocios con ella, y no quería echar a perder una relación tan buena como la que mantenían.

Pero tampoco quería engañar a su esposo.

La verdad triunfó.

—No es mi tío —confesó.

Dreyson, entusiasta, la interrumpió.

—Pero le agrada creer que lo es —intervino—. Es un amigo de la familia. Vaya, hace años que lo conozco y, además, he hecho muchas ganancias gracias a sus inversiones. Verá, Albert maneja parte de los bienes de su esposa y creo que se sentiría ofendido si usted no aceptara su obsequio.

Colin miró a Alesandra. Su expresión no le dijo nada. Parecía muy serena. Sin embargo, sus manos contaban una historia diferente. Las mantenía apretadas sobre la falda. Algo no iba bien, pero Colin no podía adivinar qué era.

—¿Por qué no me has mencionado a ese tío Albert? ¿Y por qué no ha sido invitado a la boda?

Después de todo, Alesandra tendría que mentir. La verdad no haría bien a nadie.

Alesandra imaginó a la madre superiora meneando la cabeza disgustada. Trató de borrar esa imagen. Más tarde tendría mucho tiempo para sentirse culpable.

—Pensé que te había hablado de tío Albert —dijo ella, mirándole el mentón mientras le mentía—. No ha venido a la boda porque nunca va a ninguna parte. Tampoco recibe visitas —añadió.

—Es un ermitaño, como verá —intervino Dreyson—. Alesandra es la única conexión que tiene con el mundo exterior. No tiene familia, ¿verdad, princesa? Si su preocupación es por el importe del regalo, quédese tranquilo. Puede pagarlo, sir Hallbrook.

—¿Hace años que conoce a ese hombre, Dreyson? —preguntó Colin.

—Sí, por supuesto.

Colin se reclinó en los cojines del respaldo. Sabía que probablemente debía una disculpa a Alesandra por haber llegado a una conclusión errónea. Decidió hacerlo más tarde, cuando estuvieran a solas.

—Dale las gracias de mi parte, en tu próxima carta —dijo Colin a Alesandra.

—Entonces, aceptas...

Alesandra interrumpió la pregunta al ver que Colin meneaba la cabeza.

—Fue muy considerado de su parte, pero demasiado extravagante. Yo, o mejor dicho, nosotros, no podemos aceptarlo. Sugiérele alguna otra cosa.

—¿Como por ejemplo?

Colin se encogió de hombros.

—Ya se te ocurrirá algo —le dijo—. ¿Cuál era el otro tema que había que tratar?

Dreyson parecía incómodo. Comenzó a hablar y de pronto se detuvo. Mientras se pasaba los dedos por la cabellera cana, carraspeó. Luego continuó.

—Ha surgido una situación muy delicada —anunció—. Se trata de algo muy desagradable.

—¿Sí? —urgió Colin al ver que no continuaba.

—¿Alguno de ustedes está familiarizado con la Ley de Seguro de Vida del año 1774?

No dio tiempo a que ninguno de los dos contestara.

—Nadie presta mucha atención a la legislación en estos días. Se dictó hace mucho ya.

—¿Con qué propósito? —preguntó Alesandra sin entender aún.

—Se ha descubierto algo vergonzoso —le explicó Dreyson—. Ciertos individuos sin moral aseguraron la vida de una persona y luego contrataron a alguien para que la asesinara. De ese modo, se hicieron acreedores de los beneficios del seguro. Sí, es vergonzoso pero cierto, princesa.

—Pero ¿qué tiene esto que...?

Colin la interrumpió.

—Dale tiempo para que se explique, Alesandra.

Ella asintió.

—Sí, por supuesto —murmuró.

Dreyson miró a Colin.

—No muchas firmas prestan atención a esa ley ya. Tuvo sus propósitos, verá... por un tiempo. Sin embargo, me llama la atención que se haya hecho un seguro de vida sobre la persona de su esposa. La póliza tiene fecha de ayer por la tarde y el importe del seguro es bastante alto.

Colin soltó una maldición. Alesandra se apoyó en él.

—¿Quién haría algo así? ¿Y por qué?

—Hay estipulaciones —añadió Dreyson, asintiendo—. Y un tiempo de cumplimiento, también.

—Oí que se había pagado un seguro de vida por Napoleón, pero solo por un mes —dijo Alesandra—. Y el duque de Westminster también aseguró su caballo. ¿A eso se refiere cuando habla de un tiempo de cumplimiento, Matthew?

El corredor de bolsa asintió.

—Sí, princesa. A eso, precisamente.

—¿Quien suscribió la póliza? —preguntó Colin, exasperado.

—¿Fue el Lloyd's de Londres? —aventuró Alesandra.

—No —contestó Dreyson—. Tienen demasiada fama para involucrarse en operaciones tan vulgares. Morton e Hijos se encargaron de la suscripción. Ellos son los culpables, claro. Aceptan cualquier contrato con tal de que la suma sea sustanciosa. Yo no hago negocios con ellos —añadió—. Pero un amigo mío opera con ellos y fue el que me dio la noticia. Gracias a Dios me encontré con él por casualidad.

—Hábleme de los detalles —pidió Colin—. ¿Cuál es el límite de tiempo?

—Un mes.

—¿Quién se beneficia si ella muere?

—El hombre que contrajo la póliza quiere permanecer en el anonimato.

—¿Y puede hacerlo? —preguntó Alesandra.

—Sí —contestó Dreyson—. Su tío Albert hace exactamente lo mismo al firmar con sus iniciales y no tendría que hacerlo si no quisiera, princesa. A los suscriptores se les hace jurar que guardarán el secreto.

El agente siguió hablando con Colin.

—Hasta el momento, amigo mío, no he podido saber quién está detrás de esta perversa maniobra. Sin embargo, apuesto a que se trata del mismo canalla que bloqueó los fondos de la cuenta bancaria.

—¿El general Iván? No puede ser —contradijo Alesandra—. Hace un día que Colin y yo nos casamos. No puede haberse enterado tan pronto.

—Precauciones —especuló Dreyson.

Colin entendió lo que Dreyson trataba de explicar a Alesandra. Rodeó a su esposa con el brazo, la apretó cariñosamente y dijo.

—Probablemente, dio órdenes a uno de los hombres que mandó por ti. Está divirtiéndose, esposa. Es un maldito perdedor. Obviamente sabía que no querías casarte con él. Te escapaste en plena noche de ese convento.

—Es muy cruel, ¿verdad?

A Colin se le ocurrieron un centenar de descripciones más adecuadas.

—Sí, es cruel —coincidió para complacerla.

—Matthew, ¿hablaba en serio cuando dijo que Morton e Hijos son capaces de suscribir cualquier tipo de póliza?

—No me refería a pólizas, princesa, sino a contratos —corrigió Dreyson.

—¿Cuál es la diferencia?

—Su esposo podría asegurar el barco —contestó—. Concertaría una póliza para protegerlo contra cualquier catástrofe. Pero un contrato es una operación completamente diferente. Por lo menos, los documentos que Morton e Hijos suscriben son diferentes —añadió en un murmullo—. No es más que una especie de apuesta, oculta bajo el disfraz de un seguro, que toma esa forma para no violar los requisitos de la Ley de 1774. Ahora, como respuesta a su pregunta, sí, hacen todo tipo de apuestas. Recuerdo una en particular. Todo Londres habló de esa operación. La esposa del marqués de Covingham le dio un hijo y de inmediato se hizo un contrato asegurando la vida del bebé durante un año. La cantidad era elevada, y solo se podía pagar en caso de muerte del niño.

—¿Quiere decir que el contrato pudo haberse redactado justamente por lo opuesto? ¿Pagar si el niño vivía?

—Sí, princesa —contestó Dreyson—. Todos se quedaron asombrados, por supuesto. El marqués estaba furioso. Las especulaciones fueron *in crescendo* a lo largo de ese año, pues si bien la persona que suscribe el contrato puede permanecer en el anonimato en el momento de la redacción del mismo, su identidad se conoce cuando se presenta a cobrar el dinero. Debe acudir personalmente a Morton e Hijos y firmar el documento. No puede mandar un representante.

—Entonces sabremos, dentro de un mes, si el general Iván está detrás de este contrato —dijo Alesandra.

Colin meneó la cabeza.

—Se pagará solo si tú mueres, ¿lo recuerdas? Y como permanecerás sana y salva, el general no cobrará nada. No tendrá motivos para venir a Inglaterra.

Ella asintió.

—Sí, por supuesto. ¿Matthew? ¿El niño murió o no? —preguntó, pensando aún en la historia que había escuchado sobre el marqués de Covingham.

—Vivió.

—¿Y qué pasó con el contrato?

—Hasta el día de hoy, nadie sabe —contestó—. Princesa, me alegra saber que toma esta noticia con tanta calma —añadió.

Colin esbozó una sonrisa. Alesandra realmente sabía ocultar muy bien sus emociones. Pero a él no lograba engañarlo, pues la notaba temblar entre sus brazos. Sin embargo, la expresión de la muchacha se mantuvo inalterable, serena.

Colin sabía cómo se sentía en realidad.

—Ella no tiene razones para preocuparse —dijo él—, pues sabe que yo la protegeré. Matthew, quiero que siga indagando hasta averiguar quién está detrás de todo esto —le ordenó—. Pensamos que se trata del general, pero quiero pruebas concretas.

—Sí, por supuesto.

—Me pregunto si alguien en Londres se habrá enterado de este contrato —dijo Alesandra—. De haber sido así, se podría haber hecho alarde de...

—De haber sido así, yo me habría enterado —le aseguró Dreyson—. Sin embargo, yo no me haría muchas ilusiones con que alguien se haya percatado de la existencia del contrato, sobre todo, con el reciente escándalo que corre por allí.

—¿De qué escándalo habla? —preguntó Alesandra, con curiosidad.

—Vaya, de la cuestión en la que está involucrado el vizconde de Talbot, por supuesto. Fue su esposa la que originó todo este escándalo. Lo abandonó. Impresionante, ¿no?

Colin nunca había escuchado semejante barbaridad. Por lo que él sabía, los maridos y sus esposas permanecían juntos hasta que la muerte los separara, por mala que fuera la relación entre ellos.

—Tiene que haber otra explicación —dijo.

—¿Conoces al vizconde? —preguntó la princesa a su esposo.

—Sí, fue con mi hermano a Oxford. Es un buen hombre. Lo más probable es que lady Roberta se haya ido a su casa de campo unos días. Ya sabemos que la alta sociedad siempre está a la pesca de algo que les dé motivos para chismorrear.

Dreyson estuvo de acuerdo.

—Yo me enteré por lord Thornton y soy el primero en reconocer que al hombre le encantan los chismes. Sin embargo, la verdad está a la vista de todos. Lady Roberta parece haberse esfumado. El vizconde está muerto de preocupación.

Alesandra sintió un escalofrío.

—¿Que se esfumó? —murmuró.

—Volverá —dijo Dreyson de inmediato, cuando vio la creciente preocupación de la princesa—. Apuesto a que han tenido una de esas riñas conyugales y que ella decidió castigarlo de este modo. En un par de días, saldrá de su escondite.

Se puso de pie. Colin lo acompañó hasta el vestíbulo. Pero la voz de Alesandra los detuvo.

—Matthew, Morton e Hijos son capaces de suscribir cualquier contrato, siempre y cuando la suma sea lo suficientemente alta, ¿verdad?

—Sí, princesa.

Alesandra sonrió a Colin.

—Mi querido esposo, quiero que me demuestres que tienes intenciones de protegerme.

Se atrevió a mantener la sonrisa en los labios, aun después de haberlo insultado de esa manera. Colin se dio cuenta de que estaba tramando algo, pero no tenía ni la menor idea de lo que era.

—Solicita que se redacte un contrato sobre mi persona, y siendo tú el beneficiario. La suma y el plazo tienen que ser exactos a los del otro.

Colin negó con la cabeza antes de que ella terminara la frase.

—Es un plan muy inteligente —contradijo ella—. Y deja ya de sacudir la cabeza.

—¿Y la póliza cubrirá tu vida o tu muerte, Alesandra?

Ella lo miró disgustada.

—Mi vida, por supuesto.

Volvió su atención a Dreyson.

—Sé que no le agrada hacer operaciones comerciales con Morton e Hijos, pero le ruego que esta vez se encargue de esta en particular.

—Todavía no he dado mi consentimiento a...

—Por favor, Matthew —insistió Alesandra, desatendiendo las protestas de su esposo.

—Entonces quiere que aparezca el nombre de su marido en ese contrato, ¿para que se entere todo el mundo? —preguntó Dreyson.

—Sí, por supuesto.

—Tendrá que pagar una prima muy alta y dudo que haya alguien que quiera firmar con sus iniciales junto a las suyas —dijo Dreyson a Colin.

—Una vez me dijo que el Lloyd's de Londres sería capaz de asegurar un barco que se hunde en cualquier momento, siempre y cuando la suma de dinero involucrada sea lo suficientemente interesante —le recordó Alesandra—. Estoy segura de que Morton e Hijos, que tienen fama de apostadores, se abalanzarían para aprovechar una oportunidad como esta, que dejaría una jugosa ganancia.

—Tal vez... si estuviera casada con cualquier otro hombre que no fuera sir Hallbrook, eso sería verdad. Sin embargo, su esposo se ha ganado una fama que desbaratará sus planes, princesa. Nadie apostará contra él.

—¿Por qué? —preguntó ella.

Dreyson sonrió.

—Su esposo se ha convertido en una especie de leyenda. Le temen en todos los círculos de nuestra sociedad. Verá, su trabajo, para el Departamento de Guerra...

—Basta, Dreyson —lo interrumpió Colin—. Está preocupando a mi esposa.

El agente se disculpó de inmediato.

—¿Entonces trato de encontrar a alguien que sea capaz de suscribir el contrato, sir Hallbrook?

—Llámelo por su nombre —dijo—. Una apuesta.

—Si tuvieras dudas con respecto a tu capacidad para protegerme, entonces comprendería por qué te niegas a arriesgar por mí el dinero que te has ganado con el sudor de tu frente...

—Sabes perfectamente bien que puedo protegerte, maldita sea —gruñó Colin—. Para ser totalmente sincero, Alesandra, te diré que cualquier otra mujer en tu lugar estaría llorando desesperadamente al saber que alguien ha apostado por su muerte, pero tú...

—¿Sí?

Colin meneó la cabeza y finalmente admitió su derrota, aunque no de buen talante.

—Hágalo, entonces —barbulló a Dreyson—. Si mi esposa desea que todo Londres se entere de que existen dos contratos en circulación, pues démosle el gusto.

Alesandra sonrió.

—¿Sabes, Colin? En realidad, estás apostando en favor de tus propias habilidades para protegerme. Es divertido y, a la vez, creo que te beneficiará económicamente. No tendrías que mostrarte tan obstinado en esto. De todas maneras, tengo fe en ti y por lo tanto, no veo razones para preocuparse.

Alesandra no esperó a oír la respuesta de su esposo sobre sus opiniones. Se despidió de su agente y salió.

Flannaghan apareció entre las sombras. Esperó a que Dreyson abandonara la casa y se apresuró hacia su señor.

—No está demasiado preocupada, ¿verdad?

—¿Qué ha oído?

—Todo.

Colin meneó la cabeza.

—Su tío estaría complacido. Ha heredado todos sus malos hábitos.

—Gracias, milord. La lealtad de su princesa debe de ser un halago para usted.

Colin sonrió. No contestó a su sirviente y se dirigió hacia las escaleras. Mientras subía, las palabras de Flannaghan hicieron eco en su mente. Mi princesa, pensó. Sí, Alesandra era su princesa ahora y, Dios, cuánto lo complacía esa idea.

10

Colin la enfurecía. Tuvieron la primera pelea esa misma noche. Alesandra se había acostado temprano, pero como no podía dormir, se había puesto a trabajar en la lista de actividades que tendría que cumplir al día siguiente. Estaba en su propio cuarto, por supuesto, porque según Flannaghan, era allí donde Colin quería que ella durmiera. Desesperadamente, trataba de no molestarse por el hecho de que su esposo fuera un cerdo insensible. No podía hacer nada para cambiarlo, ¿no? Después de todo, el matrimonio entre ellos no había sido por amor y si Colin quería que durmieran separados, bueno, tenía que darle el gusto. Sin embargo, no estaba contenta. Se sentía vulnerable —y asustada también—, aunque no podía adivinar por qué se sentía de ese modo.

Intentó comprender lo que estaba sucediéndole. Por fin decidió que su inseguridad se debía a que Colin la había dejado en una situación muy débil en cuanto al pacto que habían acordado. Pero después negó la teoría con un movimiento de la cabeza. ¿Y qué tenía que negociar ella con él? Si su esposo había rechazado todo lo que ella tenía para ofrecer.

Dios la ayudara, pero comenzaba a autocompadecerse. La madre superiora, en una de sus clases cotidianas, le había enseñado que, en ocasiones, los hombres y las mujeres desean tener cosas que no pueden alcanzar. La envidia, según ella, era seguida de los celos, y una vez que esa pecaminosa emoción tomaba las riendas de la situación, todo lo que podía esperarse era angustia y desesperación. Los celos quemaban, ardían, consumían, hasta el punto en que ya no quedaba espacio para el amor, ni la dicha ni la felicidad de ningún tipo.

—Pero yo no estoy celosa —murmuró para sí. Aunque sí sentía envidia, y suspiró suavemente al admitir esa verdad. Envidiaba el matrimonio feliz que unían al hermano de Colin y a su esposa. Y, Dios santo, ¿eso implicaba que pronto se convertiría en una regañona celosa y que sería desgraciada el resto de sus días?

Decidió entonces que el matrimonio era un asunto complicado.

Colin no tenía tiempo para eso. Inmediatamente después de la cena se había encerrado en su estudio para trabajar con sus cuentas. Tener una esposa no cambiaría sus hábitos. Estaba construyendo un imperio y nadie, mucho menos una esposa no deseada, iba a interferir en sus planes. Colin no había tenido que molestarse en sentarse con ella para explicárselo todo. Sus acciones hablaban por él.

Alesandra no estaba irritada por su actitud. De hecho, aprobaba que estuviera tan dedicado a su trabajo. Tampoco tenía dudas. Colin lograría alcanzar sus objetivos laborales y económicos. Era fuerte, terriblemente inteligente y maravillosamente disciplinado.

Ella no tenía intenciones de interponerse en su camino. Tampoco lo distraería. Lo único que le faltaba a Colin era una esposa pesada que lo persiguiera por todas partes. Sin embargo... por las noches, cuando el trabajo del día estaba terminado, la princesa deseaba que él sintiera la necesidad de estar con ella. Sería bello quedarse dormida entre sus brazos, sentirlo contra su cuerpo durante las oscuras horas de la noche. Le agradaba el modo en que la besaba, la manera en que la tocaba...

Alesandra suspiró a modo de queja. Jamás lograría concentrarse en su lista si no dejaba de soñar despierta con su esposo. Trató de zafarse de las garras del hechizo y de concentrarse en su tarea.

Ya era casi medianoche cuando Colin entró en la habitación de su esposa por la puerta que comunicaba ambos cuartos. Llevaba puestos unos pantalones negros, pero se los quitó, aun antes de llegar junto a la cama.

Se desenvolvía con mucha naturalidad con su propia desnudez. Ella trató de actuar de la misma manera.

—¿Has terminado de trabajar con tus cuentas?

Alesandra hizo esa pregunta sin mirarle. Tenía las mejillas muy coloradas y su voz sonó entrecortada, como si alguien estuviera estrangulándola mientras hablaba.

Colin sonrió.

—Sí —contestó—. Estoy completamente al día ahora.

—¿Al día con qué?

Colin trató de no reírse.

—Alesandra, no hay razón para sentirse avergonzada.

—No estoy avergonzada.

Alesandra logró mirarlo a los ojos mientras le mentía. Colin pensó que era un adelanto. Retiró las mantas y se acostó. Ella se apresuró a quitar los papeles que había en el lecho.

Colin se recostó en el respaldo de la cama y suspiró. Estaba dándole tiempo, deliberadamente, para tranquilizarse. Pensó que si Alesandra se ponía aún más colorada se encendería como una mecha. Le temblaban las manos mientras recogía los papeles. Él no sabía por qué ella reaccionaba con tanto nerviosismo ante su presencia, pero sí advirtió que tendría que esperar para hacerle esa pregunta. Los interrogatorios solo empeorarían la situación.

—¿Tienes frío?

—No.

—Te tiemblan las manos.

—Bueno, tal vez tenga un poco de frío. Todavía tengo el cabello mojado por el baño que he tomado, no me lo he secado.

Colin extendió la mano para colocarla sobre la nuca de su esposa. Al sentir la tensión, comenzó a darle masajes para relajarla. Alesandra cerró los ojos y suspiró de placer.

—¿En qué estabas trabajando? —le preguntó él.

—En las listas de mis actividades para mañana. Hice una para Flannaghan, otra para la cocinera, una para Stefan, una para Raymond y varias para mí. Oh, y la lista maestra, por supuesto. Acabo de concluirla.

Cometió entonces el error de volverse para mirarlo, pues el hilo de sus pensamientos salió volando por la ventana. Ni siquiera podía recordar si había terminado o no con la explicación que estaba dándole.

Y todo era culpa de Colin. Si no hubiera tenido unos ojos tan hermosos, si no hubiera sido dueño de una sonrisa maravillosa y si sus dientes no hubieran sido tan blancos como indudablemente serían los de Dios, ella no se habría detenido a contemplar esos detalles y tampoco se habría olvidado de lo que estaba diciendo y pensando. Cerrar los ojos de nada le serviría. Todavía seguiría percibiendo el calor de su cuerpo cerca del suyo, su fragancia limpia y masculina. Todavía...

—¿Cuál es la lista maestra?

—¿Qué?

Colin sonrió.

—Una lista maestra —repitió.

Colin sabía que ella estaba en otro mundo y él disfrutaba de su trastorno, como indicaba su amplia sonrisa. Eso ayudó a Alesandra a recuperar un poco su compostura.

—Es una lista de todas mis listas —le explicó.

—¿Haces una lista de todas tus listas?

—Sí, por supuesto.

Él se echó a reír. La cama empezó a sacudirse por sus carcajadas. Al instante, ella se molestó por semejante actitud.

—Colin, las listas son la clave de una buena organización.

Su voz estaba cargada de autoridad. Como hablaba con tanta sinceridad, Colin trató de controlar su ataque de risa.

—Entiendo —le dijo—. ¿Y dónde aprendiste esa cosa tan importante?

—La madre superiora me enseñó todo lo que necesitaba saber para lograr una buena organización.

—¿Y fue tan detallista como cuando te explicó lo de la intimidad...?

Ella no le permitió terminar.

—Fue mucho más que detallista. Le resultó muy difícil hablar de... lo otro. Después de todo, es monja e hizo sus votos de castidad hace años. Puedes comprender su reticencia, ¿verdad? Ella no tenía mucha experiencia.

—No, me imagino que no tendría experiencia alguna.

Colin ocupaba toda la cama. Alesandra se iba apartando cada vez más hacia un lado para dejarle lugar a sus piernas y él seguía... invadiendo hasta hallar una posición cómoda. Se desperezó, bostezó y muy pronto ocupó todo el lecho.

También cogió los papeles de Alesandra. Los puso sobre la mesa de noche, sopló las velas y se volvió hacia ella.

La princesa puso las manos sobre su falda y se ordenó tranquilizarse.

—Sin organización, viviríamos en la anarquía.

Fue una estupidez decirlo, pero no se le ocurría ningún otro comentario mejor. Se moría por preguntarle por qué se había metido en su cama. ¿Se quedaría a dormir en su cuarto toda la noche? No, se contestó. Eso no tenía ningún sentido. Su cama era mucho más grande, y más cómoda también.

Entonces decidió sacar el tema de cómo dormirían en lo sucesivo. Ya estaba más tranquila y dominaba completamente la situación. Después de todo, Colin era su esposo y ella podía preguntarle cualquier cosa, por personal que fuera el tema.

Un trueno retumbó a lo lejos. Alesandra estuvo a punto de caerse de la cama. Colin la sujteó a tiempo y la atrajo hacia sí.

—¿Los truenos te ponen nerviosa?

—No —contestó ella—. Colin, estaba pensando...

—Quítate el camisón, cariño —le dijo él al mismo tiempo. Esa orden obtuvo la concentrada atención de la muchacha.

—¿Para qué?

—Quiero tocarte.

—Oh.

Ella no se movió.

—¿Alesandra? ¿Qué sucede?

—Me confundes —murmuró—. Pensé que te gustaba... y cuando Flannaghan me dijo que... bueno, no.

Alesandra sabía que estaba hablando en chino. Olvidó sus intentos de explicarse y trató de reconsiderar la orden de él. Deseaba que no la mirara, y también, que el cuarto estuviera más oscuro. Pero el fuego que ardía en la chimenea emitía una luz cobriza sobre la cama. Alesandra sabía que no debía sentirse avergonzada. Colin era su marido y ya conocía cada recoveco de su cuerpo. Detestaba ser tímida. Le habría gustado ser tan desinhibida como él.

Pero por otro lado, solo hacía dos días que se habían casado. Por eso, decidió confesarle lo incómoda que se sentía y tal vez, de ese modo, él la ayudaría a vencer su timidez. Pero en ese momento, Colin le llamó la atención, pues le bajó el camisón hasta las caderas. Ella debió luchar para no apartarle las manos de una bofetada.

—¿Qué estás haciendo? —Parecía agitada y se sentía como una completa estúpida. Sabía exactamente qué estaba haciendo Colin.

—Estoy ayudándote.

—¿Te das cuenta de lo nerviosa que estoy esta noche?

—Sí, me doy cuenta —contestó él. Ella advirtió risa en su voz, pero también calor. La ansiedad por tocarla había estado atormentándolo todo el día, destruyendo su concentración en los momentos más insólitos, y ahora, por fin, iba a satisfacer el creciente deseo que ardía dentro de él.

—Todavía te da un poco de vergüenza estar frente a mí, ¿verdad?

Ella miró hacia arriba. ¿Un poco de vergüenza? Tenía la sensación de que estallaría en cualquier momento por lo abochornada que estaba.

Colin le quitó el camisón haciéndoselo pasar por la cabeza y lo arrojó a un lado de la cama. De inmediato, Alesandra trató de taparse con las mantas. Sin embargo, él no iba a permitirle que lo privara de una imagen tan bella, por lo que suavemente volvió a descubrirla hasta la cintura.

Tenía unas formas perfectas. Sus senos eran generosos, lujuriosos, bellos. Los rosados pezones ya se habían endurecido, estaban listos y Colin, con arrogancia, pensó que él era el causante de tal reacción. Tampoco creyó que la piel de gallina de sus brazos se debiera a que la habitación estaba un poco fría. El cuerpo de Alesandra ya comenzaba a responderle y él ni la había tocado siquiera.

Se tomó su tiempo para contemplarla. La princesa, en cambio, tenía la vista fija en las mantas.

—No estoy acostumbrada a dormir sin camisón.

—No vamos a dormir, cariño.

Fue entonces cuando Alesandra vio su primera sonrisa.

—Lo sé —murmuró.

Decidió que ya había soportado su timidez tiempo más que suficiente. Aunque debió recurrir a toda su fuerza de voluntad, se volvió hacia él. La expresión de sus ojos —tan cálida, tan afectuosa— le dio más coraje. Le rodeó el cuello con los brazos y se pegó a él.

Experimentó una sensación maravillosa al tenerlo tan cerca en esa postura tan íntima. El vello de su pecho le hacía cosquillas en los senos. Suspiró de placer y deliberadamente se restregó nuevamente contra él. Colin gimió. Apoyó ambas manos en la espalda de la muchacha y la atrajo con fuerza, contra su miembro erecto. Alesandra tenía el rostro oculto bajo su mentón. Él se lo levantó y luego bajó la cabeza hacia la de ella.

Primero le besó la frente, luego el tabique de la nariz y después la urgió a abrir la boca mordiéndole suavemente el labio inferior. Posó la boca sobre la de ella, que sentía tan maravillosamente suave contra la de él, con un sabor tan dulce que lo hizo desearla más todavía. La lenta penetración de su lengua la estremeció. Se quejó sutilmente cuando Colin la retiró, aunque solo para volver un segundo después, más profundamente. El perezoso juego de amor continuó indefinidamente, pues el beso pareció interminable. Los suspiros entrecortados de Alesandra intensificaron los de Colin. Nunca había tenido entre sus brazos a ninguna mujer que le respondiera con ese abandono. La sensualidad de la joven lo embriagaba. Dios, justo la noche anterior, cuando la había hecho suya por primera vez, cayó en la cuenta de que esa pasión era posible entre un hombre y una mujer. Alesandra no se guardaba nada para sí y esa respuesta desenfrenada lo obligaba a bajar la guardia, a traspasar sus propias barreras.

La hizo volver sobre la espalda, la besó de nuevo y se concentró luego en un lado de su cuello. Su respiración era agitada.

—Me haces arder —le murmuró al oído—. Te calientas tanto y tan rápido que me enloqueces.

Colin parecía casi enfadado al confesarle cómo lo hacía sentir, pero de todas maneras, Alesandra lo tomó como un cumplido.

—Es la manera en que me tocas, Colin —susurró la muchacha—. No puedo evitar...

Las últimas palabras de Alesandra murieron en sus labios, pues Colin había capturado uno de sus pezones entre los dientes para comenzar a succionarlo suavemente. Deslizó una mano entre sus muslos y comenzó a intensificar con el fuego que ardía entre sus piernas. Lentamente, penetró con los dedos en el cálido refugio. Ella gritó de dolor y de placer y se inclinó para quitarle la mano. Quería apartarlo, porque sentía que esa zona de su cuerpo aún estaba demasiado sensible. Sin embargo no podía cumplir la orden que le daba su cerebro. Tampoco podía dejar de retorcerse entre sus brazos. Con la yema del pulgar, dibujaba interminables círculos sobre los rizos del vello que cubría el pubis. Colin metió el dedo a mayor profundidad, mientras acariciaba la ardiente protuberancia que se escondía entre los pliegues de su piel. Alesandra pronunció el nombre de su esposo entre gemidos.

—Colin, no deberíamos... no puedo... No hagas eso —gritó, al sentir que volvía a penetrarla con los dedos—. Duele. Ay, Dios. No te detengas.

Se aferraba a Colin mientras le impartía órdenes contradictorias. Sabía que estaba diciendo incoherencias, pero al parecer, no hallaba las palabras precisas para explicarle lo que sentía. Colin interrumpió las protestas de la muchacha tapándole la boca con la suya. El beso fue exigente, infinito, agotador. Cuando él se retiró, Alesandra estaba tan avasallada con su propio deseo que ya no pudo pensar en el dolor.

Ni siquiera podía pensar en nada.

Colin se quedó contemplando la bella mujer que tenía entre sus brazos y creyó que se derrumbaba al leer tanta pasión en su mirada. Sus labios, rosados por los besos, le urgían que prosiguiera con los juegos amorosos. Colin cedió ante la silenciosa súplica y la besó una vez más.

—¿Recuerdas que te dije que había más de una manera de hacer el amor? —le preguntó con la voz grave por la emoción.

Alesandra estaba tratando de concentrarse en lo que Colin le preguntaba, pero le resultó terriblemente difícil. Todo en él la perturbaba. Su piel se sentía tan caliente contra la de ella que no podía dejar de moverse contra su cuerpo, tratando de acercársele cada vez más. Su fragancia, una mezcla erótica de hombre y sexo, la excitaba tanto como sus mágicas caricias. Acarició con los pies el vello de las musculosas piernas de Colin, mientras sus senos no dejaban de apretarse contra los rizos que le cubrían el pecho. Con las manos le acariciaba los musculosos brazos. Colin era un hombre tan fuerte y a la vez la trataba con tanta suavidad...

Colin no esperó respuesta a su pregunta. La necesidad de saberlo todo sobre ella borraba los demás pensamientos. Le besó el vientre, delineó los contornos de su ombligo con la punta de la lengua y luego, antes de que ella pudiera adivinar sus intenciones, le separó las piernas con las manos y bajó para saborear el dulce y ardiente flujo femenino.

—No, no debes —protestó ella, porque lo que Colin estaba haciéndole era algo prohibido, sin duda. Era extraño... y maravilloso. El dominio sobre su cuerpo fue desvaneciéndose más y más, con cada roce de la lengua en aquella zona tan privada. El placer iba creciendo en su interior. Sabía que moriría por tan dulce agonía. Su deseo estaba enloqueciéndola. Trató de decirle que se detuviera, aunque no podía dejar de arquearse contra su boca y de mantenerlo allí, para que siguiera acariciándola de ese modo.

Esa sensual respuesta enloqueció a Colin. Él quería satisfacerla primero y luego enseñarle cómo hacerlo gozar a él, pero Alesandra se movía tan desinhibidamente que lo hizo perder el control. Sus sensuales gemidos lo obligaban a penetrarla de inmediato. Casi no sabía lo que estaba haciendo. La necesidad lo atormentaba, lo dominaba. Sus movimientos tenían autonomía propia. Se hincó entre las piernas de seda de su esposa y colocándole los brazos alrededor de su cuello entró en ella con un solo movimiento. Su frente se humedeció de sudor. La respiración se tornó más agitada que nunca. Apretó los dientes para saborear la increíble sensación que le producía aquel estrecho canal, comprimiendo cada centímetro de su erecto órgano. Encajaban a la perfección. Colin se estremecía de placer. La oyó gritar. Dejó de moverse, haciendo una mueca ante tan dulce tormento.

—¿Te hago daño, cariño?

Aunque hubiera querido, Alesandra no habría podido responderle, porque la boca de Colin cubrió la suya, interrumpiendo palabras y pensamientos. La preocupación de su voz rompió el erótico hechizo y ella quiso decirle que sí, que la lastimaba, pero no importó. El placer que le brindaba era mucho más intenso; más exigente, también. Alesandra ansiaba disfrutar del momento final, pero Colin no se movía con la suficiente rapidez para complacerla. Lo envolvió con las piernas, se arqueó contra él y, sin palabras, le dijo que quería más, más y más.

Colin comprendió el mensaje. Hundió el rostro debajo de su cuello y empezó a moverse dentro de ella. Sus movimientos eran medidos, pero potentes y rápidos, porque ya le resultaba imposible controlar sus instintos. El fuego interior lo consumía. Quería y necesitaba más de ella.

Sin embargo, al mismo tiempo deseaba que la agonía y el éxtasis no acabaran jamás. Se hundió en ella repetidas veces. Alesandra se tensó aún más y cuando gritó el nombre de su esposo Colin advirtió que había alcanzado el clímax. Empujó por última vez con más fuerza y gimió mientras dejaba su semilla en el interior de la muchacha.

Pensó que había muerto y que había ido directamente al paraíso. Se dejó caer pesadamente sobre ella, inspiró una enorme bocanada de aire y la exhaló con otro gemido. Estaba tan satisfecho que tenía ganas de sonreír. Pero no pudo hacerlo, pues le faltaron las fuerzas.

Alesandra necesitó unos cuantos minutos para recuperarse. Se sentía segura y tan abrigada entre los brazos de su esposo... El terror que había experimentado segundos atrás se desvanecía con cada respiración agitada de su marido.

—Maldita sea, eres fantástica —le dijo, y rodó sobre su espalda.

El comentario no era muy romántico, pensó Alesandra. Pero no importaba. Se sentía arrogantemente orgullosa porque había conseguido complacerlo. Tal vez ella también debía elogiarlo. Se puso de lado para quedar frente a él y le colocó la mano en el pecho, directamente sobre el corazón, que latía aceleradamente. Murmuró:

—Tú también eres fantástico. La verdad es que eres lo mejor que he tenido.

Colin abrió los ojos para mirarla.

—Soy el único que has tenido, ¿lo recuerdas? —Su voz sonó ronca y afectuosa.

—Lo recuerdo.

—Ningún otro hombre te tocará jamás, Alesandra. Eres mía.

A la muchacha no le molestó su expresión posesiva. De hecho, le agradó esa actitud, pues la hizo pensar que a él le importaba. Ahora pertenecía a Colin y solo pensar que podía hacer con otro hombre lo que acababa de hacer con él le producía repulsión. Solo había un Colin y le pertenecía a ella.

Alesandra apoyó la mejilla en el hombro de Colin.

—No querría a otro que no fueras tú.

A él le agradó tan ferviente confesión y le besó la frente para expresarle lo complacido que se sentía.

Transcurrieron unos minutos en silencio. Alesandra se detuvo a pensar en lo que había vivido recientemente y trató de hallar cierta lógica para su comportamiento. Pero le resultó imposible, porque las reacciones con su esposo eran de lo más absurdas.

—¿Colin?

—¿Sí?

—Cuando me tocas pierdo el control sobre mí misma. Es como si la mente se me separara del cuerpo. No tiene sentido, ¿verdad?

No esperó a que él le contestara.

—Es aterrador, devastador, también, pero además... espléndido.

Colin sonrió en la oscuridad. Su esposa parecía completamente confundida y preocupada.

—Se supone que debe hacerte sentir muy bien, cariño —murmuró.

—La madre superiora no mencionó eso.

—No, me imagino que no lo habrá hecho.

—Me gustaría hallarle el sentido a este extraño ritual de la unión.

—¿Por qué?

—Para poder entender—contestó. Se inclinó para mirarlo. Colin tenía los ojos cerrados y parecía estar sumido en una profunda paz. Pensó que iba a quedarse dormido. Alesandra decidió dejar el tema. Se acurrucó contra su esposo y cerró los ojos. Pero su mente no cooperaba. Surgía una pregunta tras otra.

—¿Colin?

Colin gruñó su respuesta.

—¿Has llevado a otras mujeres a tu cama?

Colin no le respondió de inmediato. Ella le dio un codazo. Él suspiró.

—Sí.

—¿Muchas?

Estuvo apunto de apartarla de su lado.

—Eso depende de quién lleve la cuenta.

A Alesandra le disgustó profundamente esa respuesta. ¿Habría habido dos más o veinte más? El solo pensar que Colin había compartido esa intimidad con una sola mujer que no fuera ella le revolvió el estómago. Esa reacción era totalmente descabellada, pues el pasado de su esposo no debía interesarle. Pero le importaba mucho.

—¿Fue amor o simple deseo carnal lo que te hizo acostarte con ellas?

—Alesandra, ¿por qué me haces todas estas preguntas?

Colin parecía irritado, y al advertirlo, ella también se molestó. Se sentía vulnerable, pero su insensible esposo era demasiado obtuso para entender.

La ira de la joven desapareció con la misma espontaneidad con la que había surgido. ¿Cómo podría entenderla Colin si ni siquiera ella misma se entendía? No era justa ni lógica con él.

—Solo tengo curiosidad —murmuró—. ¿Amaste a alguna de ellas?

—No.

—Entonces ¿fue simple lujuria?

Colin volvió a suspirar.

—Sí.

—¿También lo ha sido conmigo?

¿O es amor?, quiso añadir. Pero tuvo demasiado miedo de preguntarle eso, pues temió que la respuesta no fuera lo que ella quería escuchar. Oh, Dios, estaba comportándose como una loca. Sabía que Colin no la amaba. Entonces ¿por qué tenía esa absoluta necesidad de oírselo decir?

¿Qué rayos estaba sucediéndole?

Colin quería poner fin al interrogatorio. Ella estaba obligándolo a contestar preguntas que ni siquiera él estaba preparado todavía para pensar. Demonios, claro que era lujuria lo que había sentido al llevársela a la cama. Desde el primer momento en que la vio, la había deseado en su lecho.

Sin embargo, meter a Alesandra en la misma categoría que el resto de las mujeres con las que se había acostado le pareció una atrocidad. Hacerle el amor a ella había sido muy diferente que en los demás casos y mucho, mucho más satisfactorio. Ninguna mujer lo había hecho arder como ella; ninguna otra había logrado que perdiera los estribos de ese modo.

Había más que lujuria en todo eso, admitió Colin para sí. Él quería a Alesandra. Ahora le pertenecía, y era una actitud normal en un buen esposo querer proteger a su esposa.

¿Pero amor? Honestamente, Colin ignoraba si la amaba. Después de todo, no había tenido mucha experiencia en el tema para reconocer ese sentimiento. Su reacción inmediata ante esa inquisitiva pregunta era que no se había permitido amar a nadie con auténtica intensidad. Recordaba la agonía que había vivido cuando su amigo y socio, Nathan, se había enamorado de su esposa. Colin no podía admitir no ser más fuerte, emocionalmente hablando, de lo que había sido su amigo. En su momento, se había negado a creer que un gigantón tan duro pudiera caer tan bajo. Pero Nathan había sucumbido tornándose demasiado vulnerable.

Colin se despojó de esos pensamientos amargos y trató de alcanzar a su esposa, que trataba de huir al otro lado de la cama para separarse de él. Colin no se lo permitió. La atrajo a su lado, la tendió boca arriba y luego la cubrió, de la cabeza a los pies, con su cuerpo. Apoyó todo su peso en los codos y la miró. Frunció el entrecejo, preocupado, al ver lágrimas en los ojos de la muchacha.

—¿Te he lastimado otra vez, cariño? Cuando estoy dentro de ti, me pongo un poco loco. Yo...

Tenía la voz cargada de emoción. Ella extendió la mano para acariciarle la mejilla.

—Yo también me pongo un poco loca —confesó—. Me haces olvidar lo sensible que estoy aún en esa zona.

—Entonces ¿por qué estás molesta?

—No lo estoy. Solo trataba de poner un poco de orden en mis pensamientos.

—¿Ordenar conceptos como amor y lujuria?

Ella asintió y él sonrió.

—Cariño, he tenido esa clase de apetito por ti durante mucho tiempo y tú, por mí —añadió, asintiendo con la cabeza.

Pensó que eso la complacería, pero Alesandra lo sorprendió al mirarlo ceñuda.

—La lujuria es un pecado —susurró—. Debo admitir que me resultabas muy atractivo, pero no dudes que no he deseado tenerte en mi cama.

—¿Y por qué no?

Alesandra no podía creer que él se hubiera molestado por esa confesión. Supuso que se trataría de su ego masculino y que ella, sin darse cuenta, lo había atacado.

—Porque no sabía lo que sucedería allí. Nadie me contó lo maravilloso que es hacer el amor. ¿Ahora me entiendes?

Él sonrió.

—¿Sabes una cosa, Colin? Acabo de darme cuenta de todo —anunció—. Hasta hace un rato, no podía entender por qué me sentía tan vulnerable, pero ahora he descubierto la razón y me siento mucho mejor.

—Explícamelo —le pidió.

—Porque esta intimidad es algo nuevo para mí, por supuesto. Yo no tenía idea de lo magnífico que sería todo esto y tampoco me había dado cuenta de que me involucraría tanto emocionalmente. —Hizo una pausa para sonreírle—. Si yo hubiera tenido tu experiencia, probablemente no me habría sentido tan vulnerable.

—No es pecado que una esposa se sienta vulnerable —dijo—. Pero en tu situación no tiene ningún sentido.

—¿Por qué no?

—Porque sabes que yo cuidaré de ti y no tienes razón alguna para sentirte vulnerable.

—Ese es un comentario muy arrogante, esposo.

Colin se encogió de hombros.

—Soy un hombre arrogante.

—¿Alguna vez los maridos se sienten vulnerables?

—No.

—Pero, Colin, si...

Él no le permitió terminar la frase. Posó su boca sobre la de ella para ahogar las palabras. Su intención solo había sido distraerla de esa conversación tan extraña. Pero Alesandra abrió la boca y buscó su lengua con la de ella. Le rodeó el cuello con los brazos y Colin, de repente, se sintió envuelto en una pasión inédita.

Volvió a hacerle el amor. Trató de ser suave e ir lentamente, pero ella desbarató sus nobles intenciones al responderle con tanto abandono. Aunque a Colin no le pareció posible, cada vez era mejor, hasta más satisfactorio. Su orgasmo fue agotador, pero al sentir las lágrimas de Alesandra sobre su hombro, pensó que la había lastimado de verdad.

Colin encendió las velas. La tomó entre sus brazos y la tranquilizó con palabras dulces. Ella le juró que no la había lastimado, pero no pudo explicarle por qué se había puesto a llorar.

Él no insistió demasiado, pues los bostezos de la muchacha manifestaron que estaba exhausta. Era extraño, pero él se había despabilado por completo. El temor ante la posibilidad de haberla lastimado de verdad lo puso muy nervioso. Sabía que le llevaría un rato serenarse. Las listas que Alesandra había confeccionado le llamaron la atención cuando se volvió para apagar las velas. En la página superior alcanzó a leer dos nombres, lady Victoria y lady Roberta. Alesandra había puesto signos de interrogación al lado de cada nombre.

Naturalmente, Colin sintió mucha curiosidad. Alesandra estaba a punto de quedarse dormida cuando él le dio un codazo.

—¿Qué es esto?

Ella no abrió los ojos. Colin le leyó los nombres y le pidió que se explicara.

—¿No podemos hablar de esto mañana por la mañana?

Colin estuba a punto de darle el gusto, cuando ella, entre murmullos, añadió:

—Podría existir una relación entre ambas mujeres. Al fin y al cabo, las dos han desaparecido. Después de que hable con el esposo de lady Roberta, te lo explicaré todo. Buenas noches, Colin.

—Tú no hablarás con el vizconde.

El tono de su voz le quitó el sueño.

—¿No?

—No. Él ya tiene bastantes problemas estos días. Lo único que le falta es que vayas a formularle estas preguntas odiosas.

—Colin, yo...

No la dejó terminar.

—Te lo prohíbo, Alesandra. Dame tu palabra de que no lo molestarás.

Alesandra estaba azorada por esa actitud tan altanera y enojada también. Ya no era una niña que tenía que pedir la autorización de sus padres para perseguir un objetivo o disipar una preocupación. Lo mejor era que Colin comprendiera de una vez por todas que ella tenía una inteligencia propia e independiente y que la usaría cuando lo creyera pertinente.

—Prométemelo, Alesandra —exigió una vez más.

—No.

Colin no podía creer lo que acababa de escuchar.

—¿No?

Como ella aún tenía el rostro bajo el mentón de su esposo y él no podía ver su expresión, se sintió con toda libertad de hacer las muecas que quiso. Dios, parecía tan implacable. La apretó con el brazo. Alesandra supuso que una buena esposa debería tratar de aplacar a su marido.

Pero también supuso que no estaba en su naturaleza ser una buena esposa, porque ningún hombre, ni siquiera Colin, podía dirigir sus actos.

¡Pedirle permiso! Se alejó de él y se sentó. El cabello le tapó la mitad del rostro. Se lo retiró, sobre los hombros, para responder a su mirada iracunda con otra de ella.

—El matrimonio es algo nuevo para ti, Colin, y por eso tendrás que escucharme cuando te digo...

—Corrígeme si me equivoco pero ¿no nos hemos casado los dos al mismo tiempo?

—Sí...

—Entonces el matrimonio es igualmente nuevo para ti, ¿no?

Alesandra asintió.

—Nuevo o viejo, Alesandra, los votos no cambian. Las esposas deben obediencia a sus esposos.

—Pero el nuestro no es un matrimonio convencional —contradijo ella—. Tú y yo hemos hecho un trato antes de pasar por los votos matrimoniales. Obviamente, te has olvidado de ese detalle y, por esa razón, haré caso omiso de tu ultrajante orden. Además, voy a recordarte que hemos convenido en no estar revoloteando uno alrededor del otro.

—No es cierto.

—Fue una promesa tácita que nos hemos hecho mutuamente. Yo te dije que no me gustaría un esposo que estuviera todo el tiempo encima de mí y tú admitiste que tampoco querías eso de una esposa.

—¿Pero qué rayos tiene eso que ver con...?

—Cuando yo hablo de «revolotear», me refiero a una persona que interfiere en todo —le dijo ella—. En varias ocasiones, me has dicho muy claramente que no querías mi ayuda ni mi interferencia en tus asuntos comerciales. Ahora, yo quiero aprovechar esta oportunidad para insistir en que tú tampoco interfieras en mis cosas.

Alesandra no podía mirarlo directamente a los ojos. La incrédula expresión de Colin la ponía nerviosa. Fijó la vista en su mentón.

—Mi padre jamás habría prohibido nada a mi madre, pues el matrimonio de ellos se había edificado sobre una base de confianza y respeto mutuos. Espero que con el tiempo nosotros podamos llegar al mismo arreglo.

—¿Has terminado?

La princesa estaba contenta de que Colin no pareciera estar enfadado con ella. Después de todo, Colin sería razonable en ese aspecto: le había permitido explayarse sin dejar que su arrogante naturaleza se interpusiera.

—Sí, gracias.

—Mírame.

De inmediato, la joven levantó la vista para mirarlo a los ojos. Si bien Colin no pronunció ni una sola palabra durante un largo rato, su mirada la preocupó. Su expresión no le dio indicios respecto de lo que estaba pensando. Esa increíble habilidad que tenía para disimular sus sentimientos la impresionaba.

—¿Querías decirme algo? —preguntó Alesandra cuando creyó que ya no podría tolerar el silencio ni un momento más.

Él asintió. Ella sonrió.

—No hablarás con el vizconde sobre su esposa.

Estaban exactamente en el punto de partida. Obviamente, Colin no había escuchado ni una sola palabra del sermón. Tenía ganas de darle puntapiés por lo obcecado que era. Pero por supuesto no lo hizo, porque era una dama. Claro que, de ese modo, su imposible marido jamás se daría cuenta de lo furiosa que estaba.

Para ser totalmente franca, Colin habría insultado hasta a la madre superiora.

Colin se obligó a no sonreír, porque el asunto era demasiado serio para que se tomara a risa. Sin embargo la expresión de Alesandra le resultó divertidísima. Parecía que quería matarlo.

—Quiero tu promesa, esposa.

—Oh, está bien —gritó—. Tú ganas. No molestaré al vizconde.

—No se trata aquí de ganar o perder —le dijo él—. El vizconde ya esta demasiado amargado para que tú vayas a ponerle el dedo en la llaga con tus preguntas.

—No crees para nada en mi buen juicio, ¿verdad?

—No.

Esa respuesta la hirió mucho más que la orden que le había dado anteriormente. Trató de volver el rostro, pero él se lo impidió sujetándole el mentón.

—¿Tú crees en mi buen juicio?

Esparaba escuchar la misma negativa por parte de ella. Alesandra aún no lo conocía lo suficiente para depositar en él toda su confianza.

—Sí, por supuesto que confío en tu buen juicio.

Colin no pudo contener su sorpresa ni su placer. La tomó por el cuello, la atrajo hacia sí con fuerza y la besó fervientemente.

—Me complace mucho saber que instintivamente ya has depositado tu confianza en mí.

Alesandra se retiró hacia atrás y lo miró con el entrecejo fruncido.

—No ha sido instintivo —dijo ella—. Ya me has demostrado que en ocasiones puedes usar tu buen juicio.

—¿Cuándo?

—Cuando te casaste conmigo. Allí usaste tu buen juicio. Ahora comprendo, por supuesto, que sabías algo que yo ignoraba.

—¿Y qué es lo que sabía?

—Que nadie más te tendría.

Deliberadamente trató de irritarlo con ese comentario, porque ella aún estaba enfadada con él, pero Colin no se ofendió en lo más mínimo. La bofetada que recibió su arrogancia pasó totalmente inadvertida. Cuando se echó a reír, Alesandra pensó que él o bien no se había enterado de que acababa de insultarlo, o que no le importaba.

—Me complaces, Alesandra.

—Por supuesto que te complazco. Acabo de ceder.

Alesandra se acomodó la almohada y se metió bajo las mantas para a descansar a su lado.

—El matrimonio es mucho más complicado de lo que había imaginado —susurró—. ¿Siempre tendré que ser yo la que ceda en todo?

Dios, qué triste era el tono de su voz.

—No, no siempre tendrás que ser tú.

El resoplido tan poco femenino que soltó Alesandra le dio a entender que no le había creído.

—En el matrimonio se da y se toma constantemente —especuló Colin.

—Es decir, que es la esposa la que da constantemente y el marido el que toma invariablemente, ¿no?

Colin no contestó. Se puso de lado y atrajo a Alesandra hacia él. Sus hombros quedaron sobre el pecho de Colin y sus nalgas, contra el órgano viril. La parte posterior de sus piernas, tan suaves como la seda, le cubrían los muslos. Dios lo protegiera, pero cómo le gustaba sentirla sobre su piel. Le rodeó las caderas con un brazo, apoyó el mentón sobre su cabeza y cerró los ojos.

Pasaron largos minutos en silencio. Colin pensó que Alesandra se había dormido ya, y empezaba a retirarse ligeramente cuando la oyó murmurar.

—No me agrada la palabra obedecer, Colin.

—Eso supuse —le dijo él secamente.

—En realidad, una princesa no debe obedecer a nadie.

Fue un comentario baladí.

—Pero tú eres mi princesa —le recordó— y, consecuentemente, harás lo que yo crea que es mejor. Ambos tendremos que someternos a la tradición un tiempo. Ninguno de los dos tiene experiencia en la vida conyugal. Yo no soy un ogro, pero el hecho es que tú juraste obediencia. Específicamente recuerdo que lo prometías mientras pronunciabas tus votos.

—Ojalá fueras más razonable.

—Siempre lo soy.

—¿Colin?

—¿Sí?

—Vete a dormir.

La dejó quedarse con la última palabra. Esperó un buen rato hasta asegurarse de que ya se había quedado dormida para levantarse de la cama e ir a su propio cuarto.

Alesandra lo escuchó marcharse. A punto estuvo de llamarle para preguntarle por qué no quería dormir toda la noche con ella, pero el orgullo la detuvo. Las lágrimas acudieron a sus ojos. Se sentía rechazada por su esposo. Esa reacción no tenía ningún sentido, especialmente después de que Colin le había hecho el amor de una manera tan ardiente. Sin embargo, estaba demasiado cansada para ponerse a meditar.

Pero el sueño de la princesa no fue profundo. Una hora después, se despertó por un ruido extraño, como si alguien estuviera rasgando algo, que provenía del cuarto de Colin. De inmediato se levantó para investigar. No tenía intenciones de entrar, y por lo tanto no se molestó en ponerse la bata ni las pantuflas.

Escuchó un insulto justo cuando abrió apenas la puerta para espiar en el interior de la habitación. Colin estaba frente a la chimenea. Se había acercado el taburete para apoyar los pies y mientras ella lo contemplaba, colocó un pie sobre los cojines, para masajearse la pierna lesionada con ambas manos.

Colin no advirtió que Alesandra estaba allí observándolo. Estaba segura de ello por la expresión de su rostro. No estaba alerta como siempre y aunque la princesa solo podía verle una parte de la cara, le bastó para darse cuenta de que estaba viviendo una tortura.

Debió recurrir a todas sus fuerzas para no entrar corriendo en el cuarto y ofrecerle toda la ayuda que pudiera brindarle. Pero el orgullo de su esposo estaba en juego y ella sabía que, si Colin se enteraba de que había estado espiándolo, se enfurecería.

El masaje muscular no lo ayudó a aliviar el dolor. Colin se enderezó y empezó a caminar de aquí para allá frente a la chimenea. Trataba de relajar las contracturas que tenía en lo que le había quedado de pantorrilla en la pierna izquierda. Cuando pasó todo el peso de su cuerpo sobre esa pierna, el espasmo de dolor le llegó hasta el pecho. Tuvo la sensación de que un rayo lo había partido, y ciertamente, casi se dobló en dos. Sin embargo, se negó a sucumbir al dolor. Apretó la mandíbula, respiró profundamente y siguió caminando. Por experiencias anteriores, sabía que finalmente lograría hacer desaparecer el calambre si seguía caminando. Algunas noches, solo le llevaba una hora. Otras, mucho, mucho más.

Colin se acercó a la puerta que comunicaba su habitación con la de Alesandra. Hizo ademán de tocar el picaporte, pero se arrepintió. Tenía deseos de ir a ver si estaba descansando bien, pero temió despertarla, porque sabía que tenía un sueño muy liviano. Se había dado cuenta de ello cuando estuvo enfermo y ella dormía con él.

Alesandra necesitaba descansar. Él se volvió y siguió caminando. De pronto, se sorprendió pensando en ciertos fragmentos de la conversación que habían mantenido sobre la orden que él le había dado y el modo en que ella le había obedecido. Recordó el tono de su voz cuando le confesó que no le agradaba la palabra obedecer. Rayos, no podía culparla. Sabía que era una barbaridad obligar a una esposa a prometer obediencia a su marido por el resto de su vida. Esas opiniones tan radicales lo llevarían derechito a la prisión de Newgate si los conservadores se enteraban de sus pensamientos subversivos. Por otro lado, Colin tenía la honestidad suficiente para admitir que una parte de sí —una parte muy pequeña, por cierto— se sentía muy atraída ante la sola idea de tener una mujer que obedeciera cada una de sus órdenes. Sin embargo, esa atracción no sería muy duradera. Había sirvientes a los que se pagaba para que se encargaran de obedecer órdenes. Y, tal vez, existiera esa clase de esposas que se sometían a cualquier cosa. Pero Alesandra no entraba dentro de esa categoría. Gracias a Dios era así, pensó Colin. Era independiente y tenía una personalidad propia. A Colin no le habría gustado que fuera de otro modo. Era muy apasionada en todo.

Su princesa, pensó, había sido tallada a la perfección.

Alesandra no hizo ni un solo ruido al retirarse de la puerta y volver a la cama. Pero no podía olvidar la expresión de dolor de Colin. Le dolía el corazón por el sufrimiento de su esposo. Hasta esa noche, no se había dado cuenta de lo intenso que era, pero ahora que lo sabía juró tratar de buscar la manera de ayudarlo.

De pronto se encontró con una misión que cumplir. Encendió las velas y comenzó a escribir una lista de las cosas que tenía que hacer. Primero, se dedicaría a leer toda la literatura que hallara disponible. Segundo, visitaría al médico, sir Winters. Lo acosaría a preguntas y le pediría sugerencias. No se le ocurrió ninguna otra cosa que agregar a su lista, pues estaba muy cansada. Seguramente, después de dormir unas cuantas horas, encontraría otros planes de acción.

Colocó la lista sobre la mesa de noche y sopló las velas. Tenía las mejillas mojadas por las lágrimas. Se las secó con la colcha de la cama. Cerró los ojos y trató de seguir durmiendo.

Inesperadamente se dio cuenta de algo muy importante justo en el momento en que estaba quedándose dormida: Colin no quería dormir con ella por la pierna. No quería que ella se enterara de su agonía. Sí, era eso. Por supuesto era por orgullo, pero probablemente también le demostraba cierta consideración. Si necesitaba caminar todas las noches, la despertaría. Eso tenía sentido. Alesandra suspiró aliviada.

Después de todo, Colin no la había rechazado.

11

Colin sacudió a Alesandra hasta despertarla a la mañana siguiente.

—Cariño, abre los ojos. Quiero hablar contigo antes de irme.

Ella se esforzó por sentarse.

—¿Adónde vas?

—A trabajar —le contestó.

Alesandra comenzó a deslizarse nuevamente bajo las mantas. Colin se inclinó y la tomó por los hombros. No podía saber si tenía los ojos abiertos o no, porque su cabello rizado le tapaba la cara. Colin la sostuvo sentada con una mano, mientras que con la otra le apartaba el cabello. Estaba exasperado, pero también le hacía gracia la situación.

—¿Todavía no te has despertado?

—Creo que sí.

—Quiero que te quedes en casa hasta que yo vuelva. Ya he dado instrucciones a Stefan y a Raymond.

—¿Por qué tengo que quedarme aquí?

—¿Acaso ya te has olvidado de esa póliza de seguro que dura treinta días?

Alesandra bostezó audiblemente. Supuso que ya lo había olvidado.

—¿Te refieres a que tendré que quedarme encerrada bajo llave durante todo un mes?

—Así es.

—Colin, ¿qué hora es?

—Hace poco ha amanecido.

—Dios mío.

—¿Has escuchado mis instrucciones? —le preguntó.

Ella no le contestó. Se levantó de la cama, se puso la bata y fue al cuarto de Colin. Él la siguió.

—¿Qué estás haciendo?

—Me estoy acostando en tu cama.

—¿Por qué?

—Porque este es mi lugar.

Se arrebujó entre las mantas y, al instante, volvió a quedarse dormida. Colin la arropó, se agachó y le besó una ceja.

Flannaghan esperaba en el vestíbulo. Colin dio las instrucciones pertinentes al mayordomo. La casa de la ciudad habría de convertirse en un fuerte durante los próximos treinta días y nadie tendría permitida la entrada, excepto los parientes más cercanos.

—Será muy difícil impedir que vengan visitas, milord, pero mantener a la princesa encerrada resultará mucho más difícil todavía.

El vaticinio de Flannaghan resultó muy cierto. La batalla empezó esa misma mañana pocas horas después. El mayordomo encontró a la princesa sentada en el suelo, en el cuarto de Colin. Estaba rodeada por una pila de zapatos de su esposo.

—¿Qué está haciendo, princesa?

—Colin necesita botas nuevas —contestó ella.

—Pero si tiene por lo menos cinco pares que nunca usa. Es un fanático de las viejas hessianas, aunque las wellington se han puesto más de moda.

Alesandra estaba contemplando las suelas de los diferentes calzados.

—Flannaghan, ¿se da cuenta de que el tacón de la bota izquierda apenas está gastado?

El mayordomo se arrodilló junto a su señora y miró la bota que ella sostenía en el aire.

—Parece nueva —comentó Flannaghan—. Pero sé que las usó...

—Sí, ya usó estas botas —lo interrumpió. Levantó entonces la bota derecha—. El tacón de esta está muy gastado, ¿no?

—¿Qué deduce de todo esto, princesa?

—Guárdame el secreto, Flannaghan. No quiero que esta conversación llegue a oídos de Colin. Está bastante acomplejado con su pierna.

—No diré ni una palabra.

Ella asintió.

—Parece que la pierna lesionada de Colin es un poco más corta que la otra. Me gustaría que un buen zapatero mirase estas botas para hacerles algunas modificaciones.

—¿Se refiere a que le pedirá que haga un tacón más alto que el otro, princesa? Colin se dará cuenta.

Ella meneó la cabeza.

—Estaba pensando en introducir otra cosa de una manera diferente... tal vez, una almohadilla de cuero que equipare el largo. ¿Quién hace las botas de Colin?

—Hoby hizo ese par —contestó Flannaghan—. Todos los caballeros importantes acuden a él para estas cosas.

—Entonces no nos sirve —decidió ella—. No quiero que nadie más se entere de este experimento. Tenemos que encontrar otro.

—Está Curtis —señaló Flannaghan, después de pensarlo un poco—. Él solía hacer los zapatos del padre de Colin. Ahora ya se ha retirado, pero aún vive en Londres y tal vez podamos persuadirlo para que colabore con usted.

—Pues iré a verlo de inmediato. Solo me llevaré un par de este calzado. Si la suerte está de nuestro lado, Colin ni se dará cuenta de la falta.

Flannaghan meneaba la cabeza con vehemencia.

—Usted no puede salir de esta casa, pero yo me sentiré más que complacido en cumplir el trámite —añadió sin demoras, al ver que Alesandra tenía intenciones de iniciar una discusión—. Si usted me escribe en una hoja de papel lo que desea que Curtis haga...

—Sí —aceptó ella—. Haré una lista de sugerencias. Qué buena idea. ¿Podrá ir esta tarde?

El mayordomo aceptó de inmediato. Alesandra le entregó el par de botas y se puso de pie.

—Si este plan nos da resultado, pediré a Curtis que me haga un par de botas de agua de media caña para Colin. Entonces podrá usarlas debajo de los pantalones. Bien, Flannaghan, tengo otra cosa más que pedirle.

—¿Sí, princesa?

—¿Sería tan amable de llevar una carta a sir Winters? Me gustaría que venga a visitarme esta tarde.

—Sí, por supuesto —aceptó el mayordomo—. ¿Puedo atreverme a preguntarle por qué quiere ver al médico?

—Esta tarde estaré enferma.

Flannaghan la creyó.

—¿Sí? ¿Y cómo sabe que...?

Ella suspiró.

—Si le explico todo y le ruego que sea reservado, tendrá que mentirle a su señor. No podemos permitir eso, ¿eh?

—No, por supuesto que no.

—Como verá, Flannaghan, lo mejor es que no se entere.

—Tiene que ver con Colin, ¿verdad?

Ella sonrió.

—Tal vez.

Alesandra dejó que Flannaghan colocara todos los zapatos en su sitio mientras ella iba a su cuarto para confeccionar la lista que enviaría al zapatero. Las botas que Alesandra enviaba estaban hechas de una badana negra muy suave. En la nota escribió que deseaba que estirara el cuero de la caña lo máximo posible para dar lugar a la inserción que ella esperaba que Curtis pudiera hacer.

Luego escribió la nota para sir Winters solicitándole que se presentara a las cuatro de la tarde.

El médico fue muy puntual. Stefan lo escoltó hasta el salón y se atrevió a echar una mirada de reproche a su señora por haber insistido en que permitiera entrar al médico en la casa. Ella, en cambio, le sonrió.

—Sir Winters es como de la familia —aseguró la princesa—. No me siento muy bien, Stefan. Necesito que me atienda.

El guardia se sintió apenado, y Alesandra, un poco culpable por haberle mentido tan descaradamente. Sin embargo logró superarlo de inmediato al recordar que los intereses de Colin estaban en juego.

Prácticamente echó al guardia del salón y cerró ambas puertas. Sir Winters permaneció de pie, junto a ella. Llevaba un maletín de cuero marrón debajo del brazo. Alesandra le indicó con un un ademán que se sentara en el sillón.

—Si está indispuesta, ¿no cree que debería estar en la cama, princesa?

Ella sonrió.

—No estoy enferma —anunció—. Tengo un ligero picor en la garganta. Eso es todo.

—Entonces, con bastante té caliente solucionará su problema —le aconsejó sir Winters—. Con un toque de coñac aliviará el picor.

Como él le hablaba con tanta sinceridad y preocupación, Alesandra no pudo seguir adelante con su mentira.

—Tenía otro propósito en mente cuando le pedí que viniera a verme —admitió—. Me gustaría hablarle de Colin.

Alesandra se sentó frente al médico y puso ambas manos sobre la falda.

—Tuve que recurrir a esa pequeña treta para hacerlo venir —confesó, comportándose como si hubiera cometido el peor de los pecados—. En realidad, no me duele la garganta. La verdad, solo me duele cuando quiero gritar a mi obstinado marido y sé que no puedo.

Sir Winters sonrió.

—Colin es obstinado, ¿no?

—Sí —contestó ella.

—¿Está enfermo, entonces? —preguntó el médico, tratando de enterarse del verdadero motivo por el que lo habían citado allí.

Ella meneó la cabeza.

—Es su pierna —explicó en un susurro—. No quiere hablar de su lesión, pero yo sé que le duele terriblemente. Me preguntaba si podía hacerse algo para aliviarle esa tortura.

El médico se reclinó en los almohadones. La expresión en los ojos de la princesa le indicó que estaba sinceramente preocupada.

—No le ha contado cómo se lastimó, ¿verdad?

—No.

—Un tiburón fue la causa, princesa. Yo le atendí y, por un momento, pensé que habría que cortársela. El socio de Colin, Nathan, no me lo permitió. Como verá, su esposo no estaba en condiciones de emitir su opinión. Afortunadamente perdió el conocimiento en lo peor del trance.

Llamaron a la puerta interrumpiendo la conversación. Flannaghan entró con una bandeja de plata. Ninguno de los dos volvió a pronunciar palabra hasta que el criado se marchó nuevamente después de haberles servido el té.

Sir Winters dejó de lado su maletín para deleitarse con la variedad de galletas que le habían servido en la bandeja. Mordisqueó una y bebió un sorbo de té.

—Colin se irritaría terriblemente si se enterase de que estamos hablando de su lesión —admitió ella—. Y me siento culpable porque sé que se disgustará conmigo.

—Tonterías —contradijo el doctor—. Usted solo está pensando en el bien de Colin. Yo no le diré nada de esta charla. Bien, en cuanto a su pregunta. ¿Cómo puede ayudarle? Yo le sugeriría láudano o coñac cuando el dolor sea intenso, pero sé que Colin no aceptará ninguna de las dos cosas.

—¿Lo hace por orgullo? —le preguntó, tratando de entender.

Winters meneó la cabeza.

—Por miedo a la dependencia. El láudano es adictivo, princesa, y dicen que algunas bebidas alcohólicas también pueden serlo. Independientemente de ello, Colin no se arriesgará.

—Entiendo —comentó ella, al ver que el médico no continuaba.

—También sugerí que se colocara un clavo de acero desde la rodillas hasta el tobillo. Pero su esposo pareció espantado con mi idea.

—Es muy orgulloso.

Winters asintió.

—Y también es más inteligente que yo —comentó—. Nunca creí que pudiera volver a caminar sin ayuda. Él me demostró que estaba equivocado. Lo que le haya quedado de músculo se fortaleció lo suficiente para soportar el peso de su cuerpo. Ahora apenas renquea.

—Por la noche, cuando está cansado, lo hace.

—Entonces tendría que aplicarse toallas calientes. No le fortalecerán la pierna, por supuesto, pero lo ayudarán a aliviar la incomodidad. Un buen masaje también podría servir.

Alesandra se preguntaba cómo rayos haría para convencer a Colin de que siguiera todos esos consejos. Sin embargo, ese sería su problema, no el de Winters. Se preocuparía al respecto después de que el doctor se marchara.

—¿Algo más? —le preguntó ella.

—Tendría que acostarse o sentarse cuando el dolor se intensifique —dijo sir Winters—. No tendría que esperar a que el dolor sea insoportable.

Alesandra asintió. Estaba completamente desalentada, pero trató de mantener una expresión serena para que el hombre no se diera cuenta de su desazón. Todas esas sugerencias eran muy superficiales para ser optimistas.

—Todas sus recomendaciones apuntan a aliviar los síntomas, sir Winters, pero yo esperaba que me sugiriese algo para atacar las causas del mal.

—Eso sería esperar un milagro —respondió sir Winters—. No puede hacerse nada para que su pierna esté completamente bien otra vez, princesa —le dijo, con una voz muy suave.

—Sí —murmuró—. Supongo que pretendía un milagro. No obstante, sus sugerencias me serán de utilidad. Si se le ocurre alguna otra cosa, ¿será tan amable de enviarme una nota? Pondré en práctica todos los consejos que pueda darme.

Sir Winters cogió la última galleta que quedaba en

la bandeja. Estaba tan concentrado pensando en el estado de salud de Colin que ni siquiera se dio cuenta de que se había comido casi todo lo que había. Alesandra volvió a servirle más té.

—¿Todos los maridos son tan cabezotas? —preguntó al médico.

Sir Winters sonrió.

—Parece ser una característica que todos los maridos comparten.

Le contó varias anécdotas de caballeros con título que se habían negado a reconocer que realmente necesitaban los servicios de un médico. Su favorita era la historia del marqués de Ackerman. El caballero había participado en un duelo en el que le habían disparado en un hombro. Pero era tan obstinado que no dejaba que nadie le curara la herida. A Winters lo había llamado el hermano del marqués.

—Lo encontramos en White's, sobre una de las mesas de juego —le dijo—. Tres de sus amigos tuvieron que sacarlo a rastras de allí, y cuando por fin se quitó la chaqueta, oh, Dios, tenía sangre por todas partes.

—¿Y se recuperó?

Winters asintió.

—Era demasiado obstinado para morirse. Se pasó la vida refiriéndose a su herida como una «cosita de nada». Yo aconsejé a su esposa que lo atara a los pies de la cama hasta que se recuperase por completo.

Alesandra sonrió al imaginarse el cuadro.

—Colin es así de terco —declaró con un suspiro—. Le agradecería que esta conversación quedara entre nosotros. Como ya le dije, Colin es muy sensible con la lesión de su pierna.

Sir Winters dejó la taza y el plato del té sobre la bandeja, cogió su maletín y se dispuso a marcharse.

—No tiene que preocuparse, princesa. No comentaré una sola palabra de esta visita. Se sorprendería si le contara cuántas esposas buscan mis consejos para cuidar del bienestar de sus maridos.

La puerta del salón se abrió justo cuando Winters iba a tocar el picaporte. Colin se hizo a un lado para dejar pasar al médico. Asintió rápidamente con la cabeza, a modo de saludo, y de inmediato se dirigió a su esposa.

—Flannaghan me dijo que estabas enferma.

Colin no le dio tiempo a contestar, pues de inmediato miró al médico para preguntarle:

—¿Qué le sucede?

Alesandra no quería que el médico tuviera que mentir por culpa de ella.

—Tenía un poco de carraspera, eso es todo. Pero ahora me siento mejor. Sir Winters me sugirió que bebiera té caliente.

—Sí —convino Winters.

Algo no cuadraba, pero Colin no podía adivinar de qué se trataba. Alesandra no podía mirarlo a los ojos. Por eso se dio cuenta de que no estaba diciéndole la verdad. No parecía enferma. Tenía las mejillas rosadas, más de la cuenta, señal de que estaba avergonzada por algo. Colin decidió que lo mejor era esperar a que estuvieran solos para averiguar lo que ocurría.

Alesandra se quedó junto a Colin mientras conversaba con el médico. Por casualidad, miró por encima del hombro y vio que Flannaghan estaba de pie, a unos pocos metros de distancia. El sirviente le dirigió una expresión de condolencia.

La princesa se sentía culpable por haberle mentido a su marido, y la expresión de Flannaghan la hizo sentir peor todavía.

De inmediato se consoló diciéndose que sus motivos eran buenos y nobles. Suspiró. Había dado el mismo pretexto a la madre superiora cuando hizo el segundo juego de libros de contabilidad.

Un pecado siempre es un pecado, según las propias palabras de la monja cuando descubrió el engaño. Grande o pequeño, no importa. La madre superiora le había asegurado, con gran autoridad, que Dios llevaba una lista de todos los pecados que los hombres y las mujeres habían cometido en este mundo. Y según las especulaciones de la monja, la de Alesandra sería tan larga que sin duda llegaría al fondo del océano.

Alesandra no creía haber pecado tanto ni con tanta frecuencia. Se imaginaba que su lista sería tan grande como su sombra. Se preguntaba si el Creador habría confeccionado una lista con dos columnas en el caso de ella. Una, para las infracciones más insignificantes y la otra, para las ofensas más sustanciales.

De pronto, aterrizó nuevamente en la realidad, cuando sir Winters dijo:

—Lamenté mucho enterarme de la pérdida del *Diamante*, Colin. Qué mala suerte.

—¿Has perdido un diamante? —preguntó Alesandra, tratando de entender.

Colin negó con la cabeza.

—Es un barco, Alesandra. Se hundió con la carga completa. Winters, ¿cómo se ha enterado tan pronto? A mí me avisaron ayer.

—Un amigo mío estuvo en el Lloyd's haciendo unos negocios hoy. Uno de sus agentes se lo mencionó. Ellos le aseguraron el siniestro, ¿no?

—Sí.

—¿Es cierto que se trata del segundo barco que usted y Nathan han perdido este año?

Colin asintió.

—¿Por qué no me lo contaste? —preguntó Alesandra.

Trató de disimular el dolor que sentía. Pero le resultaba una tarea difícil.

—No quise preocuparte —le explicó Colin.

Alesandra no creyó que él le hubiera revelado todas las razones por las que decidió guardar silencio. Si bien podía ser cierto que no había querido preocuparla, lo más importante era que no había querido compartir sus penas con ella. Alesandra trató de no sentirse ofendida. Colin estaba habituado a guardarse sus cosas para sí, lo había hecho toda la vida. Tal vez le resultaba difícil confiar sus problemas a otra persona, aunque se tratara de su esposa.

La princesa decidió que tendría que intentar ser paciente con él. Primero Colin tendría que acostumbrarse a tenerla cerca, antes de confiar en ella con toda naturalidad.

Colin todavía estaba charlando con el médico cuando ella se excusó para subir. Fue a su cuarto a tomar nota de todas las sugerencias que sir Wmters le había hecho para aliviar el dolor de Colin, pero su mente no estaba en eso. Debía haberle contado lo del barco, maldición. Si él estaba preocupado, ella también tenía todo el derecho del mundo a estarlo. Se suponía que los esposos y sus mujeres tenías que compartir sus problemas, ¿no?

Flannaghan subió a buscarla para cenar. Mientras bajaban, ella le pidió otro favor.

—¿Se ha enterado de lo sucedido con el vizconde de Talbot?

—Oh, sí —contestó Flannaghan—. Todo el mundo habla de lo mismo. Lady Roberta abandonó a su esposo.

—Colin me ha prohibido hablar con el vizconde y yo tengo que obedecerle. Mi esposo cree que molestaría al pobre hombre.

—¿Por qué desea hablar con él?

—Porque creo que puede haber una relación entre la repentina desaparición de su esposa y la de mi amiga, lady Victoria. Ella también se esfumó, Flannaghan. Yo deseaba saber si usted estaría dispuesto a hablar con los sirvientes del vizconde en mi lugar para averiguar si lady Roberta recibió algunos obsequios de algún admirador secreto, ¿sabe?

—¿Qué clase de obsequios, princesa?

La joven se encogió de hombros.

—Flores... tal vez, bombones —dijo ella—. ¿Las criadas no advertirían regalos de esa naturaleza?

Flannaghan afirmó con la cabeza.

—Sí, por supuesto que se darían cuenta. Hablarían entre ellas también, pero no conmigo. Claro que si la cocinera va al mercado mañana, tal vez se entere de un par de cosas. ¿Quiere que se lo pida a ella?

—Sí, por favor —contestó Alesandra.

—¿Qué están murmurando ustedes dos?

Colin formuló la pregunta desde la puerta del comedor. Sonrió al ver que su esposa se sobresaltaba por la pregunta. Se despegó casi treinta centímetros del suelo.

—Pareces un poco nerviosa esta noche.

Alesandra no tuvo una respuesta rápida para el comentario. Siguió a Flannaghan al comedor. Colin retiró la silla para que su esposa se sentara y luego ocupó la cabecera de la mesa junto a ella.

—¿Tendré que quedarme encerrada durante un mes entero? —preguntó ella.

—Sí.

Colin estaba muy ocupado revisando una pila de cartas que habían llegado y ni se molestó en mirar en su dirección cuando le contestó.

Ese hombre ni siquiera podía apartarse de su trabajo el tiempo suficiente para disfrutar de una comida decente. Se planteó si tendría problemas digestivos. Estuvo a punto de preguntárselo, pero cambió de opinión y se dedicó a hablar de otro tema.

—¿Y qué me dices del primer baile de Catherine? Solo falta una semana, Colin, y no quiero perdérmelo.

—Te contaré todo lo que pase allí.

—¿Irás sin mí?

Alesandra pareció herida. Él sonrió.

—Sí —contestó—. Yo tengo que ir y tú debes ser razonable.

Por el modo en que apretaba las mandíbulas, Alesandra se dio cuenta de que la decisión ya estaba tomada. Tamborileó con los dedos en la superficie de la mesa.

—Es una grosería leer la correspondencia mientras estás sentado a la mesa.

Colin estaba tan ocupado leyendo la carta de su socio que ni siquiera la escuchó. Terminó la larga misiva y luego dejó los papeles sobre la mesa.

—La esposa de Nathan ha dado a luz a una niña. La han llamado Joanna. Esta carta tiene ya casi tres meses. En ella me dice que en cuanto Sara y la niña se sientan bien, volverán a Londres a hacernos una breve visita. Jimbo se encargará de atender las oficinas mientras esté ausente.

—¿Quién es Jimbo? —preguntó Alesandra sonriendo por lo extraño que le resultaba ese nombre.

—Un muy buen amigo —respondió Colin—. Es capitán de uno de nuestros barcos, el *Esmeralda*. Pero como es realmente necesario realizar algunas reparaciones en ese buque, Jimbo tendrá bastante tiempo libre.

—Esas son buenas noticias, Colin.

—Sí, por supuesto que lo son.

—Entonces ¿por qué frunces el ceño?

Colin no se había dado cuenta de su gesto hasta que

ella lo preguntó. Se reclinó contra el respaldo de la silla y le dedicó toda su atención.

—Nathan quiere ofrecer a la venta diez o veinte acciones. Detesto la idea, y sé que, en el fondo, Nathan siente lo mismo. Sin embargo, lo comprendo. Ahora tiene una familia y tiene que mantenerla. Él y Sara han vivido en casas de alquiler, pero ahora que la niña ha nacido quieren establecerse de forma permanente.

—¿Por qué los dos os oponéis tanto a la participación de terceros?

—Porque queremos mantener el control de la empresa.

Alesandra estaba exasperada con él.

—Pero si se venden diez o veinte acciones solamente, tú y Nathan seguiréis siendo los socios mayoritarios.

Colin no pareció impresionarse con la lógica de su esposa, pues seguía frunciendo el ceño. Entonces, Alesandra optó por otro tipo de razonamiento.

—¿Qué pasa si vendes las acciones a miembros de la familia?

—No.

—¿Por qué no, por el amor de Dios?

Colin suspiró.

—Sería lo mismo que un préstamo.

—No. Al final Caine y tu padre obtendrían sus buenas ganancias. Sería una excelente inversión.

—¿Por qué mandaste llamar a Winters?

Colin cambió de tema a propósito. Pero ella no estaba dispuesta a permitirle que se saliera con la suya.

—¿Nathan ha dado su consentimiento para que se haga esta venta?

—Sí.

—¿Y cuándo lo decidirás?

—Ya lo he decidido. Haré que Dreyson se encargue de esta transacción. Ahora basta ya de hablar de este tema. Contesta a mi pregunta. ¿Por qué has mandado llamar a sir Winters?

—Ya te lo expliqué —le dijo—. Tengo una carrasp...

—Ya lo sé —dijo Colin—. Te pica la garganta.

Alesandra doblaba y desdoblaba la servilleta.

—En realidad, fue una pequeña trampa.

—Sí, ya lo sé. Y ahora quiero que me cuentes toda la verdad y que me mires a los ojos mientras lo haces.

Alesandra dejó caer la servilleta sobre la falda y por fin lo miró.

—Es una grosería de tu parte insinuar que te he mentido.

—¿Lo has hecho?

—Sí.

—¿Por qué?

—Porque si te contaba toda la verdad, te enfadarías conmigo.

—No volverás a mentirme en el futuro, esposa. Quiero tu palabra.

—Tú me mentiste.

—¿Cuándo?

—Cuando me dijiste que ya no trabajabas para sir Richards. He visto los ingresos en efectivo en tus libros de contabilidad, Colin, y también lo oí a él decir que tenías una nueva misión. Sí, me mentiste. Si tú me prometes que no me mentirás más, yo también me sentiré feliz de no faltarte a la verdad en lo sucesivo.

—Alesandra, no es lo mismo.

—No, no lo es.

De pronto se enfureció con su esposo. Arrojó la servilleta violentamente sobre la mesa justo en el momento en que la puerta se abría para dar paso a Flannaghan, que entraba con una bandeja llena de comida entre las manos.

—Yo no me arriesgo, Colin. Tú sí. Te importo un rábano, ¿no es verdad?

No le dio tiempo a contestar y siguió con el sermón.

—Te pones en peligro deliberadamente. Yo jamás haría semejante cosa. Ahora que estamos casados, no solo pienso en lo que es mejor para mí, sino en tu bienestar. Si algo te sucediera, me sentiría desolada. Sin embargo, presiento que si algo me pasara a mí, tú solo pensarías que fue una contrariedad. Mi funeral te obligaría a dejar de trabajar durante unas cuantas horas. Por favor, te ruego que me permitas retirarme antes de decir algo de lo que pueda arrepentirme después.

Alesandra no esperó la autorización. También desoyó la orden de su esposo de regresar a la mesa y sentarse, y salió corriendo hacia su cuarto. Habría deseado descargar toda su ira dando un fuerte portazo, pero no cedió a la tentación porque no habría sido digno.

Afortunadamente Colin no la siguió, ya que necesitaba estar un rato sola para ordenar sus alborotadas emociones. Estaba asombrada por haberse enfurecido con él de ese modo, tan repentinamente. No era la tutora de Colin, recordó, y si él deseaba trabajar para Richards, ella no podía ni debía disuadirlo.

Pero por otra parte, él tampoco debería desear arriesgarse de ese modo. Si ella le importaba un poquito, no debía herirla de esa forma.

Alesandra trató de digerir su rabia. No hizo más que caminar de aquí para allá frente a la chimenea mascullando todo el tiempo durante más de diez minutos.

—La madre superiora jamás se habría expuesto a ningún riesgo. Sabía cuánto dependía yo de ella y por eso nunca la sedujo el peligro. Ella me amaba, maldita sea.

A pesar de que Alesandra no era católica, se hizo la señal de la cruz después de pronunciar la blasfemia.

—Dudo que Richards le hubiera pedido a esa monja que trabajara para él, Alesandra.

Colin habló desde la puerta. Alesandra había estado tan enfurecida, despotricando continuamente, que ni siquiera había advertido que él había entrado. Se volvió y vio a su esposo apoyado contra el marco. Estaba de brazos cruzados y sonriente. Pero fue la ternura de sus ojos lo que la desarmó.

—Tu diversión me desagrada.

—Tu comportamiento me desagrada —le contestó él—. ¿Por qué no me dijiste que estabas enfadada por el tema de Richards?

—No sabía que lo estaba.

Colin arqueó una ceja al escuchar comentario tan descabellado.

—¿Quieres que renuncie?

Empezó a afirmar con la cabeza, pero al segundo, se arrepintió e hizo el gesto opuesto.

—Quiero que tú quieras renunciar. Hay una diferencia, Colin. Dios mediante, algún día lo entenderás.

—Ayúdame tú a entenderlo ahora.

Alesandra se volvió hacia la chimenea antes de hablar de nuevo.

—Yo jamás me habría arriesgado deliberadamente mientras viví en el convento (por lo menos, no después de la lección que aprendí). Hubo un incendio, ¿sabes?, y yo quedé atrapada en el interior. Logré salir justo antes de que el tejado se derrumbara. La madre superiora estaba muerta de preocupación. Lloraba de verdad. Estaba muy agradecida porque yo estaba bien, pero a la vez, furiosa conmigo porque yo había sacado una vela del candelabro para leer la carta de Victoria en lugar de ponerme a rezar, como se suponía que debía hacer... Y yo me sentía muy mal por haberle causado tantos problemas. Lo del incendio fue un accidente, pero me prometí no volver a comportarme como una tonta.

—¿Por qué dices que te comportaste como una tonta si fue un accidente?

—Porque no hice otra cosa que entrar y salir de allí para rescatar los cuadros y las estatuillas que las monjas guardaban en ese cuarto.

—Eso fue una tontería.

—Sí.

—La madre superiora te quería como si fueras su propia hija, ¿verdad?

Alesandra asintió.

—Y tú a ella.

—Sí.

Transcurrió un largo minuto en silencio.

—Con el amor viene la responsabilidad —murmuró—. No me había dado cuenta de esa realidad hasta que vi lo mal que estaba la madre superiora por mi culpa.

—¿Tú me amas, Alesandra?

Colin llegó justo al fondo de la cuestión con esa pregunta. Alesandra se volvió para mirarlo en el momento en que él se apartaba del marco de la puerta para avanzar hacia ella. Enseguida la joven retrocedió.

—No quiero amarte.

El pánico de su voz no lo detuvo.

—¿Me amas? —volvió a preguntarle.

Fue una bendición que no hubiera fuego en la chimenea esa noche. De no haber sido así, se le habría encendido el vestido, pues ya estaba contra las piedras.

¿Trataba de huir de Colin o de su pregunta? Él no estaba seguro. Sin embargo, no descansaría hasta que ella le contestara. Quería..., no, necesitaba que ella admitiera la verdad.

—Contéstame, Alesandra.

De pronto ella dejó de escapar. Se cruzó de brazos

y avanzó hacia él. Levantó el mentón para mirarlo directamente a los ojos.

—Sí.

—¿Sí, qué?

—Sí, te amo.

La sonrisa satisfecha de Colin lo dijo todo. No pareció sorprendido y eso la confundió.

—Ya sabías que te amaba, ¿no?

Él asintió lentamente. Ella meneó la cabeza.

—¿Y cómo podías saberlo tú cuando yo lo ignoraba?

Colin trató de tomarla entre sus brazos. Pero ella, retrocedió un paso.

—Oh, no. Quieres besarme, ¿verdad? Y si lo haces, yo olvidaré todo lo que pienso. Primero vas a responderme, Colin.

Pero Colin no aceptó negativas. La estrechó entre sus brazos, le levantó el mentón y la besó prolongada, completamente. Deslizó la lengua en el interior de su boca para restregarla contra la de ella. Alesandra suspiró profundamente cuando, por fin, Colin levantó la cabeza. La joven se recostó contra su pecho y cerró los ojos. Él la abrazaba por la cintura. La apretaba con fuerza y tenía el mentón apoyado en su cabeza.

Se sentía tan bien abrazándola... El final de su día de trabajo era algo a lo que ansiaba llegar, porque sabía que ella estaría en casa esperándolo.

Y de pronto se dio cuenta de que le agradaba tener una esposa. Mejor dicho, se corrigió, no cualquier esposa, sino a Alesandra. Antes detestaba que cayera la noche porque a esas horas el dolor de su pierna se tornaba insoportable. Sin embargo, su delicada y pequeña esposa había logrado borrar de su mente las horrendas huellas del dolor. Alesandra lo exasperaba y lo encantaba a la vez, y Colin estaba tan ocupado reaccionando a sus diferentes actitudes que no le quedaba tiempo para pensar en otra cosa.

Y la princesa lo amaba.

—Ahora te contestaré a la pregunta —le dijo él, con un susurro ronco que a Alesandra le resultó maravillosamente atractivo.

—¿Qué pregunta?

Él se rió.

—De verdad te olvidas de todo cuando te toco, ¿no es cierto?

—No tendrías que mostrarte tan feliz por algo tan vergonzoso como eso. Pero claro, tú estás por encima de ese comportamiento, ¿verdad? Seguro que piensas en muchas cosas mientras me besas.

—Sí.

—Oh.

—Y cada una de esas cosas se refiere a lo que quiero hacerte con la boca, con las manos, con...

Ella extendió el brazo y le tapó la boca con los dedos para no tener que escuchar ninguna grosería. Esa reacción lo hizo reír otra vez.

Colin le quitó la mano.

—Querías saber cuándo me di cuenta de que me amabas.

—Sí, es cierto.

—Fue la noche de bodas —le explicó—. Por el modo en que me respondiste, me resultó evidente que me amabas.

Alesandra meneó la cabeza.

—A mí no.

—Claro que sí, cariño —le dijo él—. No te guardaste nada. No pudiste, pues cada una de tus reacciones fue de lo más honesta. No hubieras podido someterte de esa manera si no me hubieras amado.

—¿Colin?

—¿Sí?

—Realmente deberías hacer algo para remediar tu arrogancia. Se te va de las manos.

—A ti te agrada mi arrogancia.

Alesandra no le contestó.

—No interferiré en tus planes, Colin. Te lo juro.

—Nunca creí que lo hicieras —le respondió sonriendo por el fervor de su voz.

—No has cambiado de planes, ¿verdad? Todavía necesitas cinco años más para... —Se interrumpió.

—¿Para qué?

Para poder enamorarte, tonto, dijo Alesandra en silencio. Y tener hijos, agregó. Probablemente, en cinco años más, Colin se decidiría a tener uno o dos. Se preguntó si entonces no sería demasiado vieja para ser madre.

Decididamente no podía tener un hijo ahora. Un bebé presionaría demasiado a Colin. El claro ejemplo era su socio, Nathan, que había cambiado tanto. Hasta estaba dispuesto a hacer algo que antes consideraba inaceptable. Vender las acciones había sido siempre una medida extrema y, ahora, se veía obligado a tomarla por el nacimiento de su hija.

—Alesandra, ¿para qué? —volvió a preguntarle Colin, a quien le había picado la curiosidad.

—Para alcanzar tus objetivos —exclamó ella.

—Sí —le respondió Colin—. Todavía faltan cinco años.

Colin hizo el comentario mientras se encaminaban hacia la cama. Se sentó a un lado y se agachó para quitarse los zapatos.

—No me había dado cuenta de que estabas preocupada porque yo trabajaba para Richards —expresó, volviendo al tema anterior—. Debiste haberme dicho algo.

Se quitó los zapatos y los calcetines y se desabrochó la camisa.

—Tenías razón cuando dijiste que somos responsables el uno del otro. No he tenido tiempo de considerar tus sentimientos. Lo lamento.

Alesandra lo contempló mientras sacaba la camisa de la cintura del pantalón para quitársela pasándosela por la cabeza. No podía dejar de mirarlo. Escuchó detenidamente cada una de sus palabras con la esperanza de que él confesara sus sentimientos por ella. No tenía agallas para preguntarle si la amaba. Pensó que Colin no había tenido ningún problema en preguntárselo a ella. Pero claro, ya sabía la respuesta.

Alesandra ignoraba la de él.

Debió esforzarse para no pensar más en eso. Los hombres no pensaban en cosas como el amor. O al menos, eso era lo que la princesa creía. Si Colin no había tenido tiempo para pensar que ella podría preocuparse por los trabajos que hacía para Richards, ¿por qué rayos iba a detenerse a meditar si la amaba o no? En su mente, solo había espacio para planear el afianzamiento de su astillero, la formación de su imperio. Simplemente no había tiempo ni lugar para lo demás.

Alesandra irguió los hombros y asumió una actitud valiente. Recordó que, después de todo, la dedicación de su esposo le resultaba admirable. Podía ser paciente. En cinco años, Colin estaría disponible para ella.

Colin la distrajo al decir:

—He dado a Richards mi palabra de que pasaría unos papeles por él. —Hizo una pausa para arrojar la camisa sobre una silla. Se puso de pie—. En cuanto a la otra misión que me encomendaron, se la pasaré a Morgan. A decir verdad, ya había pensado en rechazarla, porque de haberla aceptado, habría tenido que pasar dos semanas fuera de Londres. Tal vez tres. Borders habría podido hacerse cargo de la oficina, por supuesto, pero no quería dejarte sola.

Alesandra pensó que era lo más dulce que Colin le había dicho en la vida. La habría echado de menos. Decidió que le habría gustado escuchárselo decir.

—¿Por qué no querías dejarme sola?

—Por lo de la póliza de seguro, por supuesto.

Los hombros de Alesandra cayeron como si de pronto hubieran tenido que soportar una carga demasiado pesada.

—Stefan y Raymond podrían haber cuidado de mí.

—Tú eres mi responsabilidad, Alesandra.

—Pero yo no deseo serlo —masculló—. Ya tienes suficientes cosas en qué pensar. No necesitas agregarme a tu lista.

Colin no hizo comentarios sobre su pequeño sermón. Se desabrochó los pantalones para quitarse el resto de la ropa.

Los pensamientos de Alesandra se hicieron trizas. No podía dejar de observar a su esposo. Dios, era magnífico. Era la viva imagen de lo que siempre había imaginado que sería un guerrero de épocas pasadas. Colin era todo músculo, todo energía, con unas líneas tan finas, tan perfectas.

Lo siguió con la mirada mientras él atravesaba el cuarto para echar el cerrojo a la puerta. Volvió a pasar junto a ella para acostarse. Retiró las mantas y la llamó con el dedo.

Alesandra no vaciló. Se le acercó para pararse justo frente a él con las manos entrelazadas. Parecía tranquila, serena, pero no pudo engañar a Colin. El pulso de su garganta latía a una velocidad increíble. Lo advirtió cuando le apartó el cabello para besarla.

Alesandra comenzó a desvestirse, pero Colin, suavemente, le apartó las manos del vestido.

—Déjame a mí —murmuró.

La princesa dejó caer las manos a los costados del cuerpo. Colin la desvestía mucho más rápido porque no era tan cuidadoso como ella. No se molestó en doblar las prendas y colocarlas prolijamente en la silla, sino que se limitó a arrojarlas sobre la camisa de él. Estaba ansioso por tenerla desnuda. Notó que las manos le temblaban cuando desató las cintas que cerraban la camisola de Alesandra y sonrió por su falta de disciplina.

Se sorprendió por lo rápido que respondía ella. Tenía la respiración agitada, el corazón le latía aceleradamente y todavía no la había tocado... Por lo menos, no del modo que quería. La anticipación lo excitó, lo llenó de deseo.

Los pensamientos de Alesandra estaban un poquito más centrados. Había tomado la determinación de hacerle decir que la habría echado de menos si hubiera aceptado la misión.

Cuando se liberó de la última de sus prendas, posó la mirada en el mentón de su esposo y susurró su nombre:

—¿Colin?

—¿Sí?

—Si te hubieras ausentado de Londres, ¿me habrías echado de menos?

Colin le levantó el mentón para que lo mirase a los ojos. Su sonrisa denotó una enorme ternura.

—Sí.

Alesandra estaba tan contenta con esa respuesta que suspiró aliviada. Colin se agachó y rozó sus labios con los de él.

—¿Te habría sorprendido que yo te echara de menos?

—No.

—¿Por qué no?

La distrajo cuando le tomó las manos para colocarlas alrededor de su cuello. Luego comenzó a morderle suavemente el lóbulo de la oreja.

—Porque ya sé que me echarías de menos. Me amas, ¿recuerdas?

Alesandra no podía negar semejante razonamiento. Su esposo, por cierto, no tenía problema alguno de autoestima. Pensó en decírselo en cuanto él dejara de derretirle el cerebro con sus besos.

Colin dibujó húmedos besos sobre el cuello de su esposa, a quien el corazón le latía aceleradamente. Ya temblaba entre sus brazos y a Colin le pareció un buen inicio.

Sabía que estaba enloqueciéndola lentamente con sus caricias. Y Alesandra lo advirtió de inmediato. Se alejó de él. Colin se lo permitió, pero la expresión de sus ojos le comunicó su confusión.

—¿Qué sucede, cariño? ¿Por qué me has apartado de ti? Sé que me deseas, y seguramente, debes de haber imaginado que yo siento lo mismo.

Alesandra estaba decidida a revertir la situación. Se metió en la cama, se colocó en el centro de esta y se arrodilló enfrentándola. Sentía que estaba poniéndose colorada, pero se negó rotundamente a ceder ante su vergüenza. Colin era su esposo y amante y, sin duda, ella tendría todo el derecho del mundo de hacerle lo que quisiera.

Lo llamó con el dedo, como él siempre hacía con ella. Colin estaba tan sorprendido con su osadía que se echó a reír. Se metió en la cama y trató de abrazarla. Alesandra meneó la cabeza y lo empujó por los hombros, dándole a entender que quería que se acostara boca arriba.

—¿Te agrada mi insolencia?

—Sí —contestó—. Me agrada.

No fue lo que Colin le dijo, sino cómo se lo dijo, lo

que la alentó a continuar con el juego. Le pasó los dedos por el pecho.

—Cuando me tocas, me vuelvo loca —murmuró—. Pero esta noche...

No siguió. Con las yemas de los dedos contorneó el ombligo de Colin. Sonrió cuando su esposo respiró profundamente, su mano ya había descendido un poco más.

—¿Sí? —preguntó él, obviamente presa del deseo.

—Vas a perder el control antes de que yo pierda el mío. ¿Aceptas el desafío, esposo?

Por toda respuesta, Colin entrelazó ambas manos por detrás de la cabeza y cerró los ojos.

—Yo ganaré, Alesandra. Tengo mucha más experiencia que tú.

Alesandra se rió por su jactancia. Era extraño, pero haber admitido que lo amaba la había liberado de toda inhibición. Se sentía salvaje, alocada, y no le importaba no actuar con dignidad. En realidad, pensaba que sería imposible mantener el decoro cuando estaba completamente desnuda.

—Gracias por decirme que te amo, Colin.

—De nada, cariño.

Colin estaba tenso, excitado.

—¿Has terminado con tu acto de valentía?

—Estoy planeando mi ataque —contestó.

Esa frase lo hizo sonreír. Alesandra tenía mucha curiosidad por el cuerpo de su esposo. Quería probar su sabor, del mismo modo que él había probado el de ella. La idea que tenía en mente intensificó el rubor de sus mejillas, pero como Colin tenía los ojos cerrados no le importó demostrar su vergüenza.

—¿Colin? ¿Todo está permitido... o hay cosas que se suponen que no debo hacer?

—Nada está prohibido —le contestó—. Nuestros cuerpos nos pertenecen mutuamente.

—Oh, qué bello.

Se sentó sobre los talones, mientras pensaba por dónde le agradaría empezar. El cuello de Colin la atraía, pero también todo su cuerpo.

—Cariño, voy a quedarme dormido si no comienzas —le dijo.

Alesandra decidió que no perdería más tiempo en llegar al sitio que más la intrigaba.

Colin debió haber mantenido los ojos abiertos. Cuando sintió la boca de Alesandra en el extremo de su erección, a punto estuvo de caer de la cama. Su gemido de placer fue casi un grito.

Su determinación se desvaneció. Necesitó todas sus fuerzas para no llegar al orgasmo en ese preciso instante. La transpiración humedeció sus cejas. La lengua tan dulce de Alesandra pasó una y otra vez sobre su sensible piel, hasta que Colin agonizó al disfrutar de su clímax.

No podría soportar ese tormento mucho tiempo. Gimió de nuevo mientras la tomaba por los hombros para levantarla. Le separó las piernas con la rodilla para ponerla a horcajadas sobre sus caderas. La tomó por la nuca con una mano para atraerla hacia sí y besarla a la vez que entraba en su cuerpo con un solo movimiento. El fluido caliente que sintió en su miembro le indicó que ella ya estaba preparada para recibirlo. La tomó con fuerza de las caderas para permitirse un mejor acceso. Ya no podía razonar y cuando la sintió ponerse tensa instintivamente alrededor de su órgano, ya no pudo controlar la reacción de su cuerpo. Su clímax lo cogió de sorpresa. Volvió a gemir, mientras diseminaba su semilla en el interior de ella.

Tocar a su esposo de una manera tan íntima y observar su desinhibida respuesta enalteció el placer de Alesandra. Si bien él llegó antes que ella, no dejó de moverse. El éxtasis fue demasiado intenso para soportarlo.

Alesandra murmuró su nombre, una y otra vez, mientras sentía que la pasión encendía la sangre que corría por sus venas. Echó la cabeza hacia atrás en un gesto de total entrega. Colin advirtió los primeros temblores de su orgasmo y deslizó la mano hacia la unión de ambos cuerpos para tocarla. Ese escarceo la ayudó a alcanzar la satisfacción plena. Se arqueó contra él mientras el placer la dominaba.

Los temblores parecieron eternos, devastadores en intensidad. Pero Alesandra no tenía miedo, porque Colin la abrazaba y la atraía hacia su pecho. La mantuvo muy cerca de sí hasta que la tormenta de pasión pasó.

La belleza del acto de amor compartido fue demasiado para ella. Estaba tan emocionada por lo que acababa de vivir que se puso a llorar desconsoladamente ahogando sus sollozos contra el pecho de Colin.

Colin estaba igualmente emocionado. Le acarició la espalda y le murmuró dulces palabras con una voz tan agitada como un viento invernal hasta que Alesandra logró recomponerse un poco.

—Cada vez es mejor —murmuró ella.

—¿Y eso es tan terrible?

—Dentro de una semana estaré muerta —le dijo—. ¿No sientes cómo me late el corazón? Parecen martillazos más que latidos. Estoy segura de que no debe de ser algo positivo para mí.

—Si te mueres, cariño, te morirás feliz —le contestó él—. Te ha gustado estar arriba, ¿no?

Alesandra asintió lentamente.

—Yo fui la ganadora del desafío, ¿verdad?

Colin se echó a reír.

—Sí —admitió.

Ella estaba feliz. Cerró los ojos y se cobijó en su esposo.

—Olvidamos cenar —susurró ella.

—Comeremos más tarde —contestó—. Después de que yo tenga mi turno.

Alesandra no entendió a qué se refería.

—¿Después de que tengas tu turno para qué?

Colin la tendió de espaldas y la cubrió con su cuerpo. Apoyó su peso sobre los codos y le sonrió.

Cuando su boca estuvo a escasos centímetros de la de ella le contestó:

—Para ganar.

12

Amar a Colin era una cosa y estar conforme con su manera de ser era otra muy diferente. Era imposible razonar con él, aunque muy fácil besarlo. Alesandra sabía que jamás aceptaría que ella le diera lo que le había quedado de la herencia, por lo que se vio obligada a recurrir a un viejo truco para poder ayudarlo. Siguió el ejemplo de su padre, y en más de una oportunidad, se dijo que Dios la comprendería aunque Colin no. Al final su esposo podría superar su obstinación, pero la joven no estaba dispuesta a permitir que terceros compraran acciones en su empresa mientras se sentaba a esperar cruzada de brazos a que su esposo aceptara entrar en razón.

Las acciones salieron a la venta un miércoles a las diez de la mañana. Dos minutos después las transacciones se completaron con la venta de veinte acciones. El precio fue extremadamente alto.

Colin se sorprendió por el precio y desconfió. Exigió conocer los nombres de sus socios. Dreyson solo le dijo que un solo comprador había adquirido las veinte acciones, pero que no estaba autorizado a divulgar su identidad.

—Dígame una cosa —demandó Colin—. Quiero

saber si mi esposa figura como propietaria de esas acciones.

Dreyson meneó la cabeza de inmediato.

—No, sir Hallbrook —pudo admitir el hombre con toda honestidad—. La princesa Alesandra no es la propietaria.

Colin se sintió satisfecho porque sabía que el agente estaba diciéndole la verdad. Pero de repente, se le ocurrió otra posibilidad.

—¿Y su consejero? ¿Ese hombre a quien ella llama tío Albert? ¿Las ha comprado él?

—No —contestó Dreyson de inmediato—. Estoy seguro de que el hombre se habría abalanzado sobre esas acciones, pero no tuvo oportunidad. La transacción se efectuó en un abrir y cerrar de ojos. No hubo tiempo para notificarlo.

Colin, por fin, decidió dejar las cosas como estaban. Alesandra se sintió agradecida y elevó sus loas al Señor porque su esposo no seguiría indagando.

De todas maneras se sentía muy culpable porque había tenido que recurrir al engaño. Sabía que estaba mal manipular a su esposo, pero ella achacaba la culpa de su pecado a la obstinación de Colin. Incluso pensó que podría mantener el engaño, aunque sabía que, cuanto más tiempo llevara adelante la mentira, peor se sentiría consigo misma. Se hizo muchos reproches en voz baja. Afortunadamente, Colin no estaba allí para escucharla. Trabajaba doce horas diarias en el astillero. Flannaghan la escuchó despotricar, pero pensó que se trataba de un ataque de rabia por su prolongado encierro.

En realidad el mes pasó muy rápido. Todos comentaron que el baile de Catherine había sido un éxito rotundo. Alesandra se enteró de todos los detalles por la duquesa y su nuera, lady Jade. Por supuesto que ambas lamentaron la ausencia de Alesandra, pero entendieron las razones de Colin para mantenerla encerrada bajo llave.

Catherine fue de visita la tarde siguiente para agregar detalles a los relatos de su madre y de su tía. Dijo que ya se había enamorado de un marqués y de dos condes. Estaba ansiosa por recibir notas, por intermedio de su padre, solicitando permiso para visitarla.

Como Colin pasaba tantas horas fuera trabajando, Alesandra aprovechaba cada minuto que estaban juntos y no deseaba hablar de negocios. No obstante, había ocasiones en los que el tema era inevitable. Los representantes del arrendador de la casa informaron a Flannaghan de que los propietarios de la misma habían decidido establecerse en el extranjero y que, por lo tanto, deseaban vender el inmueble. Alesandra se había encariñado con ella y quería comprarla. Por eso sacó el tema esa noche durante la cena.

La actitud de Colin con la herencia de su esposa no se había modificado. Le dijo que no le importaba lo que ella hiciera con su dinero.

Luego, ella especificó de qué se trataba.

—Me gustaría comprar esta casa de la ciudad —le anunció.

No le dio tiempo a que rechazara la propuesta de inmediato, y se apresuró a darle una explicación.

—Por esta absurda legislación inglesa, es casi imposible que una mujer casada haga un contrato por sus medios. Yo no te habría molestado por esta tontería, pero necesito que firmes los papeles.

—La razón por la que se llevó a cabo esa ley es muy sencilla de comprender —le explicó—. Los esposos son legalmente responsables de todos y cada uno de los negocios que emprendan sus esposas.

—Sí, pero el tema en discusión...

—El tema es si puedo respaldarte —la interrumpió. Había levantado la voz—. ¿Dudas que pueda respaldarte?

—No, por supuesto que no —le contestó.

Colin asintió satisfecho. Ella suspiró. No sería razonable en ese tema. Por un instante Alesandra consideró la posibilidad de firmar con las iniciales y decir que su tío Albert había comprado la propiedad, pero la descartó de inmediato. Colin pondría el grito en el cielo. Por otra parte, habría sido una mentira abierta y descarada. Probablemente Dios no le perdonaría la transgresión por haberla hecho puramente por motivos egoístas. Una cosa era haber hecho una pequeña trampa en la compra de las acciones para que Colin y su socio mantuvieran la absoluta propiedad del astillero. Y otra cosa muy diferente era manipular la compra de esa casa, solo porque a ella le agradaba. Supuso que, desde que se había casado con Colin, su lista de pecados se había incrementado enormemente, aunque la mayoría de ellos estarían registrados en la columna de ofensas de menor envergadura. Una mentira contundente, sin duda, habría quedado en la columna de los pecados mas serios.

Alesandra no podía engañarlo.

—Como quieras, Colin. Me gustaría que sepas que para mí no estás actuando con sensatez en todo esto.

—Me doy por enterado —le contestó, secamente.

En esa ocasión, Colin ni siquiera le dio la oportunidad de quedarse con la última palabra. Aunque con frecuencia era muy insensible con las necesidades de su esposa, se comportaba de una manera opuesta con las demás personas. En ocasiones, se tornaba realmente considerado. Después de que transcurriera el mes de reclusión de Alesandra y los servicios de Raymond y de Stefan como guardias de la princesa ya no fueran necesarios, Colin les ofreció trabajo en su astillero. Los hombres se mostraron muy entusiastas con la perspectiva de trabajar en un barco y recorrer el mundo, pues ambos eran jóvenes y no tenían compromisos. Colin los puso bajo la supervisión de su amigo Jimbo para que recibieran la preparación adecuada.

Colin se convirtió en un amante muy apasionado. Pasaba todas las noches en la cama de Alesandra y, después de hacerle el amor, la tenía abrazada hasta que creía que se dormía. Luego regresaba a su alcoba. Alesandra temía sacar el tema del ritual, porque su esposo le había dicho muy claramente que no quería hablar de su pierna lesionada. Quería aparentar que no tenía ningún problema. La muchacha no entendía el mecanismo de su pensamiento. ¿Lo haría sentir un ser inferior si admitía que tenía debilidades humanas? Y si la amaba, ¿no era su obligación compartir sus alegrías y sus penas con ella?

Pero Colin no la amaba —por lo menos, no todavía—, recordó Alesandra. Sin embargo, no se sintió descorazonada porque confiaba plenamente en su marido. Después de todo era un hombre inteligente y llegaría el día en que se ablandaría y reconocería qué buena esposa tenía. Si no llegaba a esa conclusión en cinco años, bueno, Alesandra podía esperar. Mantendría la promesa que le había hecho. No interferiría.

Sin embargo, las alzas que había hecho poner en el calzado de su esposo no entraban en la categoría de interferencia, según su criterio. Estaba muy contenta porque Colin usaba ese par de botas de agua especiales prácticamente todos los días. El zapatero le había hecho dos alzas de cuero. La primera fue demasiado gruesa, o al menos, eso dedujo Alesandra, pues Colin, cuando se las puso, las soportó solo unos pocos minutos y luego se las cambió por otras. La segunda pieza que hizo poner dio resultados mucho mejores. Colin creyó que

347

las había roto por dentro, pero que por suerte, ahora le resultaban cómodas. Por supuesto que ella conocía la verdad, pero no dijo ni una palabra. Tampoco Flannaghan. El mayordomo comentó a su señora que notaba que la cojera nocturna de Colin no era tan pronunciada como antes. Alesandra pensaba lo mismo. Estaba tan feliz con el éxito logrado que mandó hacer dos alzas más para que su marido tuviera zapatos cómodos para caminar, y también para vestir cuando tuviera que salir.

Para el resto del mundo Colin aparentaba ser un hombre a quien no le importaba nada. Siempre tenía una sonrisa pícara en los labios y era bastante popular en todo Londres. Cada vez que entraba en algún salón, de inmediato se veía rodeado de amigos. Y las mujeres no quedaban excluidas. A la mayoría de ellas no les importaba que estuviera casado. Seguían acosándolo. Colin era un seductor, sin duda, pero no andaba flirteando por ahí. No era simplemente inteligente, sino muy astuto. La mayoría de sus negocios se realizaban en los salones de baile. Cuando Alesandra se dio cuenta de esto, no le importó que volviera tan tarde.

Aunque dormía la siesta. Durante dos meses enteros ella y Colin salieron prácticamente todas las noches. Estaba tan cansada de tantas fiestas que tenía náuseas.

Sin embargo, estaba ansiosa por acudir a la reunión de esa noche porque también estaba invitada la familia de Colin al baile del conde de Allenborough. Los duques eran las escoltas de su hija Catherine y también vendrían Caine y su esposa.

El conde había alquilado la mansión Harrison para el acontecimiento. La imponente propiedad de mármol y piedra era casi tan grande como el palacio del príncipe regente.

Alesandra llevaba puesto su vestido color marfil. El escote no era terriblemente atrevido, pero Colin, de todas maneras, tuvo que hacer algún comentario negativo al respecto. Su única joya fue un collar de oro y zafiros, que le quedaba tan justo como una gargantilla. Solo había un zafiro en el centro de la cadena. La preciosa alhaja era de por lo menos dos quilates, y al parecer, perfecta. Colin sabía que debía de costar una fortuna, por lo que no le agradaba que su esposa se la pusiera.

—Esta joya me gusta especialmente —le dijo ella, una vez que se instalaron en el interior del carruaje, pues se dirigían al baile—. Pero por tu mirada ceñuda, sé que no estás conforme. ¿Por qué, Colin?

—¿Por qué te gusta?

Alesandra rozó el collar con las yemas de los dedos.

—Porque era de mi madre. Cada vez que me lo pongo, la recuerdo. Mi padre se lo regaló.

La actitud de Colin cambió al instante.

—Entonces debes usarlo.

—¿Pero por qué te desagradaba? Vi cómo fruncíste el entrecejo cuando lo viste por primera vez.

Colin se encogió de hombros.

—Porque no fui yo quien te lo compró.

Alesandra no supo cómo reaccionar. Se llevó la mano a la nuca para desabrochar el collar. Colin se lo impidió.

—Déjatelo. Ha sido una estupidez de mi parte. El color combina con tus ojos.

Por la expresión del rostro de su esposo, Alesandra advirtió que acababa de hacerle un cumplido y no una crítica. Colocó las manos sobre la falda, le sonrió y cambió de conversación.

—¿Tu socio no tiene que llegar en cualquier momento?

—Sí.

—¿Me caerá bien?

—Con el tiempo.

—¿Y su esposa?

—Sí.

Alesandra no se molestó por tan escuetas respuestas. Por la expresión de su rostro, se dio cuenta de que estaba dolorido. Obviamente, la pierna había empezado a molestarle y, cuando Colin apoyó el pie sobre los almohadones, dio por confirmadas sus sospechas.

Debió hacer esfuerzos para no tocarle la pierna.

—No tenemos que ir obligatoriamente a ese baile —le dijo—. Me parece que estás cansado.

—Estoy bien —le contestó él, con un tono tan extraño que decidió no contradecirlo.

Alesandra volvió a cambiar de tema.

—Sería apropiado que hiciéramos un obsequio a Nathan y a Sara por el nacimiento de su pequeña.

Colin se había reclinado en el respaldo del asiento y había cerrado los ojos. La joven no estaba segura de si la había oído o no. Bajó la vista y comenzó a arreglarse los pliegues del vestido.

—No quería molestarte con esos detalles tan superficiales, y por eso me encargué yo. Como tú y Nathan sois propietarios de un astillero, pensé que sería agradable mandar construir una réplica de un barco. ¿Qué te parece la idea? Cuando se compren la casa, Sara podrá poner la réplica en la repisa de la chimenea.

—Estoy seguro de que le agradará —respondió Colin—. Lo que decidas estará bien para mí.

—Había varios dibujos de barcos en tu estudio —dijo ella entonces—. Espero que no te moleste que haya cogido uno del *Esmeralda* para dárselo al artesano.

El carruaje se detuvo de inmediato frente a la mansión Harrison. Colin parecía medio dormido hasta que el cochero abrió la puerta. Luego, su actitud cambió. Ayudó a Alesandra a bajar, la tomó por el brazo y comenzaron a subir la escalinata. Advirtió que su hermano y su cuñada se les acercaban y les sonrió.

Colin no había podido recuperarse milagrosamente, pues su sonrisa era forzada. Sin embargo, Alesandra sabía que era la única que se había percatado de su dolor. El médico le había dicho que lo mejor era que Colin no estuviera de pie cuando el dolor lo atormentara, pero por supuesto, él no hacía caso. Lo más probable era que bailara toda la noche, demostrando que estaba bien.

El aire de la noche era frío y húmedo. De pronto Alesandra se sintió un poco mareada. Tenía el estómago un poco revuelto y se sintió satisfecha de no haber cenado demasiado. Se dijo que, sin duda, el motivo de su malestar era el cansancio.

Jade advirtió lo pálida que estaba y lo mencionó delante de los maridos. Colin y Caine se volvieron hacia ella.

—¿Por qué no me dijiste que no te sentías bien? —le preguntó Colin.

—Solo estoy un poco cansada —le dijo ella—. Deja de mirarme con el entrecejo fruncido, Colin. No estoy acostumbrada a salir todas las noches y por eso estoy un poco fatigada. Es la verdad. Preferiría quedarme en casa de vez en cuando.

—¿No te agradan las fiestas?

Su esposo parecía sorprendido. Ella se encogió de hombros.

—Hacemos lo debido.

Pero él no estaba dispuesto a dejar las cosas así.

—Bueno, está bien —dijo ella—. No, no me gustan mucho las fiestas....

—¿Y por qué no lo has dicho?

Colin estaba exasperado con ella. Alesandra meneó la cabeza.

—Porque cada reunión es una oportunidad comercial para ti y Nathan —explicó—. A ti tampoco te agrada salir —añadió—. Y por eso he dicho que hacemos lo que debemos. Al final habría hecho algún comentario.

Su esposa era una mujer extremadamente astuta. Había comprendido los motivos por los que él la había arrastrado a todas esas fiestas.

—¿Al final? —repitió él con una sonrisa—. ¿Y cuándo, precisamente, te habrías quejado?

—Nunca me quejaría y tú deberías disculparte por sugerir que lo haría. Al final sería, exactamente, dentro de cinco años. Entonces mencionaría mi preferencia por quedarme en casa.

Caine sonrió a Alesandra y dijo:

—Asegúrate de agradecer a tu amigo Albert su consejo con respecto a aquella inversión. Esas acciones ya se han triplicado.

Alesandra asintió.

—¿Qué inversión? —preguntó Colin.

Caine respondió.

—La última vez que estuve de visita en tu casa, mencioné que tenía interés en hacer una buena inversión. Alesandra me dijo que Albert había recomendado adquirir acciones de Campton Glass. Acaban de salir a la venta.

—Pensé que estabas invirtiendo en la fábrica de ropa de Kent —intervino Jade.

—Todavía estoy considerándolo —respondió Caine.

Alesandra meneó la cabeza.

—No creo que esa sea una buena inversión, Caine. Creo que deberías pensarlo muy bien antes de invertir.

Alesandra sentía que Colin tenía la vista clavada en ella, pero no se volvió para mirarlo.

—Albert también estaba interesado en la fábrica de ropa. Envió a su agente, Dreyson, a echar un vistazo. Dreyson dijo que era una trampa mortal y que estaba muy mal administrada. Hay cientos de mujeres y niños que trabajan allí y en condiciones deplorables. Albert no estaba dispuesto a enriquecer al dueño, ni a sí mismo, en algo así. Vaya, estaría beneficiándose de la miseria ajena. Por lo menos, eso fue lo que me dijo en su última carta.

Caine estuvo inmediatamente de acuerdo. Dejaron el tema cuando entraron en el vestíbulo de la mansión Harrison. El duque y la duquesa se hallaban junto a Catherine en una sala vecina y de inmediato hicieron un ademán a sus hijos y nueras para que se les acercaran. Los negocios habían quedado de lado. Catherine estrechó a Jade entre sus brazos y luego hizo lo propio con Alesandra. Al segundo advirtió el collar que tenía su cuñada y declaró que se moría de envidia. Catherine llevaba un collar de perlas de una sola vuelta. Sin darse cuenta, lo tocó y comentó que su vestido violeta habría quedado mucho más bonito si su padre le hubiera regalado un collar de zafiros.

Alesandra se rió por la falta de sutileza de la muchacha. Como nadie las estaba observando, se quitó la gargantilla de zafiros y se la dio a Catherine.

—Este collar perteneció a mi madre, y por eso, debes ser muy cuidadosa con él —le murmuró Alesandra para que Colin no la escuchara—. El broche es muy seguro y mientras te lo dejes puesto, no lo perderás.

Catherine protestó mientras se sacaba el collar de perlas para dárselo a Alesandra. Jade leía la tarjeta con las peticiones para el baile de Catherine mientras esta se ponía el collar. Luego la hizo volverse para asegurarse de que el broche estuviera bien cerrado.

—Ten mucho cuidado —le ordenó.

Colin no se dio cuenta del cambio de joyas durante más de una hora. Sir Richards se acercó presuroso a saludar a la familia y, cuando advirtió que Caine estaba ocupado conversando con su padre, hizo una señal a Colin para indicarle que quería hablar a solas con él. La expresión de su rostro indicaba que se trataba de un asunto muy serio.

La oportunidad para la charla privada surgió cuando el duque sacó a bailar a Alesandra. En cuanto ambos se dirigieron al centro del salón, Colin se acercó al director. Sir Richards estaba de pie en la entrada de una sala triangular observando a los presentes.

Ambos hombres se quedaron de pie, el uno junto al otro, aunque sin dirigirse la palabra durante varios minutos. Colin notó la presencia de Neil Perry en la pista de baile y de inmediato frunció el entrecejo. Tenía la esperanza de que Alesandra no advirtiera su presencia. De lo contrario, seguramente acorralaría a ese hombre para arrancarle respuestas sobre su hermana. Por supuesto, Neil terminaría insultando, y Colin, a golpes.

La posibilidad hizo sonreír a Colin.

Entonces, su hermana atrajo su atención. Estaba bailando con Morgan. Colin entrelazó las manos detrás de la cintura y observó a la pareja. Morgan advirtió que Colin lo miraba y lo saludó asintiendo con la cabeza. Colin le respondió de igual modo.

Sir Richards también asintió al neófito. Y sonrió. Por ese motivo, Colin se sorprendió cuando le habló con tono iracundo.

—No debí haber encomendado la misión a Morgan —murmuró—. La echó a perder. ¿Recuerda a Devins?

Colin asintió. El hombre al que sir Richards se refería era un agente que se usaba, en ocasiones, para transferir información para el gobierno.

—Está muerto. Por lo que pude averiguar, quedó

atrapado en una sangrienta trifulca. Morgan dijo que Devins se asustó. Estaba aguardando a su contacto cuando apareció la hija de Devins. Fue mala suerte. La muchacha resultó muerta en medio de un fuego cruzado. Maldición, Colin. Todo debió haber salido a la perfección, pero la ansiedad e inexperiencia de Morgan convirtió esa operación tan simple en un rotundo fracaso. Mala suerte o no, ese hombre no sirve para este tipo de trabajo —añadió.

—No vuelva a usarlo —dijo Colin, con la voz temblorosa por la ira—. Devins no era la clase de hombre que se asustaba por nada. Tenía su carácter, sí, pero uno siempre podía confiar en su buen juicio.

—Sí, en circunstancias normales yo estaría de acuerdo con su opinión. Sin embargo, el hombre también era un padre protector, Colin. No me resultaría extraño que el pánico lo haya paralizado si creyó que su hija corría peligro.

—Yo creo que un padre reaccionaría exactamente del modo opuesto. Tenía razones más que suficientes para no caer presa del pánico.

Sir Richards asintió.

—Ya le he dicho a Morgan que ha quedado fuera. Por supuesto, se sintió muy mal por mi decisión. Se disculpó porque las cosas se hubieran malogrado y admitió haber reaccionado de forma exagerada. También lo culpó a usted, hijo, por no haber estado a su lado y enseñarle todos los secretos, por así decirlo, de esta clase de trabajo.

Colin meneó la cabeza. No aceptaba esa excusa. Y por la expresión del director, él tampoco.

—Tiene razón, Richards. Morgan no tiene instinto.

—Es una pena —dijo el director—. Está ansioso por complacernos y necesita el dinero. Me imagino que se casará bien. Es un seductor con las mujeres.

Colin volvió a mirar la pista de baile. Localizó a Morgan de inmediato. Sonreía a Catherine mientras la hacía girar por la pista. Su hermana estaba riéndose, y obviamente, disfrutando del mejor momento de su vida.

Fue entonces cuando notó qué collar tenía puesto Catherine. Inmediatamente, buscó a Alesandra con la vista entre los presentes. Ella llevaba las perlas de Catherine. Colin frunció el entrecejo, preocupado. Sin embargo, el cambio de joyas no era la razón. El rostro de su esposa estaba tan pálido como su vestido. Parecía a punto de desmayarse en cualquier momento.

Colin se excusó con el director y se acercó a Alesandra. Tocó el hombro de su padre y tomó a la princesa entre sus brazos. Ella forzó una sonrisa y se recostó contra su esposo.

El vals terminó justo cuando él se volvía para llevarla a la terraza.

—Te sientes realmente mal, ¿verdad, cariño?

Caine estaba junto a su esposa cerca de las puertas que conducían al exterior. Miró el rostro de Alesandra, y de inmediato, retrocedió un paso. Su cuñada estaba casi verde. Rezaba a Dios para que cualquiera que hubiera sido el mal que la aquejaba, no fuera contagioso.

Alesandra no sabía si tenía ganas de vomitar o si se desmayaría en cualquier momento, pero rezaba para no hacer ninguna de las dos cosas hasta que llegaran a casa. Sin embargo, el aire fresco la ayudó. Después de unos minutos, la cabeza pareció dejar de darle vueltas.

—Fue por tanto girar y girar —dijo a su esposo.

Caine soltó un suspiro de alivio y se acercó a ofrecer su ayuda. Colin dejó a Alesandra apoyada en su hermano, mientras él se despedía de todo el mundo y luego pasó a buscarla para marcharse. Como la muchacha no había llevado capa, Colin se quitó la chaqueta para ponérsela sobre los hombros mientras caminaban hacia el carruaje que les aguardaba.

Pero esa sensación de alivio fue muy breve. El bamboleo del carruaje le revolvió el estómago otra vez. Apretó las manos sobre la falda e inspiró profundamente para tratar de calmarse.

Colin la tomó entre sus brazos y la sentó en su regazo. Le colocó la cabeza debajo del mentón y la abrazó con fuerza.

La entró en casa y la subió a la habitación. La dejó sentada en la cama mientras iba a buscar un vaso de agua fría que ella le había pedido.

Alesandra se acostó sobre la colcha, con las piernas bien extendidas y cerró los ojos. Un minuto después, estaba profundamente dormida.

Colin la desvistió. Flannaghan, hecho un manojo de nervios, caminaba de aquí para allá, por el pasillo, frente a la puerta de la alcoba. Pero Colin no le permitió ayudar. Después de que le quitó toda la ropa, la metió bajo las mantas. Debía de estar verdaderamente agotada, pues ni siquiera abrió los ojos cuando él la levantó para meterla en la cama. Dormía como un bebé.

Colin decidió pasar toda la noche con ella. Si empeoraba, quería estar cerca para ayudarla. Y, Dios santo, de pronto él también se sintió exhausto. Se quitó la ropa y se acostó junto a su esposa. Instintivamente, ella rodó sobre sí misma para acomodarse entre sus brazos. Colin le besó la frente, la abrazó y cerró los ojos. Él también se quedó dormido en menos de un minuto.

Se despertó poco antes del amanecer, cuando su esposa le rozó la espalda. Todavía estaba dormida. Colin no estaba despabilado en absoluto como para pensar con claridad qué estaba haciendo allí. Le hizo el amor y cuando ambos llegaron al orgasmo, él se quedó dormido con sus cuerpos aún unidos.

Al día siguiente, Alesandra se sintió tan bien como siempre. Catherine llegó a su casa a las dos de la tarde para devolverle el collar personalmente. Tenía muchas novedades que contar.

Estaba disfrutando muchísimo de su temporada de presentación en sociedad y fue a contarle a Alesandra todos las peticiones de mano que su padre ya había recibido.

Catherine tomó por el brazo a Alesandra y la condujo hacia el salón.

—¿Dónde está mi hermano en esta hermosa tarde de domingo?

—Trabajando —respondió Alesandra—. Regresará para la cena.

Catherine se sentó en la silla junto al sofá. Flannaghan estaba de pie cerca de la entrada esperando por si lo necesitaban.

—Apenas si puedo ordenar a tantos caballeros en mi mente —exageró Catherine.

—Debes hacer una lista de aquellos que te interesen —le aconsejó Alesandra—. Entonces, no te confundirás.

A Catherine le pareció un plan de acción inteligente. Alesandra pidió a Flannaghan que trajera una hoja de papel y una pluma.

—Ya he pedido a papá que rechace a varios caballeros y ha sido muy condescendiente. No tiene ninguna prisa por casarme.

—Tal vez debas hacer otra lista con todos los caballeros que rechazas —sugirió Alesandra—. En ella debes incluir las razones por las que los has descartado junto a cada nombre, por supuesto, por si cambias de opinión o te olvidas de por qué lo has hecho.

—Sí, esa es una idea estupenda —comentó Catherine—. Qué bien que me ayudes.

Alesandra estaba encantada de colaborar.

—La organización es la clave, Catherine —anunció.

—¿La clave para qué?

Alesandra abrió la boca para contestar, pero de pronto se dio cuenta de que no estaba muy segura de lo que iba a decir.

—Para una vida feliz y bien estructurada.

Flannaghan retornó con las cosas que ella había solicitado. Alesandra le dio las gracias y luego se volvió a Catherine.

—¿Empezamos por los rechazos?

—Sí —aceptó Catherine—. Anota a Neil Perry encabezando la lista. Pidió mi mano ayer, pero no me agrada en lo más mínimo.

Alesandra anotó el título en la lista y luego el nombre de Neil Perry.

—A mí tampoco me gusta. Has sido muy juiciosa al rechazarlo.

—Gracias —respondió Catherine.

—¿Qué razón específica quieres que anote junto a su nombre?

—Que es un asco.

Alesandra se rió.

—Lo es —comentó—. Es totalmente opuesto a su hermana. Victoria es una dama estupenda.

Catherine no conocía a Victoria, y por lo tanto, no podía estar de acuerdo o en desacuerdo. Siguió con los nombres de los caballeros que le resultaban inaceptables. Se apresuró a terminar con esa lista para dedicarse a los que le resultaban atractivos. Además tenía novedades que se moría por compartir con Alesandra.

—Bien, entonces comencemos con la segunda lista.

Catherine le dictó sus cuatro nombres. El último fue Morgan.

—Por supuesto, él no ha pedido mi mano porque nos conocimos justo anoche. Pero, oh, Alesandra, es tan apuesto y encantador... Te juro que, cuando sonríe, siento que el corazón se me detiene. Sin embargo, dudo que tenga posibilidades con él. Es demasiado popular entre las mujeres. No obstante, mencionó que pediría permiso a papá para venir a visitarme.

—Conozco a Morgan —dijo Alesandra—. Y estoy de acuerdo en que es muy agradable. Creo que a Colin también le cae muy bien.

—Me parece que sería un buen candidato —opinó Catherine—. Pero... hay otro caballero que me gustaría tener en cuenta.

—Dime su nombre y lo añadiré a la lista.

Catherine empezó a sonrojarse.

—Es de lo más romántico —murmuró—. Pero a papá no le parecerá bien. Debes prometerme que no se lo dirás a nadie.

—¿Decir qué?

—Primero promételo, y luego te lo explicaré todo. Ponte la mano en el corazón. Eso hace que tu promesa sea más efectiva.

Alesandra no se atrevió a reír. Catherine parecía tan sincera que no quiso herir sus sentimientos. Hizo lo que le pidió y se puso la mano en el corazón mientras pronunciaba el juramento.

—¿Ahora me lo explicarás?

—Todavía no sé cuál es el nombre de este caballero —dijo Catherine—. Pero estaba anoche en el baile. Estoy segura. Y también estoy segura de que es maravilloso.

—¿Cómo puedes saber que es maravilloso si no lo conoces? ¿O sí? Eso es, ¿verdad? Es solo que no sabes su nombre. Dime cómo es. Tal vez yo lo conozca.

—Oh, todavía no lo he visto.

—Me confundes.

Catherine rió.

—Tiene un nombre que por ahora podemos anotar en la lista.

Alesandra mojó la pluma en el tintero. Catherine esperó a que su cuñada terminara la tarea y luego susurró.

—Mi Admirador Secreto.

Catherine soltó un largo suspiro de felicidad cuando terminó de decir su nombre. Alesandra se quedó boquiabierta. Dejó caer la pluma sobre la falda y la tinta manchó su vestido rosa.

—¡Oh, Dios! Mira lo que has hecho —gritó Catherine—. Tu vestido...

Alesandra meneó la cabeza.

—Olvida el vestido —le dijo con la voz temblorosa por la preocupación—. Quiero que me cuentes todo de ese Admirador Secreto.

Catherine frunció el entrecejo.

—No he hecho nada malo, Alesandra. ¿Por qué te has disgustado conmigo?

—No me he disgustado... Al menos, no contigo —aclaró Alesandra.

—Me has gritado.

—No fue mi intención.

Entonces vio lágrimas en los ojos de Catherine. Su cuñada era muy sensible y cualquier cosa la lastimaba. Todavía era más niña que mujer, advirtió Alesandra. Fue por ello por lo que tomó la determinación de no contarle nada sobre lo que la preocupaba. Primero hablaría con Colin. Él sí sabría qué hacer con ese Admirador Secreto.

—Lamento haberte molestado. Por favor, perdóname. —Se esforzó por emplear un tono de voz más suave—. Me interesa mucho este asunto de tu Admirador Secreto. ¿Me lo contarás?

Catherine parpadeó para liberarse de las lágrimas.

—No hay mucho que contar —dijo ella—. Esta mañana recibí una poesía muy encantadora con una nota adjunta. No había ningún mensaje. Solo la firma.

—¿Qué decía?

—«Tu Admirador Secreto.» Me pareció muy romántico. No entiendo por qué actúa de esta manera tan extraña.

—Santo Dios. —Alesandra pronunció esas palabras y se dejó caer contra el respaldo del sofá. Estaba llena de temores. Decidió que Colin tendría que escucharla, aunque tuviera que atarlo para conseguirlo.

—Estás temblando, Alesandra —dijo Catherine.

—Solo tengo un poco de frío.

—Mamá le dijo a Jade que cree que estás en estado.

—¿Que estoy qué?

Por supuesto que no había querido gritar, pero el comentario de Catherine prácticamente le arrancó un alarido.

—Ellos creen que puedes estar embarazada —le explicó Colin—. ¿Lo estás?

—No, por supuesto que no. Es imposible. Es demasiado pronto.

—Ya hace más de tres meses que te has casado —le recordó Catherine—. Mamá le dijo a Jade que tus náuseas podrían ser un síntoma. Se decepcionará si no estás en estado. ¿Estás segura, Alesandra?

—Sí, lo estoy.

No estaba diciéndole la verdad a Catherine. En realidad, no estaba segura de nada. Santo Dios, podría estar embarazada. Hacía mucho tiempo que le faltaba el período menstrual... casi tres meses. Contó hacia atrás para estar segura. Sí, cierto. Había tenido calambres dos semanas antes de casarse... y desde entonces, nada. ¿Sería posible que su malestar fuera por cansancio? Recordó que antes jamás dormía siesta, pero últimamente no podía llegar al fin del día si no descansaba un rato por la tarde. Aunque, por otra parte, ella y Colin habían estado saliendo todas las noches y trasnochar hacía imprescindibles las siestas.

Se posó la mano sobre el vientre en un gesto protector.

—Me encantaría tener hijos de Colin —dijo—. Pero él tiene planes muy importantes y yo prometí no interferir.

—¿Y qué tienen que ver los bebés con los planes?

Alesandra trató de reordenar sus ideas. Se sentía como hipnotizada. No podía organizar sus pensamientos... ¿Por qué no se había dado cuenta de la... posibilidad de...? La única respuesta lógica era... Oh, sí, estaba embarazada.

—Alesandra, explícate.

—Es un plan de cinco años —estalló Alesandra—. Solo entonces tendré hijos.

Catherine pensó que su cuñada estaba tomándole el pelo y se echó a reír. Alesandra logró mantener la calma hasta que su cuñada se marchó cinco minutos después. Entonces, subió corriendo a su cuarto, cerró la puerta y se puso a llorar.

La abrumaban las emociones más contradictorias. Por un lado, estaba maravillada por engendrar un hijo de Colin. Una preciosa vida creciendo en sus entrañas le parecían un verdadero milagro. La dicha la devastaba, pero también... la culpa.

Probablemente a Colin no le agradaría en lo más mínimo la idea de tener un bebé. Alesandra no dudaba de su capacidad para ser un buen padre, pero ¿un hijo en ese momento no significaría hacerle la carga más pesada? Oh, Dios, ojalá la amara. Y ojalá no fuera tan obstinado con el tema de su herencia.

Alesandra no quería sentirse culpable. ¿Y cómo era posible estar tan eufórica y asustada a la vez?

Flannaghan subió con una taza de té caliente para su señora. Estuvo a punto de llamar a la puerta cuando la oyó llorar. Se quedó allí, sin saber qué hacer. Por supuesto que quería conocer las causas, para ver si podía ayudar, pero como la puerta estaba cerrada sabía que la princesa deseaba intimidad.

Oyó que se abría la puerta principal y de inmediato se dirigió a la escalera. En ese momento, Colin entraba en la casa. No estaba solo, sino con Nathan, su socio. El hombre era tan alto que tuvo que agachar la cabeza para no golpeársela contra el arco de la puerta de entrada.

Flannaghan sabía que no debía expresar su preocupación por la señora delante de las visitas. Bajó rápidamente las escaleras, saludó a Colin y luego a Nathan.

—Iremos al salón, Flannaghan —dijo Colin—. Caine y su esposa vendrán dentro de un rato. ¿Dónde está Alesandra?

—Su princesa está arriba, descansando —contestó el mayordomo, tratando de actuar como un hombre digno de la casa. Aunque ya conocía a Nathan, el hombre aún lo intimidaba un poco.

—Déjela descansar hasta que llegue mi hermano. —Se volvió hacia su socio y le dijo—: Tuvimos que salir todas esas malditas noches. Alesandra está agotada.

—¿Y a ella le agrada salir todas las noches?

Colin sonrió.

—No.

Llamaron a la puerta justo cuando Colin y su socio entraban en el salón. Flannaghan supuso que se trataría de la familia de su señor. Se apresuró a abrir y hasta estuvo a punto de hacer una reverencia cuando se dio cuenta de que se trataba solo de un mensajero. Traía una caja blanca con una cinta roja. Prácticamente arrojó el paquete en manos de Flannaghan.

—Me han dado una moneda para que entregue esto a la princesa Alesandra —anunció.

Flannaghan tomó la caja, asintió y luego cerró la puerta. Se volvió para subir, con una sonrisa ahora, porque tenía un pretexto agradable para interrumpirla. Y tal vez, con un poco de suerte, podría descubrir por qué estaba tan triste.

Volvieron a llamar a la puerta. Flannaghan dejó la caja sobre una mesa y fue a atender. Había transcurrido menos de un minuto, por lo que pensó que se trataba otra vez del mismo mensajero que habría vuelto por algún motivo.

El hermano de Colin y su esposa estaban en la puerta. Lady Jade saludó a Flannaghan con una sonrisa. Sin embargo, Caine casi no vió al mayordomo, pues miraba a su esposa con una expresión muy ceñuda.

—Buenas tardes —dijo Flannaghan, mientras abría la puerta de par en par.

Jade entró presurosa. Saludó al mayordomo. Caine apenas asintió con la cabeza. Parecía preocupado.

—No hemos terminado con esta discusión —dijo a su esposa con un tono muy serio.

—Sí, ya hemos terminado —lo contradijo ella—. Eres extremadamente irracional, esposo. Flannaghan, ¿dónde están Colin y Nathan?

—Están aguardándolos en el salón, milady.

—Llegaré al fondo de todo esto, Jade —masculló Caine—. No me importa el tiempo que me lleve.

—Te estás comportando como un celoso irracional, Caine.

—Y tengo razón, maldita sea.

Hizo esa eufórica aseveración mientras seguía a su esposa al salón.

Nathan y Colin se levantaron de inmediato cuando Jade entró. Nathan tomó a su hermana entre sus brazos y la estrechó con fuerza. Miró furioso a Caine porque lo oyó gritar a Jade, y comentó:

—Un esposo no debe levantarle nunca la voz a su esposa.

Caine rió y Colin también.

—Cómo has cambiado —señaló Caine—. Creo recordar que no hacías más que gritar.

—Soy un hombre distinto —respondió Nathan con una voz serena—. Estoy contento.

—Apuesto a que tu Sara es la que grita ahora —dijo Colin.

Nathan sonrió.

—Esa mujercita tiene su carácter.

Jade se sentó en una silla, junto a la de Nathan, quien también tomó asiento y miró a Caine.

—¿Tenéis alguna diferencia de opiniones?

—No —dijo Jade.

—Sí —la contradijo Caine.

—No deseo hablar de esto ahora —declaró Jade. Deliberadamente, cambió de tema de conversación—. Me muero por ver a la pequeña, Nathan. ¿Se parece a ti o a Sara?

—Tiene mis ojos y los pies de Sara, gracias a Dios —dijo Nathan.

—¿Dónde están ahora? —preguntó Colin.

—Dejé a Sara en casa de su madre para que pudiera presumir de su hija.

—¿Te quedarás con la familia de ella mientras estés en Londres? —preguntó Caine.

—Demonios, no —contestó Nathan. Hubo un verdadero temblor en su voz—. Me volverían loco, y probablemente, terminaría matando a alguno de ellos. Nos quedaremos contigo.

Caine asintió y sonrió. Qué típico en Nathan era dar instrucciones en lugar de pedir favores. Jade entrelazó sus manos llena de dicha, obviamente encantada con la noticia.

—¿Dónde está tu esposa? —preguntó Nathan a Colin.

—Flannaghan subió a buscarla. Seguramente bajará en un minuto.

Un minuto se convirtió en diez. Alesandra se había quitado el vestido rosa manchado de tinta y se había puesto otro color violeta. Estaba sentada a su escritorio, absorta en su tarea de escribir una lista de obligaciones para Colin. Naturalmente, nunca se la mostraría, porque ninguna de las órdenes eran apropiadas. Estaba aprendiendo que era mejor que las esposas «sugirieran» las cosas a sus maridos. A la mayoría de ellos, entre los que estaba Colin, no les gustaba recibir órdenes de nadie.

Sin embargo, era bueno guardar las apariencias y la hacía sentir mejor anotar sus expectativas. Escribió el nombre de Colin a la cabeza de la lista y seguidamente, las órdenes.

Primero tendría que escuchar a su esposa mientras le explicaba sus preocupaciones respecto de las coincidencias que relacionaban a Victoria y a ese hombre que se denominaba Admirador Secreto. Entre paréntesis, escribió el nombre de Catherine.

Segundo, Colin debía hacer algo con respecto a la actitud que asumía por la herencia de Alesandra. Entre paréntesis agregó: demasiado cabeza dura.

Tercero, Colin no debía esperar cinco años para darse cuenta de que la amaba. Tenía que hacerlo ya y decírselo.

Cuarto, tendría que tratar de estar contento por el hecho de que sería padre. No debía culpar a Alesandra por haber interferido en sus planes.

Alesandra volvió a leer la lista y soltó un audible suspiro. Estaba tan emocionada porque iba a tener un hijo de Colin y a la vez tan asustada de que a él no le sentara bien la noticia que sentía deseos de llorar y de gritar al mismo tiempo.

Volvió a suspirar. No era típico en ella ser tan desorganizada ni emotiva.

Añadió una pregunta a su lista: «¿Las esposas embarazadas pueden convertirse en monjas?».

No había terminado. Añadió otra más: «La madre superiora me ama».

Ya estaba. Ese importante detalle la hizo sentir mejor. Asintió más tranquila y levantó la hoja de papel entre sus manos con la intención de romperla.

Flannaghan la interrumpió. Llamó a la puerta. Cuando ella lo autorizó a entrar, él lo hizo de inmediato.

El mayordomo se alivió al comprobar que la princesa había dejado de llorar. Tenía los ojos un poquito hinchados, pero no hizo comentarios al respecto ni ella tampoco.

—Princesa, tenemos...

Ella no lo dejó terminar.

—Le pido me disculpe por la interrupción, pero no deseo olvidar la pregunta que quiero hacerle. ¿La cocinera todavía no ha podido hablar con nadie de la casa del vizconde? Sé que he estado abrumándolo con este tema y le ruego me perdone por ello, pero tengo muy buenas razones para necesitar saber la respuesta de inmediato, Flannaghan. Por favor, tenga paciencia conmigo.

—Todavía no se ha encontrado con ningún criado del personal en el mercado —respondió Flannaghan—. ¿Puedo hacerle una sugerencia?

—Sí, claro.

—¿Por qué no enviamos a la cocinera a casa del vizconde? Si ella entra por la puerta de atrás, el señor no se enterará de su visita. No creo que los sirvientes se lo mencionen.

Alesandra aceptó de inmediato.

—Es una buena idea —dijo ella elogiándolo—. Vea, esto es muy importante para seguir posponiéndolo. Dígale a la cocinera que vaya ahora mismo. Puede usar nuestro carruaje.

—Oh, no, princesa, ella no querrá usarlo. No sería apropiado. La residencia del vizconde queda solo a unas calles de aquí —exageró—. Le agradará ir caminando.

—Si está seguro... —convino Alesandra—. Bien, ¿de qué quería hablarme cuando lo interrumpí?

—Tenemos visitas —explicó—. El socio de su esposo está aquí y también el hermano de milord y su esposa.

Alesandra iba a levantarse cuando cambió de opinión.

—Aguarde un momento y bajaré con usted. Le he hecho una lista nueva.

Flannaghan sonrió. Había aprendido a querer las listas de Alesandra, pues en el fondo de su corazón, sabía que ella lo apreciaba lo suficiente para ayudarlo a ser un hombre organizado. Cada vez que le hacía alguna sugerencia incluía en sus listas algún elogio con respecto a las tareas que deseaba que el mayordomo cumpliera ese día. Su princesa era siempre muy agradecida también, y generosa en sus alabanzas.

Flannaghan la observó mientras ella buscaba la hoja entre las muchas que tenía. Por fin encontró la lista con el nombre de Flannaghan y se la entregó.

El mayordomo se metió la lista en el bolsillo y la escoltó por las escaleras. Advirtió el paquete que estaba sobre la mesa del vestíbulo y justo en ese momento recordó que debía habérselo entregado.

—Esa caja llegó hace unos minutos —le dijo—. ¿Le gustaría abrirla ahora o más tarde?

—Más tarde, por favor —contestó—. Tengo mucha curiosidad por conocer al socio de Colin.

Colin estaba a punto de levantarse e ir a buscar a su esposa personalmente cuando Alesandra entró en el salón. Los hombres se pusieron de pie inmediatamente. Alesandra se acercó a Jade, le tomó la mano y le dijo lo mucho que le agradaba verla otra vez.

—Caramba, sí que has sabido escoger, Colin.

Nathan lo elogió en voz baja. Alesandra no lo oyó. Finalmente, reunió el coraje necesario para dirigirse a él y sonreírle.

—¿Tengo que hacer alguna reverencia especial para una princesa? —preguntó Nathan.

—Si lo hace, podré besarle la mejilla en agradecimiento. Si no, necesitaré una escalera para cumplir con el ritual.

Nathan se rió. Recibió su beso en la mejilla y luego volvió a enderezarse.

—Ahora explíqueme eso del agradecimiento —indicó.

Dios, qué hombre más apuesto. Y con una magnífica voz.

—Agradecimiento por tolerar a Colin, por supuesto. Ahora entiendo por qué la sociedad de ustedes ha funcionado tan bien. Colin es el cabeza dura y usted, quien pone paz en la empresa.

Colin echó la cabeza hacia atrás y se echó a reír. Nathan pareció un poco tímido.

—Creo que tienes los conceptos cambiados, Alesandra —comentó Caine—. Nathan es el obstinado y Colin el pacífico.

—Ella me llama «dragón» —dijo Colin.

Alesandra miró ceñuda a su esposo por haber revelado públicamente ese secreto íntimo y luego se sentó en el sofá junto a él.

—Caine, deja de mirar furioso a tu esposa —ordenó Colin.

—Oh, es que está terriblemente enfadado conmigo —explicó Jade—. Y por supuesto, eso es una ridiculez, porque yo no he alentado esa atracción.

—Nunca he dicho lo contrario —contravino Caine.

Jade se volvió a Colin.

—Tiró las flores... ¿Puedes creerlo?

Colin se encogió de hombros. Rodeó los hombros de Alesandra con el brazo y extendió las piernas.

—No tengo ni la más remota idea de lo que estáis hablando.

—Será mejor que arregléis esta diferencia entre los dos antes de que yo lleve a Sara y a Joanna a vuestra casa. Las hijas necesitan un entorno tranquilo.

Fue Nathan el que hizo la sugerencia. Colin y Caine se volvieron para mirarlo. No podían creerlo. Nathan hizo caso omiso.

—¿Se puso contento cuando se enteró de que iba a ser padre? —Alesandra trató de mostrar indiferencia cuando hizo a Nathan esa pregunta tan capciosa. Entrelazó las manos sobre la falda.

Si Nathan pensó que era una pregunta rara, lo disimuló muy bien.

—Sí, muy contento.

—¿Y sus planes de cinco años? —preguntó Alesandra.

—¿Qué pasa con eso? —preguntó Nathan confundido.

—¿Acaso la pequeña no ha interferido en los planes de su empresa?

—No.

Alesandra no le creyó. Nathan jamás habría vendido las acciones de la empresa si no hubiera sido por la pequeña. Colin le había dicho que su socio deseaba comprar una casa nueva para su familia.

Sin embargo, no estaba dispuesta a sacar ese tema tan particular.

—Entiendo. Ha incluido ese hecho dentro de sus planes.

—Colin, ¿de qué habla tu esposa?

—Cuando conocí a Alesandra, le dije que no me casaría hasta dentro de cinco años.

—Y que no tendrías familia hasta entonces —añadió ella.

—Que no tendría familia —repitió él, solo para complacerla.

Caine y Jade se miraron.

—Qué organizados —dijo Caine a su hermano.

Alesandra creyó que el hermano de Colin acababa de decir un cumplido.

—Sí, él es muy organizado —aclaró entusiasta.

—Pero los planes suelen cambiar —intervino Jade. Miraba a Alesandra con expresión compasiva cuando hizo el comentario. De pronto, Alesandra pareció angustiada. Jade creía saber por qué.

—Un bebé es una bendición —exclamó.

—Sí —convino Nathan—. Y Jade también tiene razón cuando dice que los planes suelen cambiar. Colin y yo contábamos con la herencia que mi esposa recibiría del rey para fortalecer el capital del astillero. Pero luego, cuando el príncipe regente decidió quedarse con el dinero, tuvimos que cambiar de planes y buscar soluciones en otra parte.

—De ahí, los planes de aquí a cinco años más.

Alesandra parecía estar a punto de romper a llorar y Caine, a punto de estrangular a su hermano. Si Colin solo se hubiera molestado en mirar el rostro de su esposa, se habría dado cuenta de que algo estaba realmente muy mal. Sin embargo, el hermano ni lo notó y Caine creyó que no debía interferir... todavía.

Alesandra estaba absorta en sus pensamientos. Sabía que le había molestado el comentario que Nathan había hecho con tanta indiferencia. Había sido muy claro al expresar que ni él ni Colin tenían reparos en aceptar el dinero de Sara. Entonces ¿por qué su esposo se negaba tan obcecadamente a utilizar el suyo?

Colin la devolvió a la realidad cuando volvió a hablar.

—Caine, deja de mirar así a tu esposa.

—Me culpa a mí —se defendió Jade.

—¿De qué? —preguntó Colin.

—Esta mañana recibí un ramo de flores. No tenía ninguna tarjeta. Solo una firma.

Nathan y Colin fruncieron el ceño al unísono.

—¿Has recibido flores de otro hombre? —preguntó Nathan con evidente asombro.

—Sí.

Nathan se volvió furioso hacia su cuñado.

—Será mejor que tomes alguna decisión al respecto, Caine. Es tu esposa. No puedes permitir que otro hombre le envíe flores. ¿Por qué rayos no has matado a ese bastardo?

Caine estaba agradecido de tener a Nathan de su lado.

—Por supuesto que lo mataré, en cuanto me entere de quién se trata.

Colin meneó la cabeza.

—No puedes matar a nadie —anunció exasperado—. Tendrás que ser razonable en esto, Caine. Enviar flores no es ningún delito. Probablemente debe de ser algún jovencito en plena pubertad.

—Para ti es normal ser razonable, Colin. Jade no es tu esposa.

—Habría sido razonable si alguien le hubiera enviado flores a Alesandra —dijo Colin.

Caine meneó la cabeza.

—Dinos cómo se llama, Jade —exigió Nathan.

Nadie prestaba atención a Alesandra y ella se sintió agradecida de que así fuera. Su mente funcionaba a gran velocidad. Había negado con la cabeza ante la teoría de Colin de que se trataba de algún jovencito en plena pubertad.

—Sí —dijo Colin a Jade—. ¿Quién es?

—Él firma todas sus notas con el seudónimo de Tu Admirador Secreto —contestó Alesandra.

Todos se volvieron para mirarla a la vez. Jade se quedó pasmada.

—¿No es cierto, Jade?

Su cuñada afirmó con la cabeza.

—¿Cómo lo sabes?

Nathan se reclinó en el respaldo de su silla.

—En esto hay algo más que admiración, ¿verdad?

Nadie dijo nada durante un largo rato. De repente, Alesandra recordó que Flannaghan le había mencionado la llegada de un paquete para ella. Trató de ir a buscarlo. Colin no la dejó moverse. Le apretó los hombros con el brazo.

—Creo que ese hombre puede haberme enviado algo —explicó—. Hay un paquete en el vestíbulo.

—¡Rayos! ¡Flannaghan!

Colin lo llamó a gritos. A Alesandra le dolieron los oídos por el estruendo. Flannaghan vino corriendo. Traía el paquete en la mano, lo que indicaba que había estado escuchando la conversación. Arrojó el objeto en manos de Colin.

Alesandra iba a cogerlo, pero la mirada de Colin la hizo cambiar de opinión. Se reclinó en el respaldo y colocó ambas manos sobre la falda. Colin se inclinó hacia delante para coger la caja. Rompió la cinta murmurando insultos, arrancó la tapa y miró en el interior. Alesandra espió por encima del hombro de su marido para ver qué contenía. Alcanzó a ver un abanico con diseños pintados, antes de que Colin volviera a tapar la caja con gran violencia.

—¡Hijo de puta! —gruñó Colin. Repitió el vergonzoso improperio una vez más. Según observó Alesandra, Nathan asentía con la cabeza cada vez que Colin pronunciaba esas palabras. Al parecer, él opinaba lo mismo.

Colin sostuvo la tarjeta en la mano y la miró furioso.

—¿No serás razonable con esto? —se burló Caine.

—Demonios, no.

—Exactamente —masculló Caine.

—Un comentario más y haréis que lo linchen —declaró Jade—. Pero mira a nuestros esposos, Alesandra. Están exagerando todo esto mucho más de lo normal. Estos celos son totalmente infundados —añadió.

Esperaba que su cuñada le diera la razón, por lo que se sorprendió al ver que la princesa, en cambio, negaba con la cabeza.

—Colin y Caine no tendrían que estar celosos —murmuró Alesandra—. Pero sí muy preocupados.

—¿Cómo sabía lo que decía la tarjeta? —le preguntó Nathan—. ¿Ha recibido otros regalos como este ya?

Colin se volvió para mirarla. Su expresión fue escalofriante y también su tono de voz cuando dijo:

—Me lo habrías dicho si hubieras recibido otros regalos, ¿no es cierto, Alesandra?

Alesandra fue feliz de poder contestarle que sí. La furia de Colin era verdaderamente aterradora.

—Sí, te lo habría dicho, y no, no he recibido regalos como este anteriormente.

Colin asintió. Se reclinó en el respaldo del sofá, rodeó nuevamente los hombros de su esposa con el brazo y la estrechó con fuerza. A ella le resultó muy tierno ese gesto posesivo, por lo que no le importó que la estuviera dejando sin aire prácticamente.

—Usted sabe más de lo que nos cuenta —dijo Nathan.

Alesandra asintió.

—Sí —contestó—. Hace tiempo que intento que alguien me escuche. Hasta pedí a sir Richards que me ayudara.

Se volvió para mirar con el ceño fruncido a su marido.

—¿Estás listo para escuchar lo que tengo que decir?

Colin estaba un tanto sorprendido por los comentarios de su esposa, por supuesto, pero mucho más por el tono de irritación en su voz.

—¿Qué has tratado de decirme?

—Victoria recibió cartas y obsequios de un admirador secreto.

Colin se quedó sin palabras cuando Alesandra se lo recordó. Ella había tratado de explicarle mil veces su preocupación por su amiga, pero él no se lo había permitido. Se daba cuenta de que debía haberla escuchado.

—¿Quién es Victoria? —preguntó Caine.

Alesandra le contestó explicándole cómo había conocido a Victoria.

—Después de que mi amiga regresara a Inglaterra, continuó escribiéndome por lo menos una vez al mes. Yo le contestaba de inmediato, por supuesto, porque me encantaba enterarme de sus historias. Tenía una vida tan interesante... Sin embargo, en sus últimas cartas mencionó a un admirador que le enviaba regalos. A ella le parecía todo muy romántico. Yo recibí su última carta a principios de septiembre.

—¿Y qué te contaba en esa carta? —preguntó Caine.

—Que había decidido conocer a ese hombre —respondió Alesandra—. Yo estaba atónita, por supuesto, y le escribí sin demora. Le aconsejé que fuera cauta y que, si tenía tanto interés en conocer a ese admirador, lo mejor era llevar a su hermano para el encuentro.

Alesandra empezó a temblar. Colin instintivamente la abrazó.

—Ignoro si Victoria recibió mi carta o no. Para entonces, tal vez ya había desaparecido.

—¿Desaparecido? ¿Cómo? —preguntó Jade.

—Dijeron que Victoria había huido a Gretna Green —explicó Colin—. Pero Alesandra no cree esa teoría.

—No hay registros de ningún matrimonio celebrado allí —comentó ella.

—¿Qué cree que le pasó? —preguntó Nathan.

Hasta ese momento, Alesandra no había dejado traslucir el temor en su voz, pero al contestar respiró profundamente y miró al socio de su marido.

—Creo que la asesinaron.

Él caminaba por la biblioteca de aquí para allá, hecho una furia. Nada de eso era culpa suya. Se había detenido. Había ignorado la terrible necesidad. No había cedido a sus impulsos. No era culpa suya. No, el responsable era ese bastardo. Nunca habría vuelto a matar... Jamás se habría sometido a su necesidad imperiosa.

Venganza. Eso le daría una lección. Así quedarían mano a mano. Lo destruiría. Comenzaría por destruir cada cosa que él valorase. Lo haría sufrir.

Sonrió entusiasmado. Empezaría por las mujeres.

13

Esa frase produjo una inmediata reacción.

—Por Dios —exclamó Caine.

—¿Puede ser posible? —preguntó Nathan.

—No me había dado cuenta... —murmuró Jade, poniéndose la mano en el corazón.

Colin fue el último en reaccionar y lo hizo con más lógica que los demás.

—Explícame por qué lo crees —pidió.

—Flannaghan, ¿podría subir a buscarme la lista, por favor?

—¿Tienes hecha una lista con las razones por las que crees que tu amiga fue asesinada? —comentó Caine sorprendido.

—Ella tiene listas para todo.

Fue Colin quien contestó, pero Alesandra se sintió agradecida de que él no pareciera condescendiente.

—Sí, tengo una lista —dijo Alesandra—. Quise ordenar mis pensamientos con respecto a la desaparición de Victoria y tratar de trazar un plan de acción. Me di cuenta de que algo no andaba bien en cuanto me enteré de que Victoria había huido con un amante. Victoria jamás habría hecho una cosa así. Para ella las apariencias eran mucho más importantes que el amor. Por otra parte, no creo que se hubiera permitido enamorarse de un hombre que social y económicamente fuera inferior a ella. A veces tenía la mente un poco estrecha y se comportaba como una esnob. Pero esos eran sus únicos defectos, pues también poseía un gran corazón.

—Ese hombre tiene que ser alguien de la alta sociedad —dedujo Nathan.

—Sí, yo también pienso lo mismo —coincidió Alesandra—. También creo que él la invitó a encontrarse en algún sitio y la curiosidad la hizo olvidar la cautela. Ciertamente, se sentía muy alagada por las atenciones de ese hombre.

—Debía de haber sido terriblemente inocente —exclamó Jade.

—También lo es Catherine.

—¿Catherine? ¿Y qué tiene que ver mi hermana con todo esto?

—Ella me hizo jurar que no lo comentaría con nadie, pero como su seguridad está en juego, debo romper mi promesa. Esta mañana también recibió flores.

—Rayos, necesito un coñac —dijo Caine.

Flannaghan regresó al salón justo en ese momento. Entregó a Colin un montón de papeles para que se los pasara a Alesandra. Como había escuchado las palabras de Caine, dijo que iría por el coñac.

—Traiga la botella —ordenó Caine.

—Ruego a Dios que estemos llegando a la conclusión equivocada —dijo a Nathan.

—Es mejor que reaccionemos de este modo —contradijo Caine—. Tres de las mujeres de nuestra familia están siendo cortejadas por este bastardo. Pensemos lo peor y actuemos en consecuencia —añadió.

Colin estaba revisando la lista de papeles buscando la que correspondía al tema en discusión. Se detuvo cuando encontró una con su nombre como título.

Alesandra no prestaba atención a su esposo, pues estaba muy concentrada en su cuñado.

—Caine, no tienes información suficiente para creer que son solo tres —explicó—. Este hombre pudo haber mandado obsequios a docenas de mujeres en Londres.

—Ella tiene razón —coincidió Nathan.

Caine meneó la cabeza.

—Tengo el presentimiento de que está detrás de las nuestras.

Colin acababa de leer la lista de Alesandra. Debió recurrir a toda su fuerza de voluntad para no exteriorizar su reacción. Le tembló la mano cuando volvió a colocar la hoja de papel en el montón.

De modo que sería padre. Era tan feliz que quería estrechar a Alesandra entre sus brazos y besarla.

Y qué momento para enterarse de la noticia, pensó. Por supuesto que no le diría que había leído la lista. Esperaría a que ella se lo contara. Le daría tiempo hasta esa noche, cuando estuvieran en la cama...

—¿Por qué sonríes, Colin? Es una reacción estúpida y extraña frente a una situación tan delicada —protestó Caine.

—Estaba pensando en otra cosa.

—Presta atención, por favor —solicitó Alesandra.

Colin se volvió para mirarla. Ella vio ese brillo de ternura tan peculiar en sus ojos y se preguntó en qué habría estado pensando para que tuviera esa reacción. Antes de que pudiera preguntárselo, él se le acercó y la besó.

Fue un beso breve, que terminó antes de que ella pudiera reaccionar.

—Por el amor de Dios, Colin —masculló Caine.

—Hace muy poco que estamos casados —exclamó Alesandra, tratando de buscar alguna excusa que justificara la demostración de afecto de su marido.

Flannaghan apareció con una bandeja llena de copas y con una botella de coñac. La puso sobre la mesa que estaba junto a Alesandra y se le acercó para murmurarle algo al oído.

—La cocinera ha vuelto.

—¿Tiene novedades?

Flannaghan asintió ansioso. Caine se sirvió una copa y la terminó de un solo trago. Nathan y Colin no quisieron beber.

—¿Puedo beber una copa, por favor? —preguntó Alesandra. Si bien no le agradaba el sabor del coñac, pensó que un poco de alcohol le vendría bien para perder el frío. También sentía un poco de náuseas y estaba segura de que su malestar se debía al tema de conversación.

—Flannaghan, traiga a Alesandra un vaso de agua, por favor —ordenó Colin.

—Yo prefiero coñac.

—No.

Alesandra le miró asombrada.

—¿Por qué no?

Colin no tuvo una rápida respuesta a su pregunta. Quería decirle que tal vez el coñac no le sentaría bien, dada su delicada condición. Pero, por supuesto, no pudo porque la princesa todavía no le había dicho lo del bebé.

—¿Por qué estás sonriendo? Realmente, Colin, debo decir que tu comportamiento es de lo más intrigante.

Colin se obligó a concentrarse en el tema de conversación.

—No me agrada que bebas —dijo.

—Si jamás lo hago.

—Claro —coincidió Colin—. Y no querrás empezar ahora.

Flannaghan dio un golpecito en el hombro de Alesandra recordándole su mensaje.

—¿Me disculpan un momento? —preguntó. Entonces advirtió que sus listas estaban en manos de Colin—. ¿Qué estás haciendo con las listas?

—Te las guardo —contestó—. ¿Quieres que busque la que dice Victoria?

—No, gracias —contestó. Cogió las listas y encontró la de Victoria en segundo lugar. Intentó ponerse de pie pero Colin se lo impidió.

—No irás a ninguna parte.

—Debo hablar con la cocinera.

—Flannaghan puede contestar a tus preguntas.

—No entiendes —le dijo Alesandra—. Ella fue a hacerme un trámite y debo preguntarle cómo le ha ido.

—¿Qué trámite? —preguntó Colin.

Durante uno o dos minutos, Alesandra se quedó pensando si debía contestarle o no.

—Te enfadarás —le murmuró.

—No, no lo haré.

La expresión de la princesa indicaba que no le creía.

—¿Alesandra?

Colin pronunció el nombre de su esposa en ese tono de amenaza que por lo general producía una inmediata respuesta por parte de ella. Pero cuando la joven sonrió, él advirtió que no había logrado impresionarla en absoluto.

—Por favor, dímelo.

Se lo pidió en lugar de ordenárselo y, para ella, la diferencia tenía mucha importancia. Le respondió de inmediato.

—La envié a casa del vizconde Talbot. Antes de enfadarte por esto, Colin, recuerda que me ordenaste no hablar con el vizconde y yo te obedecí.

Colin estaba completamente confundido.

—Todavía no entiendo.

—Envié a la cocinera para que hablara con el personal de lady Roberta. Quería saber si la dama había recibido regalos antes de desaparecer. Esposo, los dos sabemos que esa mujer no abandonó a su marido. Esa excusa es impensable.

—Y ella había recibido regalos —estalló Flannaghan—. El vizconde se puso furioso por eso. El personal cree que ella huyó con el pretendiente. El vizconde no habla al respecto con los criados, pero él también cree lo mismo. La criada que trabaja en el primer piso dice que el hombre se ha dado a la bebida para ahogar sus penas y que se pasa encerrado día y noche en su biblioteca.

—¿Qué rayos está sucediendo aquí? —preguntó Caine—. ¿Podría existir alguna conexión entre las dos mujeres?

—Ambas desaparecieron —recordó Jade a su marido—. ¿No te parece conexión suficiente?

—No me refería a eso, cariño.

—Tal vez él hace sus elecciones al azar —sugirió Nathan.

—Siempre hay un motivo —dijo Colin.

—Tal vez para el primero —coincidió Nathan.

Alesandra estaba confundida por ese comentario.

—¿Por qué habría un motivo para el primero y no para el segundo?

Nathan miró a Colin antes de responder.

—Tal vez hubo un motivo detrás del primer asesinato. Pero después, le tomó el gusto a matar.

—Algunos lo hacen —aclaró Caine.

—Santo Dios —susurró Jade.

Temblaba notoriamente. Caine, de inmediato, acudió a su lado, la tomó del brazo y la levantó de la silla. Luego se sentó él para acomodarla en su regazo. Jade se recostó sobre su pecho.

—¿Se refiere a que a ese hombre le gusta matar? —preguntó Alesandra.

—Podría ser —contestó Nathan.

Alesandra sintió el estómago revuelto otra vez. Se acercó más a su marido, como buscando refugio en él. Se sentía segura cuando percibía su proximidad... aliviada, también. De eso se trataba el amor, pensó.

—Tendremos que buscar más información —dijo Caine.

—Yo he tratado de hablar con el hermano de Victoria, pero él no ha querido colaborar en absoluto —comentó Alesandra.

—Lo hará en cuanto yo hable con él —declaró Colin.

—No sé por qué —replicó Alesandra—. Recuerda que la última vez que hablaste con él lo pusiste de patitas en la calle.

—¿Y qué tal si pedimos la colaboración de sir Richards? —sugirió Nathan.

Alesandra cerró los ojos y escuchó la discusión. Colin le acariciaba el brazo sin darse cuenta en un gesto muy natural que la tranquilizaba. Las voces masculinas eran bajas y, mientras formulaban sus planes de acción, la muchacha pensó lo bello que era tener, por fin, la cooperación de su marido. Sabía que se enteraría de lo que había sucedido con Victoria... y por qué. No dudaba de la habilidad de Colin para llegar al fondo de la cuestión, pues sabía que se había casado con el hombre más inteligente de Inglaterra. Probablemente, también era el más obstinado, pero ese defecto parecía insignificante. No se rendía hasta obtener las respuestas que buscaba.

—¿Qué rayos más hacemos? —preguntó Caine.

Alesandra miró su lista antes de contestar.

—Hay que averiguar quién se benefició con la desaparición de Victoria. Colin, podrías indagar si se obtuvo alguna póliza que la involucrara. A Dreyson le gustará ayudarte.

Los tres hombres sonrieron al unísono.

—Pensé que te habías dormido —le dijo Colin.

Ella no le hizo caso.

—También podríais considerar todos los otros motivos... en sentido general —explicó—. Los celos y el rechazo son dos motivos. Neil mencionó que su hermana había rechazado varias propuestas de matrimonio. Tal vez a alguno de sus pretendientes no le agradó recibir un no como respuesta.

Jade pensó que Alesandra era realmente muy astuta. Colin sonreía, sugiriendo a Jade que él también se había percatado de la perspicacia de su esposa. Pero Nathan y Caine todavía estaban en otra cosa.

—Sí, por supuesto, estudiaremos cada motivo —dijo Caine—. Ojalá tuviéramos algunas pistas.

—Ah, pero si las tenéis —dijo Alesandra—. El hecho de que tres de las mujeres de tu familia hayan recibido regalos es una pista, Caine. Se me ocurre que alguno de vosotros, los varones, o de nosotras, las mujeres, hemos ofendido de un modo u otro a ese sujeto.

Colin asintió.

—Eso es lo que yo pensé también —dijo—. Está volviéndose demasiado descuidado.

—O más atrevido —intervino Nathan.

—¿No olvidáis algo muy importante? —preguntó Jade.

—¿Qué? —preguntó Caine a su esposa.

—Que no hay cuerpos. En realidad, podríamos estar trabajando sobre una teoría errónea.

—¿Eso crees? —le preguntó Alesandra.

Jade lo pensó un rato y luego respondió:

—No.

Colin se hizo cargo. Dio a todos una tarea, excepto

a Alesandra. Pidió a Jade que hablara con todas las mujeres de la alta sociedad que le fuera posible para averiguar si alguien más había recibido los famosos regalos. Pero le advirtió que no alertara a ninguna de ellas sobre los que ella, Catherine y Alesandra habían recibido, porque algunas tontas podrían pensar que se trataba de una especie de competencia.

Nathan recibió la orden de hacerse cargo del astillero el tiempo que Colin necesitara para hacer algunas averiguaciones pertinentes.

—Caine, Alesandra tiene razón. Neil no querrá hablar conmigo, de modo que tendrás que hacerlo tú.

—Lo haré —aceptó Caine—. También debo hablar con Talbot. Fuimos juntos a Oxford y tendrá que escucharme.

—Yo hablaré con papá —dijo Colin después—. Tendrá que vigilar de cerca a Catherine hasta que atrapemos a ese bastardo.

Alesandra esperó a que Colin le dijera qué tenía que hacer. Pasaron unos breves minutos y su impaciencia fue más fuerte que ella. Dio un codazo a su esposo para llamarle la atención.

—¿No te has olvidado de mí?

—No.

—¿Cuál será mi tarea? ¿Qué quieres que haga?

—Descansar, cariño.

—¿Descansar?

Alesandra se puso hecha una furia, pero él no le permitió discutir. Caine estaba listo para marcharse. Levantó a su esposa de su regazo y se puso de pie. Nathan hizo lo propio y se dirigió a la puerta.

—Vamos, Alesandra. Necesitas dormir una siesta —dijo Colin.

Por supuesto, no necesitaba ninguna siesta, pensó ella, y si no hubiera estado tan cansada, se lo habría dicho. Sin embargo, para reñir con Colin se necesitaba mucha fuerza y a ella ya no le quedaba. Esa sombría conversación la había dejado sin energías.

Caine estaba sonriéndole. Alesandra no quería que su cuñado la creyera una debilucha y sabía que había escuchado la sugerencia de Colin sobre la siesta. Le dio la lista.

—Aquí he escrito otros posibles motivos que tal vez te interese investigar —dijo.

Antes de que Caine pudiera agradecérselo ella exclamó:

—Estoy un poco cansada, pero solo porque Colin y yo hemos trasnochado mucho últimamente. Él también lo está —comentó.

Caine le guiñó un ojo. Alesandra no supo cómo tomárselo. Colin le llamó la atención indicándole que subieran las escaleras. Flannaghan acompañó a los visitantes hasta la puerta.

—¿Por qué me tratas como si fuera una inválida?

Alesandra le hizo esa pregunta cuando se encontraron en la alcoba. Colin estaba desabrochándole el vestido.

—Pareces fatigada —le contestó— y a mí me agrada desvestirte.

La trataba con mucha suavidad. Cuando le dejó solo la camisola, le apartó el cabello hacia atrás y le besó el cuello.

Abrió las mantas y la acostó.

—Solo descansaré unos pocos minutos —dijo ella—. No me atrevo a dormir.

Él se inclinó y la besó en la frente.

—¿Por qué no?

—Porque si duermo ahora, no podré hacerlo esta noche.

Colin se dirigió hacia la puerta.

—De acuerdo, cariño. Solo descansa.

—¿No te gustaría descansar a ti también?

Él rió.

—No. Tengo trabajo.

—Lo lamento, esposo.

Colin acababa de abrir la puerta.

—¿Y por qué lo lamentas?

—Parece que siempre interfiero en tu trabajo. Por eso lo lamento.

Colin asintió, hizo ademán de irse, pero se arrepintió. Se volvió y se acercó a la cama. Era una ridiculez que ella se disculpara por interferir y él quería decírselo. Pero se sorprendió al ver lo rápido que Alesandra se había dormido. Hasta se sintió un poco culpable por haberla hecho salir todas las noches. Rayos, le parecía tan delicada y vulnerable...

Colin no supo cuánto tiempo se quedó allí mirándola. Lo consumía la necesidad de protegerla. Nunca se había sentido tan posesivo... ni tan afortunado, se dio cuenta de inmediato.

Alesandra lo amaba.

Y, Dios, cuánto la amaba él también. Esa realidad no lo sacudió, aunque descubrirlo fue suficientemente fantasioso como para hacerlo sonreír. Hacía mucho ya que había descubierto que la amaba, aunque obstinadamente se había negado abiertamente a admitirlo. Solo Dios sabía que tenía todos los síntomas de un hombre enamorado. Desde la primera vez que la vio, no hizo más que poseerla y protegerla. Hacía mucho que no podía quitarle las manos de encima, creyendo que solo se trataba de un simple caso de deseo. Pero después de un tiempo, se dio cuenta de la realidad. No se trataba de eso solamente.

Oh, sí, hacía mucho ya que la amaba, aunque no podía entender por qué ella lo amaba a él. Si Alesandra hubiera estado despierta, se lo habría preguntado de inmediato. Una mujer con título... con tierras y una herencia... con un cuerpo bello y sano.

Colin no se consideraba un romántico, sino un hombre lógico y práctico, que había aprendido que llegaría al éxito solo mediante mucho trabajo. En un sombrío rincón de su corazón, pensaba que Dios le había dado la espalda. Era un concepto insensato que había echado raíces en él después de que se le malograra la pierna en aquel terrible accidente. Recordaba la sugerencia del médico de amputársela y también recordaba la vehemente negativa de su socio. Nathan no habría permitido a sir Richards que le tocara la pierna, pero Colin había sentido terror de quedarse dormido y de despertar luego y no ser un hombre entero.

Si bien pudo conservar la pierna, el terrible dolor con el que tenía que vivir hacía de la victoria algo irrelevante.

Colin siempre creyó que los milagros eran para otros... hasta que apareció Alesandra en su vida. Su princesa lo amaba de verdad. De corazón, Colin sabía que los sentimientos de la muchacha hacia él no conocían restricciones ni condiciones. Si ella lo hubiera conocido con una sola pierna, lo habría amado de la misma manera. Tal vez habría sido merecedor de su condolencia, pero no de su lástima. Cada uno de sus actos demostraban fortaleza y determinación.

Alesandra siempre estaría con él, a su lado, discutiendo... y amándolo, por encima de todas las cosas.

Y eso, decidió Colin, era definitivamente milagroso.

Después de todo, Dios no se había olvidado de él.

Ella quería dejarlo. Sabía que no actuaba con sensatez, pero estaba tan enojada que no se le ocurría qué hacer. Ese comentario tan natural de Nathan sobre cómo él y Colin habían contado con el dinero de Sara para fortalecer el capital del astillero le dio vueltas en la cabeza hasta que tuvo deseos de llorar.

Según ella, Colin la había rechazado de todas las maneras imaginables. No quería que lo ayudara con los libros de contabilidad del astillero, no quería su herencia ni tampoco quería —ni necesitaba— su amor. Al parecer, tenía el corazón blindado y Alesandra estaba segura de que jamás lograría hacer que la amara.

Sabía que estaba siendo muy autocompasiva, pero no le importaba. La carta de la madre superiora había llegado esa mañana y ya la había leído más de una docena de veces.

Quería volver a casa. Sentía tanta nostalgia por las monjas y aquella tierra que se puso a llorar. Estaba bien, decidió. Después de todo, estaba sola. Colin no hacía más que trabajar en su estudio, con la puerta cerrada, por supuesto. No la escucharía.

Por Dios, ojalá no hubiera estado tan sensible esos días. Era como si no pudiera pensar lógicamente en nada. Estaba de pie, junto a la ventana, mirando hacia fuera. Solo llevaba puestos su camisón y la bata. Estaba tan absorta en sus preocupaciones que no oyó que se abría la puerta.

—¿Qué sucede, cariño? ¿Te sientes bien?

La voz de Colin parecía muy preocupada. Alesandra respiró profundamente para calmarse y luego se volvió a mirarlo.

—Me gustaría irme a casa.

Colin no estaba preparado para semejante petición. Más bien, se quedó atónito, aunque se recuperó de inmediato. Cerró la puerta tras de sí y fue hacia ella.

—Estás en casa.

Alesandra quería discutir con él.

—Sí, por supuesto —accedió—. Pero me gustaría que me dieras tu permiso para ir a la Sagrada Cruz de visita. El convento queda muy cerca de Stone Haven y me agradaría volver a ver la casa de mis padres.

Colin se acercó al escritorio de la muchacha.

—¿De qué se trata todo esto, en realidad? —le preguntó.

Se apoyó en el borde del escritorio mientras le hacía la pregunta.

—Esta mañana recibí una carta de la madre superiora y, de pronto, sentí mucha nostalgia.

Colin no exteriorizó reacción alguna frente a esa petición.

—En este momento no puedo tomarme tiempo para...

—Stefan y Raymond irán conmigo —lo interrumpió—. No pretendo que me acompañes. Ya sé cuán ocupado estás.

Colin notó que se estaba enojando. La idea de que su esposa emprendiera un viaje tan largo sin él lo desolaba. Sin embargo se esforzó para no negarle el permiso de inmediato, pues nunca la había visto tan amargada. De todas maneras estaba terriblemente preocupado por su delicada condición.

Alesandra había perdido la razón si pensaba que la dejaría ir sin él a alguna parte. Pero tampoco se lo mencionó.

Optó por emplear la razón para hacerla entender.

—Alesandra...

—Colin, tú no me necesitas.

El hombre se quedó azorado por ese comentario tan absurdo.

—Al diablo con que no te necesito —la contradijo, casi gritándole.

Ella negó con la cabeza. Él afirmó. Luego la princesa le volvió la espalda.

—Nunca me has necesitado —murmuró.

—Alesandra, siéntate.

—No quiero sentarme.

—Quiero hablar contigo sobre... —Estuvo a punto de decirle que quería hablarle sobre su «ridícula idea» cuando se detuvo a tiempo.

Alesandra no le hizo caso y continuó mirando por la ventana.

Colin vio los papeles que había sobre el escritorio y de pronto se dio cuenta de lo que iba a hacer. Rápidamente revisó las listas de su esposa y se quedó con la que llevaba su nombre como título.

Ella no le prestaba atención. Colin dobló la hoja y se la metió en el bolsillo. Después volvió a ordenarle que se sentara con un tono más firme esta vez.

Ella se tomó su tiempo para obedecer. Se secó las lágrimas con el dorso de la mano y finalmente se acercó a la cama. Se sentó, colocó ambas manos sobre la falda y bajó la cabeza.

—¿Es que de pronto has dejado de amarme?

Colin no había podido borrar la preocupación de su voz. Alesandra se sorprendió tanto por la pregunta que levantó la cabeza.

—No, por supuesto que no he dejado de amarte.

Colin asintió complacido y aliviado de escuchar la ferviente respuesta. Luego se alejó del escritorio y avanzo hacia su esposa para pararse justo frente a ella.

—No hay ningún tío Albert, ¿verdad?

El cambio de tema la confundió.

—¿Y qué tiene que ver Albert con mi petición de ir a casa?

—Maldición, esta es tu casa —la contradijo.

Alesandra volvió a bajar la cabeza. Colin de inmediato se arrepintió de haber estallado de esa manera y respiró profundamente para calmarse.

—Por favor, Alesandra, sigue la conversación unos minutos y contéstame a la pregunta.

Ella se quedó pensando un rato si debía o no decirle la verdad.

—No, no existe ningún tío Albert.

—Eso me parecía.

—¿Por qué?

—Aquí nunca ha llegado ninguna carta enviada por ese hombre, a pesar de que tú dijiste a Caine que te había mandado una. Te lo inventaste y creo que sé por qué.

—Realmente no quiero hablar de esto. Estoy bastante cansada esta noche. Es tarde. Son casi las diez.

Pero Colin no estaba dispuesto a permitir que le rehuyera de ese modo.

—Hoy dormiste una siesta de cuatro horas —le recordó.

—Estaba recuperando horas de sueño perdidas —declaró ella.

—Dreyson no habría aceptado órdenes para comprar acciones que provinieran de una mujer, ¿no es cierto? Entonces inventaste a Albert, un personaje conveniente, que por casualidad, tenía las mismas iniciales que tú.

Alesandra no iba a discutir con él.

—Sí.

Colin volvió a afirmar con la cabeza y entrelazó las manos en la espalda. Frunció el entrecejo al mirarla.

—Escondes tu inteligencia, ¿verdad, Alesandra? Obviamente tienes un gran don para los negocios, pero en lugar de alardear con tu astucia para las inversiones, inventaste a un hombre para que se llevara todo el mérito.

Ella levantó la vista y vio el gesto ceñudo de su marido.

—Los hombres solo escuchan a otros hombres —declaró—. No es aceptable que una mujer tenga esos intereses. No se considera femenino. Y no es ningún don, Colin. Leo los periódicos y escucho las sugerencias de Dreyson. No se necesita tener una mente brillante para dejarse guiar por sus consejos.

—¿Entonces admitirás que eres bastante inteligente y que puedes razonar sobre la mayoría de las cosas usando la lógica?

Alesandra quería saber adónde rayos la llevaría esa conversación. Su esposo actuaba de una manera que la hacía sentir realmente muy incómoda. No se imaginaba por qué.

—Sí —le dijo—. Admitiré que soy bastante inteligente.

—Entonces, por el amor de Dios, ¿por qué no has empleado la lógica y la inteligencia que tienes para analizar los hechos y darte cuenta de que te amo?

Alesandra abrió desmesuradamente los ojos y se echó hacia atrás. Abrió la boca para decir algo, pero olvidó las palabras.

—Te amo, Alesandra.

Le había resultado muy difícil confesarle los sentimientos que ocultaba en su corazón, pero una vez que pronunció la frase, se sintió profundamente libre. Sonrió a su esposa y volvió a decírselo.

Ella se levantó de la cama de un salto y lo miró ceñuda.

—No me amas —le dijo.

—Puedes apostar a que sí —la contradijo él—. Si aplicaras un poco de lógica...

—La he aplicado —lo interrumpió—. Y he llegado exactamente a la conclusión opuesta.

—Cariño...

—Nada de «cariño» —le gritó.

Colin trató de abrazarla pero ella lo eludió volviéndose a sentar.

—Oh, claro que lo he pensado, una y otra vez. ¿Quieres que te diga a qué conclusiones he llegado?

No le dio tiempo a contestar.

—Has vuelto la espalda a todas las cosas que tenía para ofrecerte. Habría sido incoherente pensar que me amabas.

—¿Que yo qué? —preguntó, asombrado por la vehemencia de su voz.

—Que tú has rechazado todo —susurró ella.

—¿Qué es exactamente lo que he rechazado?

—Mi título, mi posición, mi castillo, mi herencia... hasta mi ayuda con tu empresa.

Colin por fin entendió. La hizo poner de pie para abrazarla. Ella trató de apartarse. Cayeron sobre la cama. Colin la protegió, para no caer con todo el peso de su cuerpo sobre el de ella. Le sostuvo la parte inferior del cuerpo con los muslos, se apoyó en los codos y le sonrió.

Tenía la cabellera sobre las almohadas y los ojos nublados por las lágrimas que no trataba de disimular. Eso la tornaba más vulnerable ante él. Dios, era hermosa... aun cuando estaba furiosa con él.

—Te amo, Alesandra —murmuró—. Y he tomado todo lo que tenías para darme.

Alesandra empezó a protestar. Él no la dejó. Le tapó la boca con la mano para que no pudiera interrumpirlo.

—No he rechazado nada que tuviera valor. Tú me has ofrecido todo lo que un hombre puede desear. Me diste tu amor, tu confianza, tu lealtad, tu inteligencia, tu corazón y tu cuerpo. Ninguna de esas cosas es material, cariño. Y si perdías todo el respaldo financiero que tenías, a mí no me importaba, porque tú eras todo lo que realmente quería. ¿Ahora me entiendes?

Estaba extasiada por esas palabras tan hermosas. Tenía los ojos húmedos y se dio cuenta de lo difícil que había sido para él confesarle esa verdad. Colin la amaba sinceramente. Se sintió tan dichosa que se echó a llorar.

—Amor, no llores —le rogó—. Me apena mucho verte así.

Alesandra trató de dejar de llorar y a la vez de explicarle por qué lo hacía. Colin le destapó la boca y suavemente empezó a secarle las lágrimas.

—No tenía nada que darte cuando me casé contigo —le confesó—. Y aun así... en nuestra noche de bodas me di cuenta de que me amabas. Al principio, tuve dificultades para aceptarlo. Me parecía muy injusto para ti. Debí haber recordado un comentario tuyo con respecto al príncipe regente. Eso nos habría ahorrado muchas preocupaciones.

—¿Qué comentario hice?

—Yo te dije que había escuchado por ahí que el príncipe regente se había quedado prendado de ti. ¿Recuerdas qué me contestaste tú?

Claro que Alesandra lo recordaba.

—Te dije que estaba impresionado por lo que yo era y no por quién era.

—¿Y bien? —preguntó él, con voz ronca.

—¿Bien qué?

La sonrisa de ella era radiante, pues al fin comprendió.

—Pensé que eras muy inteligente —declaró.

—Me amas.

—Sí.

Colin se inclinó y la besó. Ella suspiró en su boca. Cuando él se apartó, se dio cuenta de que la había convencido.

—¿Y tú también estuviste pensando en esa frase? —le preguntó ella.

Colin no entendió a qué se refería, pues estaba ocupado desabrochándole el vestido.

—¿Si pensé en qué exactamente?

—Que me enamoré de quién eres y no de lo que eres —le contestó ella—. Fue tu fuerza y tu coraje lo que me llevó a ti, Colin. Yo necesitaba ambas cosas.

El hombre se sentía tan complacido con su esposa que volvió a besarla.

—Te necesitaba —admitió.

Él quería besarla otra vez. Ella, hablar.

—Colin, tú te muestras al mundo como un hombre que lucha por levantar una empresa.

—Soy un hombre que lucha por levantar su empresa.

Se apartó para poder quitarle el camisón y la bata con más facilidad.

—No estás en la miseria —le dijo ella. Se sentó y empezó a quitarse la bata. Él la ayudó.

—Estuve analizando tus libros, ¿lo recuerdas? Has hecho buenos negocios, pero volviste a reinvertir y los resultados fueron asombrosos. Has tratado de construir un imperio, pero si te detuvieras un instante a retroceder un paso y analizar la realidad, te darías cuenta de que prácticamente has alcanzado tu objetivo. Vaya, si casi eres propietario de veinte barcos. Los pedidos de mercancías se extienden hasta el año próximo. Esas circunstancias deben convencerte de que tu empresa ya ha dejado de luchar para subsistir.

A Colin le costaba escuchar lo que ella le decía. Se había quitado la bata y estaba haciendo lo propio con el camisón. Sintió un nudo en la garganta. Ella por fin eliminó la barrera. De inmediato, Colin trató de abrazarla, pero ella se lo negó con la cabeza.

—Primero me gustaría que me contestases a una pregunta, por favor.

Colin debió haber accedido, pero no estaba seguro. El fuego ardía en sus venas y lo único que deseaba hacer era entrar en ella. Estaba tan ansioso por tocarla que literalmente estaba rompiendo el camisón mientras intentaba quitárselo.

—Colin, ¿cuándo basta es basta?

La pregunta de Alesandra requería concentración. Pero Colin no la tenía.

—En cuanto a ti, nunca podrá ser basta para mí.

—A mí me sucede lo mismo en lo que a ti concierne —murmuró ella—, pero no era a eso a lo que me refería...

Colin la calló con sus labios. Alesandra no pudo resistirlo más. Le rodeó el cuello con los brazos y se abandonó a la maravilla de su pasión... de su amor.

Colin era exigente e increíblemente suave con ella. Sus caricias eran mágicas y, mientras ella gozaba con su bendita sumisión, Colin le repetía una y otra vez cuánto la amaba.

Alesandra debió haberle dicho que ella también lo amaba, pero Colin la había dejado tan exhausta que no tenía fuerzas para hablar. Rodó sobre su espalda, cerró los ojos y escuchó los acelerados latidos de su corazón mientras el aire fresco de la noche enfriaba su piel caliente.

Colin se puso de costado. Apoyó la cabeza sobre una mano y le sonrió. Parecía totalmente satisfecho.

Con los dedos delineó un suave camino, desde el mentón de Alesandra hasta su vientre. Allí se detuvo para acariciarla.

—Cariño, ¿hay algo que quieres decirme?

La princesa se sentía demasiado feliz para ponerse a pensar en otra cosa que no fuera lo que acababa de vivir.

Colin iba a empezar a presionarla hasta que le confesara lo del bebé, pero las insistentes llamadas de Flannaghan a la puerta interrumpieron su intención.

—Milord, su hermano está aquí. Lo he llevado al estudio.

—Ya voy para allá —gritó Colin.

Protestó por lo bajo diciendo algo del poco sentido de la oportunidad de Caine. Alesandra no se molestó en abrir los ojos para comentar:

—Habría sido mucho más inoportuno si hubiera venido diez minutos antes. Creo que más bien fue bastante considerado.

Colin estuvo de acuerdo. Comenzó a levantarse de la cama, pero volvió a ella. Alesandra abrió los ojos justo a tiempo para verlo posar un tierno beso sobre su ombligo. Ella le acarició el hombro. El cabello de su nuca se rizó entre los dedos de la muchacha.

Colin se había vuelto a dejar crecer el cabello. Ese descubrimiento la sorprendió. Estaba tan feliz que por poco se puso a llorar nuevamente. Pero no lo hizo, claro, porque Colin le había dicho que lo entristecía verla llorar. Además, no la habría entendido. Pero ella sí comprendía y eso era todo lo que importaba. El matrimonio no se había convertido en una prisión para su marido.

Colin estaba confundido por la expresión en la mirada de Alesandra.

—¿Cariño?

—Todavía eres libre, Colin.

Él abrió los ojos al escuchar el comentario.

—Dices las cosas más extrañas —comentó.

—Tu hermano está esperando.

Colin asintió.

—Quiero que pienses en mi pregunta mientras hablo con Caine. ¿De acuerdo, cariño?

—¿Qué pregunta?

Colin se levantó de la cama y se puso los pantalones.

—Te pregunté si tenías algo que decirme —le recordó.

Se puso los zapatos y fue a su cuarto a buscar una camisa limpia. Había roto la que llevaba puesta antes.

—Piénsalo.

Cogió su chaqueta, le guiñó un ojo y abandonó el cuarto.

Caine estaba sentado en una silla de cuero frente a la chimenea. Colin lo saludó con un gesto de la cabeza y se sentó a su escritorio. Tomó una hoja de papel y una pluma.

Caine miró una sola vez a su hermano y sonrió ampliamente.

—Veo que te he interrumpido. Lo siento —comentó.

Colin hizo caso omiso de la diversión de su hermano. Sabía que estaba desaliñado. No se había molestado en ponerse una corbata. Ni en peinarse, tampoco.

—El matrimonio te sienta bien, Colin.

Colin no fingió indiferencia. Miró a su hermano y le transmitió la verdad de sus sentimientos. Los disimulos pertenecían al pasado.

—Soy un hombre enamorado.

Caine rió.

—Te llevó bastante tiempo darte cuenta.

—No más del que te llevó a ti darte cuenta de que amabas a Jade.

Caine asintió. Colin siguió escribiendo.

—¿Qué estás haciendo?

La sonrisa de Colin expresó gran picardía al admitir que comenzaba una lista.

—Parece que se me ha pegado el hábito de mi esposa de obsesionarme por la organización. ¿Has hablado con el vizconde?

La sonrisa de Caine desapareció. Se aflojó el nudo de la corbata mientras contestaba.

—Harold está destruido —dijo, refiriéndose al vizconde—. Casi no logra pensar con coherencia. La última vez que vio a su esposa tuvieron una riña. Desde entonces no hace más que reprocharse las duras palabras que le dijo. Da pena ver lo angustiado que está.

—Pobre diablo —dijo Colin, negando con la cabeza—. ¿Te contó por qué se pelearon?

—Estaba seguro de que ella tenía un amante —contestó Caine—. Estaba recibiendo obsequios y Harold llegó a la conclusión de que se los enviaba un amante.

—Rayos.

—Él todavía no se ha dado cuenta de la situación, Colin. Yo le hablé de los regalos que están recibiendo nuestras esposas, pero estaba demasiado borracho y no me entendió. No hacía más que repetir que, por su ira, Roberta lo dejó por otro hombre.

Colin se reclinó en la silla.

—¿Añadió alguna otra cosa que nos pueda ayudar?

—No.

Los hermanos guardaron silencio; cada uno estaba sumido en sus propios pensamientos. Colin retiró la silla hacia atrás y se agachó para quitarse los zapatos. Arrojó el izquierdo y luego el derecho. Estaba a punto de enderezarse cuando advirtió el alza que había en el interior de su zapato izquierdo.

—Maldición —murmuró. Ya estaba gastándose el par de zapatos mas cómodo que tenía. Lo recogió del piso para ver si tenía arreglo. Tocó la gruesa inserción con los dedos.

Nunca había visto algo así. De inmediato, tomó el otro zapato y lo miró. Flannaghan escogió ese momento para entrar en el estudio a fin de llevar una bandeja con una botella de coñac y unas copas por si Caine deseaba beber. Le bastó una sola mirada en dirección a Colin para darse cuenta de lo que estaba mirando. Sin demoras, se volvió para marcharse.

—Vuelva aquí, Flannaghan —ordenó Colin.

—¿Desea una copa, milord? —preguntó Flannaghan a Caine.

—Sí —respondió Caine—. Pero de agua, no de coñac. Después de haber visto el estado en el que estaba Harold por el alcohol, la sola idea de beber coñac me revuelve el estómago.

—Traeré el agua de inmediato.

Flannaghan trató de irse otra vez, pero Colin volvió a impedírselo.

—¿Desea agua también? —preguntó el mayordomo a su señor.

Colin sostuvo en alto el alza.

—Quiero que me diga si usted sabe algo de esto.

Flannaghan estaba en una encrucijada de lealtades. Era el sirviente de Colin, por supuesto, y por lo tanto, le debía lealtad a su señor. Pero, por otra parte, había prometido a la princesa no decir una sola palabra del zapatero.

El silencio de Flannaghan fue insoportable. Caine empezó a reírse.

—Por la expresión de su rostro, yo diría que sabe bastante al respecto. ¿Qué es lo que tienes ahí, Colin?

Arrojó el alza de cuero a Caine.

—Acabo de encontrar esto escondido debajo de la plantilla de mi zapato. Ha sido hecha específicamente para mi zapato izquierdo.

Volvió a mirar a su mayordomo.

—Alesandra está detrás de todo esto, ¿verdad?

Flannaghan carraspeó.

—Ahora son sus zapatos predilectos, milord —se apresuró a mencionar—. Con esa alza el talón le resulta mucho más cómodo. Ojalá no se enfade mucho por esto.

Colin no estaba enfadado en absoluto, pero su mayordomo era muy joven y estaba demasiado preocupado para notarlo.

—Nuestra princesa se ha dado cuenta de que usted es un poco... sensible con su pierna izquierda —continuó Flannaghan— y por esa razón, decidió valerse de una pequeña trampa. Realmente, señor, espero que no la regañe.

Colin sonrió. El modo en que Flannaghan la había defendido lo complació.

—¿Puede pedir a «nuestra princesa» que venga aquí? Golpee suavemente a su puerta, Flannaghan, y si no le responde de inmediato, es porque se ha quedado dormida.

Flannaghan salió a toda prisa del estudio. Se dio cuenta de que aún tenía la botella de coñac entre las manos y volvió. La dejó en una mesa y salió nuevamente de la habitación.

Caine arrojó el alza de cuero a su hermano para devolvérsela.

—¿Y da resultados esto?

—Sí —admitió Colin—. No me había dado cuenta...

Caine vio la vulnerabilidad que había en la mirada de su hermano y se asombró. Nunca antes había dejado que otra persona pudiera ver más allá de su sonrisa. De pronto se sintió más cerca de su hermano y todo porque Colin ya no se cerraba como solía hacerlo. Se inclinó hacia delante y apoyó los codos en las rodillas.

—¿De qué no te habías dado cuenta?

Colin observó el alza al responder.

—De que mi pierna izquierda es más corta que la derecha. Es lógico. Perdí músculo...

Se encogió de hombros; Caine no supo qué decirle. Era la primera vez que Colin aceptaba públicamente su condición física y Caine ignoraba cómo debía proceder. Si mostraba indiferencia, su hermano podría pensar que no le importaba. Pero, por otra parte, si se mostraba muy interesado y lo acosaba a preguntas, Colin podría cerrarle la puerta otra vez y permanecer encerrado durante cinco años más.

Era una situación muy difícil. Y, al final, no dijo ni una palabra. Cambió de tema.

—¿Has hablado con papá sobre Catherine?

—Sí —contestó Colin—. Prometió no dejarla ni a sol ni a sombra. También ha puesto al personal sobre aviso. Si le envían algo más, papá lo verá primero.

—¿Advertirá a Catherine?

—No quiere preocuparla —respondió Colin—. Yo insistí. Ella tiene que entender lo seria que es esta situación. Catherine es un poquito... caprichosa, ¿no crees?

Caine sonrió.

—Todavía no es completamente adulta, Colin. Dale un poco de tiempo.

—Y protejámosla hasta que crezca.

—Sí.

Alesandra apareció en la puerta con Flannaghan a su lado. Llevaba puesta una bata azul que la cubría desde el mentón hasta los pies. Entró en el estudio, sonrió a Caine y luego se volvió hacia su marido. Colin sostuvo el alza en el aire para que la viera. Al instante, la princesa perdió la sonrisa y empezó a retroceder.

No parecía asustada. Solo cautelosa.

—¿Alesandra, sabes algo de esto?

Por la expresión de Colin, Alesandra no podía adivinar si estaba enojado o simplemente molesto con ella. Recordó que su marido, pocos minutos antes, le había jurado que la amaba. Se armó de valor y avanzó un paso.

—Sí.

—¿Sí, qué?

—Sí, sé algo sobre esa alza. Buenas noches, Caine. Me alegra volver a verte —dijo apurada.

Alesandra estaba comportándose como una tonta deliberadamente. Colin meneó la cabeza.

—Te he hecho una pregunta, esposa —dijo.

—Ahora entiendo tu pregunta —exclamó ella. Avanzó otro paso—. Justo antes de irte de mi habitación, me preguntaste si no tenía algo que decirte y ahora entiendo por qué. Habías descubierto el alza. Está bien, entonces. Te lo diré. He interferido. Sí, lo hice. Pero siempre pensando en tu bien, Colin. Lamento que seas tan sensible con el tema de tu pierna. Si no hubieras sido así, habría hablado contigo antes de enviar a Flannaghan al zapatero. Tuve que obligar a tu criado para que me hiciera el favor, pues te es muy leal —se apresuró a aclarar por temor a que Colin pensara que Flannaghan lo había traicionado de alguna manera.

—No, princesa —la contradijo Flannaghan—. Fui yo quien le imploré que me dejara hacerlo.

Colin lo miró.

—¿Cómo se te ocurrió? —preguntó Colin. Alesandra pareció sorprendida por la pregunta.

—Cojeas... por la noche, cuando estás cansado, sueles cojear un poco. Colin, sabías que te apoyas más sobre tu pierna derecha, ¿verdad?

Colin casi rió.

—Sí, claro que lo sé.

—¿Admites que eres un hombre bastante inteligente?

Ella estaba usando sus propias palabras en su contra. Él frunció el entrecejo.

—Sí.

—Entonces ¿por qué no tratas de pensar qué es lo que origina la cojera?

Él encogió los hombros.

—Bueno, un tiburón se comió una parte de mi pierna. Llámame tonto si quieres, Alesandra, pero yo creí que esa era la razón por la que cojeaba.

Ella meneó la cabeza.

—Esa fue la razón de la lesión —le explicó—. Yo

miré las suelas de tus zapatos. En cada par vi que los tacones izquierdos parecían nuevos. Entonces, por supuesto, me di cuenta de lo que había que hacer. —Ella suspiró.

— Ojalá no fuera tan sensible con ese tema.

Alesandra se volvió hacia Caine.

—Pero lo es. ¿No te habías dado cuenta de ello, Caine?

Caine asintió.

La princesa sonrió porque tenía el consentimiento de su cuñado.

—Ni siquiera quiere hablar de eso.

—Pero ahora lo está haciendo —observó Caine.

Ella se volvió hacia su esposo.

—Estás hablando del tema —gritó.

Alesandra parecía entusiasmada y Colin no sabía cómo reaccionar.

—Sí.

—Entonces ¿me dejarás dormir toda la noche en tu cama?

Caine rió. Alesandra no hizo caso.

—Yo sé por qué te vuelves a tu cuarto. Es porque la pierna te duele mucho y necesitas caminar. Digo la verdad, ¿no es cierto, Colin?

Colin no le contestó.

—¿Podrías decir algo, por favor?

—Gracias.

Alesandra estaba totalmente confundida.

—¿Por qué me das las gracias?

—Por el alza.

—¿No estás enojado?

—No.

Ella estaba azorada por su actitud.

Él, maravillado por su consideración.

Se quedaron contemplándose el uno al otro durante un largo rato.

—No estás enfadado con Flannaghan, ¿eh?

—No.

—¿Por que no estás enojado conmigo?

—Porque hiciste todo por mi bien.

—Me alegro de que lo digas.

Colin rió. Ella sonrió. Flannaghan entró corriendo en el estudio y le dio el vaso de agua a Caine. Su atención se centraba en Alesandra. Ella notó lo preocupado que estaba y murmuró:

—No está enojado.

Caine comentó que se marchaba a su casa. Colin se despidió de su hermano, pero no quitó los ojos de encima a su esposa.

—Alesandra, quédate aquí. Flannaghan acompañará a Caine hasta la puerta.

—Como quieras, esposo.

—Dios, me encanta cuando eres humilde.

—¿Por qué?

—Porque es tan extraño...

Ella se encogió de hombros. Él volvió a reírse.

—¿Hay otra cosa más que quieras decirme?

Alesandra bajó los hombros como si de pronto hubiera tenido que llevar una carga muy pesada.

—Oh, de acuerdo. Hablé con sir Winters para que me diera sugerencias con respecto a lo que podía hacerse por tu pierna. Hablamos en privado y muy en confianza, por supuesto.

Colin arqueó una ceja.

—¿Sugerencias para qué?

—Para saber de qué manera se puede aliviar el malestar. Hice una lista de ideas. ¿Quieres que la vaya a buscar?

—Después —le contestó él—. Bien, ¿hay alguna otra cosa más que querías contarme?

La pregunta cubría una amplia gama de temas. Colin

decidió que, en el futuro, tendría que recordar formularle la misma pregunta una vez por semana, por lo menos, para enterarse tras qué aventuras habría estado Alesandra.

La princesa no estaba dispuesta a hacer una nueva confesión hasta adivinar a qué se refería exactamente su marido.

—¿Podrías ser más específico, por favor?

Su pregunta indicó a Colin que todavía existían más secretos.

—No. Soy yo quien pregunta, de modo que respóndeme.

Se pasó los dedos por el cabello y avanzó hacia su escritorio.

—Dreyson te lo dijo, ¿verdad?

Colin meneó la cabeza.

—¿Y entonces cómo te enteraste?

—Te lo explicaré después de que me lo digas —prometió.

—Ya lo sabes —le dijo ella—. Solo quieres hacerme sentir culpable, ¿no? Bueno, de nada te servirá. No cancelé el pedido del barco de vapor, y es demasiado tarde para que interfieras. Además, me dijiste que podía hacer lo que quisiera con mi herencia. Pedí el barco para mí. Sí, eso hice. Siempre he querido uno. Pero si a ti y a Nathan os agradara usarlo de vez en cuando, me sentiría más que feliz de compartirlo con vosotros.

—Pedí a Dreyson que cancelara la orden —le recordó Colin.

—Pero yo le dije que Albert lo quería.

—¿Qué rayos más me has ocultado?

—¿No lo sabías?

—Alesandra...

—Me estás poniendo nerviosa, Colin. Todavía no

entiendes cuánto me has herido —anunció—. ¿Te imaginas cómo me sentí cuando Nathan declaró que tanto él como tú estabais dispuestos a usar el dinero de Sara para fortalecer el capital de la empresa? Después de que te habías negado tan rotundamente a aceptar la ayuda de mi herencia.

Colin la sentó en su regazo. De inmediato ella lo abrazó y le sonrió. Él frunció el entrecejo.

—Fue el rey quien destinó ese dinero para Nathan y Sara —explicó.

—Y mi padre destinó mi herencia para mí y para mi esposo.

Con eso lo atrapó, pensó Colin. Ella también lo sabía.

—Tu padre quiere saber por qué todavía él está a cargo de mi dinero, Colin. Para él es una situación muy engorrosa. Tú tendrías que tomar las riendas del caso. Te ayudaré.

La sonrisa de Colin mostró una inmensa ternura.

—¿Y qué tal si yo te ayudo a administrarlo?

—Eso estaría bien.

Alesandra se apoyó en él.

—Te amo, Colin.

—Yo también te amo, cariño. ¿No querías decirme algo más?

Ella no le contestó. Colin metió la mano en el bolsillo y extrajo la lista. Ella se acurrucó más cerca de él.

Colin abrió la hoja de papel.

—Quiero que seas capaz de hablarme de cualquier cosa —le explicó—. De ahora en adelante.

Alesandra trató de apartarse de él, pero Colin se lo impidió.

—Yo fui el que te imposibilité hablar sobre mi pierna, ¿no?

—Sí.

—Lamento eso, cariño. Ahora quédate quieta mientras contesto todas tus preguntas, ¿de acuerdo?

—No tengo preguntas.

—Chist, amor —le ordenó. La estrechó con un brazo mientras que con la mano libre sostenía la hoja de papel.

—He escuchado todas tus preocupaciones por Victoria, ¿no?

—Sí, pero ¿por qué...?

Colin la apretó más fuerte.

—Sé paciente —le ordenó. Leyó la segunda orden—. Prometo no ser tan terco con tu herencia. —Entre paréntesis, Alesandra había escrito: demasiado cabezota.

Colin suspiró.

—Y no seré cabezota al respecto.

La tercera consigna lo hizo sonreír. Alesandra había exigido que Colin no esperara cinco años para darse cuenta de que la amaba.

Como ya había cumplido ese punto decidió pasar al siguiente. Colin tenía que alegrarse porque pronto sería padre y no debía culparla por haber interferido en sus planes.

¿Las esposas embarazadas podían convertirse en monjas? Colin decidió responder a esa pregunta en primer término.

—¿Alesandra?

—¿Sí?

Colin le besó la cabeza.

—No —murmuró.

Su tono divertido la confundió. También la respuesta negativa.

—¿No, qué, esposo?

—Las esposas embarazadas no pueden convertirse en monjas.

Alesandra se habría levantado de un salto de su regazo si él la hubiera dejado. La sujetó hasta que por fin se tranquilizó.

Pero no por eso dejó de hacer los reproches pertinentes.

—Lo sabías... todo el tiempo... Oh, Dios, fue por la lista. La encontraste y por eso me dijiste que me amabas.

Colin la obligó a mirarlo a los ojos y la besó.

—Supe que te amaba antes de encontrar esa lista. Tendrás que tener confianza en mí, Alesandra. Y en tu corazón también.

—Pero...

Su boca silenció la protesta. Cuando se retiró, ella tenía los ojos llenos de lágrimas.

—Te lo preguntaré por última vez. ¿Tienes algo más que decirme?

Ella asintió lentamente. Colin parecía tan arrogantemente complacido... Dios, cuánto lo amaba. Por el modo en que él la miraba, se dio cuenta de que él sentía lo mismo por ella.

Oh, sí, estaba muy feliz por lo del bebé. Alesandra no tuvo que preocuparse por eso. Colin le había puesto la mano en el vientre y lo acariciaba. La princesa creía que estaba haciéndolo sin darse cuenta siquiera. Pero la acción fue muy elocuente. Colin acariciaba a su hijo, o hija.

—Contéstame —le ordenó él.

Estaba decidido a obtener su respuesta. Ella le sonrió. Colin siempre había tratado de ser serio y disciplinado. A ella le encantaba eso, por supuesto, pero también le agradaba hacérselo olvidar de vez en cuando.

Colin ya no podía aguantar más.

—Contéstame, Alesandra.

—Sí, Colin, tengo algo que decirte. He decidido ser monja.

Colin parecía a punto de estrangularla. Su mirada furibunda la hizo reír. La abrazó y le ocultó la cabeza debajo del mentón.

—Vamos a tener un bebé —susurró ella—. ¿No te lo había dicho?

14

Durante las dos semanas que siguieron, un sinfín de visitantes mantuvieron entretenido a Colin. Sir Richards vino con tanta frecuencia que bien podrían haberle asignado un cuarto de la casa. Caine pasaba todas las tardes y Nathan también. Alesandra no veía mucho a su esposo durante el día, pero las noches eran para ella. Después de la cena, Colin la ponía al tanto sobre las últimas novedades de la investigación.

Dreyson resultó de gran ayuda. Descubrió que alguien había suscrito una póliza de seguro por Victoria pocos meses antes de su desaparición.

El beneficiario que aparecía en el contrato era su hermano Neil y los que lo llevaron a cabo, Morton e Hijos.

Por otras fuentes Colin averiguó que Neil heredaría la cuantiosa dote de su hermana, que había donado una tía distante de Victoria el día de su nacimiento.

Sir Richards se había reunido con ellos para la cena. Escuchó a Colin mientras explicaba a Alesandra los datos que había reunido, y luego agregó algún comentario propio.

—Hasta que no aparezca el cuerpo, no podrá reclamar el dinero del seguro ni el de la herencia. Si él es el culpable y su móvil era el dinero, ¿por qué se habría molestado en esconder el cuerpo?

—No tiene mucho sentido —dijo Colin—. Su cuenta bancaria es bastante importante.

Sir Richards coincidió.

—Tal vez pensó que no era suficiente —dijo—. Alesandra nos comentó que él no quería mucho a su hermana. Pero también hay otra evidencia que apunta a Neil como culpable, aunque solo sea circunstancial. Verán, hace unos seis años, propuso matrimonio a Roberta, pero ella lo rechazó para casarse con el vizconde. Se corrió el rumor de que Neil la había perseguido aun después de casada. Algunos creen que ella tuvo un romance con él. Y, como verán, de ahí la conexión entre ambas mujeres.

—No me imagino por qué una mujer querría estar con Neil Perry —murmuró Alesandra—. No es para nada... encantador.

—¿Ha recibido algún otro regalo? —le preguntó.

Ella meneó la cabeza.

—El regalo que mandé hacer para Nathan y Sara llegó esta mañana. Colin por poco lo destruye antes de recordar que yo había mandado hacer ese barco. Gracias a Dios, solo rompió la caja.

—Omitiste mencionar que habías encargado la réplica con oro —comentó Colin—. Se habrían necesitado cinco hombres para destruirla.

Caine interrumpió la conversación cuando irrumpió en el comedor.

—¡Han encontrado el cuerpo de Victoria!

Colin cogió a Alesandra de la mano.

—¿Dónde?

—En un descampado que está como a una hora de aquí. Un granjero encontró la tumba por casualidad. Los lobos habían ... —Caine se detuvo a mitad de la frase. La expresión en el rostro de Alesandra fue de una honda angustia. Caine no iba a acentuar el dolor de su cuñada agregando mórbidos detalles.

—¿Las autoridades están seguras de que se trata de Victoria? —preguntó la princesa.

Tenía los ojos llenos de lágrimas, pero se obligó a mantener el control. Más tarde podría llorar por Victoria, y rezar por la paz de su alma también. Haría ambas cosas... una vez que cogieran al autor de esa atrocidad.

—Las joyas que llevaba puestas... ayudaron a identificarla —explicó Caine.

Sir Richards quería ver dónde había sido hallado el cuerpo. Apartó la silla y se levantó.

—Es demasiado tarde para ver nada —dijo Caine al director. Separó la silla que estaba junto a Alesandra y se sentó—. Tendrá que esperar hasta mañana.

—¿De quién es el terreno donde fue encontrado el cuerpo? —preguntó Colin.

—De Neil Perry.

—Qué coincidencia —dijo Colin.

—Demasiada —declaró Caine.

—Tomaremos lo que se nos presenta —expresó Richards—. Luego iremos separando lo que no nos sirve para llegar a la verdad.

—¿Cuándo hará que sus hombres comiencen a cavar? —preguntó Colin.

—Mañana en cuanto amanezca.

—¿A cavar? —preguntó Alesandra—. Pero si el cuerpo de Victoria ya ha sido hallado. ¿Para qué...?

—Queremos ver qué más encontramos —explicó sir Richards.

—¿Cree que también Roberta pueda estar enterrada allí?

—Sí.

—Yo también —intervino Caine.

—Neil no sería tan estúpido para enterrar a sus víctimas en sus propias tierras —dijo ella.

—Creemos que probablemente es el culpable —manifestó Caine—. Nadie ha dicho que sea inteligente.

Alesandra cogió a su cuñado del brazo para que le dispensara toda su atención.

—Pero eso es justamente —se opuso—. Ha sido inteligente hasta ahora, ¿no? ¿Por qué habría de enterrar a alguna de las mujeres en sus propias tierras? No tiene sentido. Además, olvidáis algo.

—¿Qué?

—Todos pensáis que se trata solo de dos mujeres. Pero puede haber más.

—Tiene razón, Caine —dijo Colin—. Cariño, suelta a mi hermano.

Se dio cuenta de que le estaba estrujando la mano y de inmediato, lo soltó. Volvió a dirigirse al director.

—¿Cuáles son sus otros planes?

—Seguramente Neil será arrestado bajo algún cargo —anunció—. Es solo un comienzo, Alesandra. Al igual que usted, no estoy completamente convencido de que sea nuestro hombre. No me gustan esas coincidencias tan evidentes.

La princesa estaba satisfecha con la respuesta de sir Richards. Caine corrió la silla hacia ella. Se volvió para darle las gracias. Se sorprendió de que su cuñado le apoyara las manos sobre los hombros y se inclinara para besarla en la frente.

—Felicidades, Alesandra —le dijo—. Jade y yo estamos muy contentos con la buena nueva.

—¿Qué buena nueva? —preguntó sir Richards.

Alesandra dejó que fuera Colin quien diera la noticia. Ella sonrió a Caine.

—Nosotros también estamos muy contentos —murmuró.

Sir Richards estaba estrechando la mano de Colin cuando ella se encaminó hacia la salida. Una idea repentina la detuvo. Se volvió y miró a Colin.

—¿No te has preguntado por qué ha escogido tres mujeres de tu familia? Tú echaste a Neil de esta casa —le recordó—. ¿Eso no sería suficiente para desear vengarse?

Colin no lo creía. Lo dejó con Caine y sir Richards pensando en todas las posibilidades del caso mientras subía. Flannaghan aguardaba en el estudio. Su hermana menor, Megan, esperaba con él.

—Aquí está —anunció Flannaghan, cuando entró Alesandra.

—Princesa Alesandra, le presento a Megan —anunció—. Está ansiosa por complacerla en lo que necesite.

Flannaghan dio un codazo a su hermana para que se le acercara. De inmediato, la muchacha avanzó e hizo una torpe reverencia.

—Será un placer servirla, milady.

—No es milady —la corrigió Flannaghan—. Es princesa.

Megan asintió. Se parecía mucho a su hermano. Tenía el mismo color de tez y las sonrisas de ambos eran casi idénticas. La muchachita miraba a su hermano con auténtica devoción, lo que emocionó a Alesandra.

—Nos llevaremos muy bien —predijo la princesa.

—Yo le enseñaré lo que sea necesario —dijo Flannaghan.

Alesandra asintió.

—¿Dónde está Kate? Pensé que habíamos convenido en que empezaría a ayudarme con la correspondencia a partir de mañana.

—Todavía está preparando sus cosas —explicó Flannaghan—. ¿Aún no ha comentado nada sobre mis hermanas a su esposo?

—No —contestó Alesandra—. No se preocupe. Será tan feliz como yo.

—He instalado a Megan en el último cuarto del pasillo de arriba —dijo Flannaghan—. Kate puede ocupar el que está junto al de Megan, si le parece bien.

—Sí, por supuesto.

—Es un cuarto muy bello, milady —señaló Megan—. Y el primero que tengo todo para mí sola.

—Princesa, no milady —corrigió Flannaghan otra vez.

Alesandra no se atrevió a reírse. No quería quitarle autoridad a Flannaghan.

—Mañana empezaremos tu preparación, Megan. Creo que ahora iré a acostarme. Si necesitas algo, pídelo a tu hermano. Él te cuidará bien. Por cierto, nos cuida muy bien a Colin y a mí. No sé qué haríamos sin él.

Flannaghan se puso colorado por el elogio. Megan parecía impresionada.

Colin se rió cuando ella le contó que había aumentado el personal doméstico. Pronto se recuperó, por supuesto, cuando se enteró de que el mayordomo, que estaba tan mal pagado, era el único sostén de sus dos hermanas. Sabía que los padres de Flannaghan habían fallecido, porque Sterns se lo había dicho aquel día que le imploró que empleara a su sobrino. Pero había omitido mencionar a las dos muchachas. No, no lo sabía, por lo que se sintió agradecido de que Alesandra hubiera decidido darles trabajo. A la mañana siguiente, Colin aumentó el sueldo de su sirviente.

Esa tarde, llegaron flores para Alesandra. Dreyson las envió con una nota de condolencia por la trágica pérdida.

Alesandra estaba arreglándolas en un florero de porcelana blanco cuando Colin comenzó a leer la nota con una mirada ceñuda.

—¿De qué va todo esto? —preguntó.

—Albert ha fallecido.

Colin se echó a reír a carcajadas. Ella sonrió.

—Pensé que te pondrías contento.

—Es una grosería que te rías, Colin.

Caine estaba en la puerta del comedor mirando con cara de reproche a su hermano. Se volvió hacia Alesandra para presentarle sus condolencias y entonces vio que ella estaba sonriendo.

—¿Acaso Albert no era un buen amigo tuyo?

—Dejó de serlo —dijo Colin.

Caine meneó la cabeza. Colin volvió a reírse.

—Nunca existió —le explicó—. Alesandra lo inventó para que Dreyson aceptara sus órdenes de compraventa de acciones.

—Pero él me dio un muy buen consejo. Rayos, voy a echarlo de menos... Yo...

—Alesandra fue la que te dio el buen consejo. Pregúntale a ella en el futuro —sugirió Colin.

Caine estaba atónito. Alesandra miró a su esposo como diciéndole «te lo dije» y luego se dirigió a su cuñado.

—Dreyson estaba mucho más que dispuesto a hablar conmigo sobre inversiones porque creía que yo transmitía toda esa información a Albert. Ahora solo hablará con Colin cada vez que se entere de que hay una buena oportunidad. Se enfadaría mucho si se enterase de que Albert nunca existió, y por esa razón, os ruego que no digáis nada.

—¿Por qué molestarse con un intermediario? —preguntó Caine, aún no del todo seguro sobre si debía creerle o no.

—Porque a los hombres les gusta hablar con otros hombres —explicó ella pacientemente.

—¿Por qué has venido? —preguntó Colin, cambiando de tema—. ¿Tienes novedades?

—Sí —contestó Caine—. Hallaron el cuerpo de lady Roberta a unos cincuenta metros de la tumba de Victoria.

—Dios santo —murmuró Alesandra.

Colin le rodeó los hombros con el brazo.

—¿Se han encontrado otros?

Caine negó con la cabeza.

—No hasta el momento. Pero la búsqueda sigue. A Neil lo acusan de homicidio en segundo grado. A través de su abogado, solicitó una entrevista con Alesandra.

—Queda fuera de discusión.

—Colin, yo creo que debo hablar con él.

—No.

—Por favor, sé razonable —imploró ella—. ¿No quieres estar seguro de que él es el culpable?

Colin suspiró.

—Entonces iré yo a hablar con él.

—A Neil no le caes bien —le recordó la princesa.

—Me importa un cuerno si le caigo bien o no —contestó Colin.

Alesandra se volvió hacia Caine.

—Colin lo echó literalmente de esta casa —le explicó—. No sería descabellado que Neil no quisiera hablar con él ahora.

—Te sorprenderías al descubrir cómo puede cambiar un hombre en la prisión de Newgate —dijo Caine—. Me imagino que será capaz de hablar con cualquiera que crea que puede ayudarlo.

—Tú no irás, Alesandra —le dijo Colin—. Sin embargo —se apresuró a añadir, antes de que ella comenzara a discutir con él—, si escribes tus preguntas en una lista, yo se las haré a Neil.

—Ya tengo una lista —contestó.

—Entonces ve a buscarla.

—Colin, iré contigo —anunció Caine.

Alesandra sabía que no tenía sentido seguir discutiendo con su esposo. Por la expresión de su mirada, sabía que era más terco que una mula. Subió a buscar la lista, añadió algunas preguntas más y luego volvió a bajar rápidamente.

—Usaremos mi carruaje —dijo Caine a su hermano.

Él asintió. Tomó la lista de sus manos, se la metió en el bolsillo y dio un beso de despedida a Alesandra.

—Quédate en casa —le ordenó—. No tardaré mucho.

—No puedes quedarte en casa —dijo Caine—. Lo había olvidado. Nathan pasará a buscarte en una hora.

—¿Para qué? —preguntó Colin.

—Jade quiere que tu esposa conozca a Sara —explicó—. Mamá y Catherine están en nuestra casa también.

—¿Nathan irá con Alesandra? —preguntó Colin.

—Sí.

Alesandra se volvió y subió las escaleras. Estaba apurada por cambiarse de vestido. Quería estar radiante para conocer a Sara.

—¿Debo llevar el regalo? —gritó a su esposo desde arriba.

Colin se dirigía hacia la puerta. Le dijo que era una buena idea, pero por el modo en que se encogió de hombros, Alesandra se dio cuenta de que prácticamente no le había prestado ninguna atención.

Megan la ayudó a cambiarse. La hermana de Flannaghan estaba nerviosa —y también actuaba con torpeza—, pero el entusiasmo por complacer a su señora era patente.

Nathan pasó a buscarla un rato después. Alesandra llevaba el obsequio, que Flannaghan había envuelto, cuando bajó por las escaleras. Entregó a Nathan la caja para que se la llevara, pero no le explicó qué era.

El socio de Colin parecía preocupado y apenas habló en el trayecto a la casa de Caine.

Finalmente, Alesandra le preguntó si algo malo sucedía.

—He estado revisando los libros —explicó— y traté de descubrir de dónde vienen los ingresos. Colin es el único que tiene cabeza para los números —añadió—. Yo trato de llevar las cuentas al día, pero me resulta difícil.

—Yo me encargué de pasar todos las facturas cuando Colin estuvo enfermo —dijo ella—. Tal vez cometí algún error. ¿Usted cree que los saldos no son correctos?

Nathan meneó la cabeza.

—Colin me dijo que usted lo puso al día —comentó.

Nathan sonrió y estiró las piernas. Alesandra apartó los pliegues de su falda para hacerle más sitio.

—No pude encontrar las facturas de algunos depósitos que se hicieron.

Por fin Alesandra comprendió que estaba inquietándolo. El dinero que Colin había transferido a la cuenta de la empresa provenía de los servicios que él había prestado al Departamento de Guerra.

—No hay recibos para cuatro de los ingresos —dijo ella.

—Sí, cuatro exactamente —coincidió Nathan—. ¿Sabe de dónde sacó el dinero Colin? No tiene sentido. El ingreso de los barcos ya está registrado y sé que no tiene otro por separado.

—¿Se lo ha preguntado?

Nathan meneó la cabeza.

—Justo esta mañana he descubierto esa incógnita.

—¿Usted y Colin... comparten todo? Quiero decir, ¿se cuentan todo o tienen secretos que no se confiesan mutuamente?

—Somos socios, Alesandra. Si no podemos confiar el uno en el otro, ¿en quién demonios habríamos de hacerlo?

Nathan le dirigió una mirada penetrante.

—Usted sabe de dónde vino el dinero, ¿no?

Ella asintió lentamente con la cabeza.

—Colin probablemente se lo diría a usted... no a mí —razonó en voz alta.

—¿El dinero lo puso usted?

—No.

—¿Entonces quién?

No dejaría las cosas así. Como Nathan no era solo el socio de Colin, sino que también era su mejor amigo, Alesandra decidió que no sería una traición contarle la verdad.

—Debe prometerme que no dirá una sola palabra a Caine, ni a ningún otro miembro de la familia de Colin —comenzó ella.

Nathan asintió. Estaba muerto de curiosidad, por supuesto.

—Lo prometo.

—Colin estuvo haciendo algunos trabajos extras para incrementar el capital.

Nathan se inclinó hacia delante.

—¿Para quién trabajó?

—Para sir Richards.

El gruñido que emitió por poco lo hizo arrojar la caja con el regalo. Nathan se había mostrado poco interesado en el asunto, por lo que la furiosa reacción resultó llamativa a los ojos de la muchacha. Ella dio un salto e hizo un gesto de horror ante el vocabulario poco respetuoso de su acompañante.

Nathan se recuperó y se disculpó por haber empleado ese lenguaje. La expresión de sus ojos fue escalofriante.

—Creo que sería mejor si dejara a Colin que explicara todo —tartamudeó Alesandra—. Ya no trabaja para Richards, Nathan.

—¿Seguro?

La joven asintió.

—Estoy segura.

Nathan suspiró y se reclinó en el asiento.

—Gracias por decírmelo.

—Colin se lo habría dicho, ¿verdad?

La preocupación en la voz de Nathan era muy evidente y pensó que Alesandra estaba arrepintiéndose de haberle confesado la verdad. Le sonrió.

—Sí, me lo habría dicho. De hecho, le preguntaré por esas facturas que me faltan esta misma noche.

Deliberadamente, Nathan cambió el tema de conversación para que la muchacha dejara de preocuparse. Llegaron a la casa de Caine pocos minutos después.

Alesandra conoció a Sterns, el tío de Flannaghan, cuando les abrió la puerta. Parecía un hombre muy agrio, con modales almidonados, pero cuando le sonrió, sus ojos denotaron un brillo muy sincero. Al parecer, Flannaghan no había hecho más que elogiarla. Sterns mencionó que acababa de enterarse de que Megan y Kate estaban trabajando también en casa de Colin.

Las puertas del salón estaban abiertas de par en par. La hija de Caine fue la primera en verla y corrió a la entrada. La pequeña de cuatro años tomó la mano de Sterns para no caerse mientras hacía su reverencia. Pero su comportamiento femenino duró poco. En cuanto terminó con la formalidad, se lanzó a las piernas de su tío Nathan. Gritó excitada cuando su tío la arrojó por el aire como si fuera un sombrero.

—Gracias a Dios que los techos son tan altos —señaló Sterns. Nathan escuchó el comentario y rió. Cogió a su sobrina en brazos y siguió a Alesandra.

Jade y Catherine estaban sentadas, la una junto a la otra, en el sofá. La duquesa ocupaba una silla frente a sus hijas. Las tres mujeres se pusieron de pie enseguida y fueron hacia Alesandra.

—Nos hemos enterado de las maravillosas noticias —anunció la duquesa.

Alesandra rió.

—Yo me enteré por Catherine —dijo Gweneth.

—Yo, por Jade —comentó Catherine.

—Yo nunca... —comenzó Jade a protestar.

—Yo escuché a mamá que especulaba con esa teoría —admitió entonces Catherine.

—¿Dónde está Sara? —preguntó Nathan.

—Dándole de comer a Joanna —explico Jade—. Bajará en unos minutos.

De inmediato Nathan se volvió para ir a buscar a su esposa. Trató de bajar a Olivia, pero ella lo abrazó con más fuerza y le dijo que deseaba ir con él.

Alesandra dejó la caja con el regalo sobre una mesa que estaba a un lado y siguió a sus parientes a los asientos. Se sentó junto a su suegra. La duquesa se secaba los ojos con un pañuelo de lino.

—Me siento muy dichosa —anunció—. Otro nieto. Es una bendición.

Alesandra estaba radiante de placer. La charla giró en torno de los hijos durante un rato. Catherine se aburrió enseguida. Alesandra lo advirtió y decidió cambiar de tema.

—¿Estás enfadada conmigo por haberle dicho a Colin lo de las flores que recibiste?

—Al principio sí, pero cuando papá me explicó todo, más que enojarme me asusté mucho. Ahora que Neil Perry está en prisión, ya no tengo miedo y papá me dejará volver a salir. ¿Te das cuenta de que la temporada va a terminar ya? Me moriré de aburrimiento cuando vuelva al campo.

—No harás semejante cosa —dijo su madre.

—Hoy iré a cabalgar por el parque con Morgan Atkins.

—Catherine, pensé que habías aceptado rechazar la invitación para pasar la tarde con tu familia —le recordó su madre.

—Es solo un corto paseo y todos se darán cuenta si no voy. Además, a la familia puedo verla cuando quiero.

—¿Morgan pasará a buscarte? —preguntó Jade.

Catherine asintió.

—Es encantador. A papá también le agrada.

Alesandra estaba inquieta, pues no quería que Catherine fuera a ninguna parte. Oh, claro que Morgan era amigo de Colin y que, seguramente, cuidaría de Catherine, pero de todas maneras, Alesandra habría preferido que su cuñada se quedara en casa. No estaba convencida de que Neil fuera el culpable. Pero no quería alarmar a sus parientes. Deseó que Colin hubiera estado allí. Él habría sabido qué hacer.

No le habría permitido salir. Alesandra llegó a esa conclusión de inmediato. Pero Colin era demasiado precavido, pensó.

—Catherine, yo creo que deberías quedarte aquí con nosotros —comentó Alesandra.

—¿Por qué?

La verdad. ¿Por qué? Alesandra buscó desesperadamente una razón. Se volvió hacia Jade implorando en silencio su ayuda.

La esposa de Caine era muy astuta. Por la mirada de Alesandra notó que estaba muy preocupada, e inmediatamente la respaldó.

—Sí, deberías quedarte con nosotros —dijo a Catherine—. Sterns no tendrá inconveniente en llevar una nota a Morgan explicándole que ha surgido un asunto familiar y que por tal motivo no podrás acudir a la cita.

—Pero yo deseo ir a la cita —respondió Catherine—. Mamá, esto no es justo. Michelle Marie irá a cabalgar con el conde de Hampton. Sus hermanas no le dicen qué debe hacer.

—Nosotras no estamos diciéndote qué hacer —manifestó Alesandra—. Simplemente no queremos que vayas.

—¿Por qué no?

La frustración de Catherine quebró su voz. Afortunadamente Alesandra no tuvo que darle una respuesta, pues Nathan y su esposa entraron en el salón, atrayendo la atención de todo el mundo.

Alesandra se puso en pie de un salto. Cruzó rápidamente el salón para saludar a Sara.

La esposa de Nathan era una mujer hermosa. Tenía el cabello castaño oscuro, unos rasgos perfectos y los ojos del color del cielo. Su sonrisa también era encantadora, llena de calidez.

Nathan hizo las presentaciones. La princesa no sabía si hacer una reverencia formal o estrechar la mano de Sara. Pero su dilema no duró mucho. La mujer era muy cariñosa. Inmediatamente, se le acercó y la abrazó.

Era imposible sentirse incómodo en presencia de Sara, pues trató a Alesandra como si hubieran sido amigas de toda la vida.

—¿Dónde está Joanna? —preguntó Alesandra.

—Olivia la trae —explicó Sara.

—Con la ayuda de Sterns —intervino Nathan. Entonces, se volvió hacia su esposa—. Cariño, subiré nuevamente para terminar con los libros de contabilidad.

Jade llamó a Sara y golpeó los cojines del sofá que estaban junto a ella. Alesandra no la siguió. Prefirió ir tras Nathan, a quien alcanzó en las escaleras.

—¿Podría hablar un minuto con usted en privado?

—Claro que sí —contestó Nathan—. ¿Le parece bien en el estudio?

Alesandra asintió. Lo siguió mientras terminaban de subir las escaleras y luego hacia el estudio. Nathan hizo un ademán en dirección a la silla, pero ella declinó la invitación.

La sala estaba llena de mapas y libros de contabilidad. Obviamente, Nathan había convertido el estudio de Caine en una segunda oficina del astillero. Alesandra se lo mencionó mientras miraba el recinto.

—La biblioteca de Caine está abajo —explicó Nathan—. No me permite entrar. Pero él tampoco entra aquí —añadió con una sonrisa—. Mi cuñado es un fanático del orden. No soporta el caos. Siéntese, Alesandra, y dígame qué la preocupa.

Nuevamente se negó a sentarse.

—Esto solo me llevará un momento —le explicó—. Catherine desea salir a cabalgar con Morgan Atkins. Él vendrá aquí a buscarla. No me parece buena idea dejarla ir, Nathan, pero no se me ocurre ninguna razón de peso para impedírselo. Está muy decidida.

—¿Por qué no quiere que vaya?

Alesandra pudo haber entrado en detalladas explicaciones, que no habrían tenido demasiado sentido y que habrían confundido a Nathan. Por lo tanto, decidió que lo mejor era no hacerle perder su tiempo.

—Solo me inquieta la idea de que salga —dijo—. Y sé que Colin no se lo permitiría. Ninguno de los dos estamos convencidos de que Neil Perry sea el culpable y hasta que no lo estemos, no queremos que Catherine vaya a ninguna parte. Colin no está aquí para decir que no a Catherine y su madre es demasiado blanda. ¿Podría manejar esta situación, por favor? No creo que Catherine se atreva a contradecirlo.

Nathan fue hacia la puerta.

—¿De modo que Colin no confía en Atkins?

—Oh, no, no fue mi intención dar a entender eso —dijo ella—. Morgan es amigo de Colin. —Bajó la voz al añadir—: Ahora ocupa el lugar que pertenecía a Colin en el Departamento de Guerra, bajo la supervisión de sir Richards.

—Pero usted cree que Colin no querría que ella saliera. Está bien. Yo me encargaré de este asunto.

—¿Qué excusa va a darle? —le preguntó Alesandra, mientras corría detrás del gigante.

—Ninguna —le contestó Nathan. Le sonrió con mucha picardía —. No necesito darle una razón. Simplemente le diré que tiene que quedarse aquí.

—¿Y si discute?

Nathan rió.

—No es lo que voy a decirle sino cómo se lo diré. Confíe en mí, Alesandra. Catherine no se pondrá a discutir. Solo hay dos mujeres en este mundo a las que no puedo intimidar, mi hermana y mi esposa. No se preocupe. Yo me encargaré.

—En realidad, Nathan, hay tres. No puede intimidar a Jade, ni a Sara, ni a mí.

Alesandra sonrió por la expresión de sorpresa en sus ojos, pero no se atrevió a reírse.

La duquesa estaba aguardando en el vestíbulo para despedirse de Nathan y Alesandra. Dijo que tenía que prepararse para una cena importante. Besó a Alesandra en la mejilla y luego hizo agachar a Nathan para poder besarlo también.

Alesandra creyó que Catherine todavía estaba en el salón. Se volvió para ir allí primero, para que la jovencita no creyera que ella había mediado con Nathan. Catherine ya estaba un poco irritada con ella porque había roto su promesa de no decir nada a Colin, y Alesandra no quería agregar otro motivo más a su enfado.

Sara esperaba en el sofá. La pequeña Olivia estaba junto a ella, con la niña en su regazo.

—Espero que Joanna sea tan bella como tú —dijo Sara a Olivia.

—Seguro que no —contestó Olivia—, porque no tiene tanto cabello para ser tan bella como yo.

Jade volvió los ojos al cielo. Sara sonrió.

—Todavía es muy pequeñita —le dijo—. Ya le crecerá.

—¿Dónde está Catherine? —preguntó Alesandra cuando entró en el salón—. Nathan quiere hablar con ella.

—Se fue hace unos minutos —contestó Jade.

Alesandra de inmediato llegó a la conclusión de que Catherine se había ido con su madre. Se sentó junto a Olivia para mirar a la pequeña.

—¿Estaba muy enojada porque intervinimos en sus planes? Seguramente, en estos momentos debe de estar enfurecida con su madre. Oh, Sara. Joanna es preciosa. Tan pequeñita...

—Va a crecer —anunció Olivia—. Eso hacen los bebés. Mi mamá me lo dice siempre.

—Alesandra, Catherine no se fue de casa con su madre. Se fue con Morgan. Tratamos de hacerla cambiar de opinión, pero como no teníamos una razón válida que darle, su madre por fin cedió. Catherine es capaz de ponerse a gritar como una loca por cualquier cosa y su madre no quería una escena.

La niñita comenzó a inquietarse. Sara la levantó en sus brazos y se puso de pie.

—Es hora de su siesta —anunció—. Enseguida bajo. Sterns me la quitará de los brazos en cuanto pueda. Ese hombre es un encanto con los bebés, ¿verdad, Jade?

—Con todos los niños —respondió Jade. Volvió a mirar a su hija—. También es hora de tu siesta, Olivia.

La niña no quería irse, pero Jade insistió. Tomó la mano de Olivia y se la llevó.

—No soy un bebé, mamá.

—Ya sé que no lo eres, Olivia —contestó Jade—. Y por eso, solo duermes una siesta al día, mientras que Joanna duerme dos.

Alesandra se sentó en el sofá y observó cómo Jade se llevaba a Olivia a rastras del salón. Nathan estaba de pie en la entrada.

—¿Quiere que vaya a buscar a Catherine? —preguntó Nathan.

Alesandra meneó la cabeza.

—No. Solo vivo preocupándome por cualquier cosa. Estoy segura de que no surgirán inconvenientes.

La puerta principal se abrió justo en ese momento y entraron Caine y Colin. Caine estaba en el vestíbulo, hablando con Nathan, pero Colin entró en el salón a saludar a su esposa. Se sentó junto a ella, la abrazó y la besó.

—¿Y bien? —le preguntó Alesandra, cuando él comenzó a acariciarle el cuello en lugar de contarle de inmediato las novedades.

—Probablemente él es el culpable —anunció Colin.

Caine y Nathan entraron en el salón. Alesandra le dio un codazo a Colin para que dejara de hacerle cosquillas en el cuello. Su esposo suspiró y se apartó. Sonrió al verla sonrojada.

—Tenía motivos y una oportunidad —señaló Colin.

Caine escuchó el comentario de su hermano.

—Creo que estamos creyendo que este asunto es mucho más complicado de lo que realmente es. Admito que hay... coincidencias.

Colin asintió. Sacó una lista.

—Muy bien, cariño. Aquí tienes tus respuestas. Primero, Neil niega haber acompañado a su hermana al encuentro con el famoso admirador. Segundo, jura no saber nada sobre una póliza de seguro que lo beneficiaría. Y tercero, niega vehementemente haber tenido algo que ver con lady Roberta.

—Esperaba esas respuestas —declaró Alesandra.

—No fue un buen hermano —comentó Caine. Se sentó y soltó un audible bostezo.

—¿Y mi otra pregunta para Neil?

—¿Cuál? —preguntó Colin.

—Quería los nombres de los pretendientes a los que Victoria rechazó. Cuando vino a visitarme, me dijo que eran tres. Yo pensé que esos rechazos podrían ser importantes. Honestamente, Colin, ¿olvidaste preguntárselo?

—No, no me olvidé. Fueron: Burke (que ahora está casado y por eso no cuenta) y Mazelton.

—Pronto se casará —intervino Caine.

—¿Y? —preguntó Alesandra, al ver que su esposo no continuaba—. ¿Quién era el tercer pretendiente?

—Morgan Atkins —dijo Caine.

Colin asintió.

Alesandra miró a Nathan. Estaba frunciendo el entrecejo.

—Colin, ¿Morgan no es amigo tuyo? —preguntó.

—Rayos, no —respondió Colin—. Actualmente debe de querer matarme. Me culpa por una situación que él echó a perder.

Nathan avanzó un paso hacia él.

—¿Te echaría la culpa lo suficiente para ir tras tu esposa?

La expresión de Colin cambió. Empezó a negar con la cabeza, pero se detuvo.

—Es una posibilidad —admitió—. Remota... ¿pero en qué estás pensando, Nathan?

Su socio se volvió hacia Alesandra.

Pronunciaron la respuesta al unísono.

—En Catherine.

15

—No fuimos presa del pánico.

—Sí, lo fuimos —contradijo ella. Le sonrió mientras lo contradecía, y luego volvió a concentrar su atención en la tarea que tenía entre manos.

Ella y su esposo estaban acostados. Colin lo estaba boca arriba, con la cabeza apoyada en las almohadas. Alesandra se sentó a los pies de la cama. Tomó otra tira de algodón y la aplicó sobre la pierna lesionada de Colin. El calor del agua le ponía los dedos colorados, pero la ligera molestia tenía su recompensa, pues su marido no dejaba de suspirar de alivio.

Colin casi no había protestado cuando Alesandra le entregó la lista de sugerencias que había hecho sir Winters. Se negó a tomar medicación o alcohol para aliviar el dolor, pero dio sus razones. No quería volverse adicto a ninguna de las dos cosas y por eso no quería ingerirlas, por fuerte que fuera el dolor.

Los paños calientes le ayudaban a aliviar los calambres de la pantorrilla. Mientras Alesandra lo mantuviera ocupado con otras cosas, Colin lograba olvidar su pudor por las heridas.

Pero ciertamente no sentía vergüenza por ninguna otra parte de su cuerpo. Era un poco exhibicionista. Alesandra llevaba un modesto camisón rosa, de cuello alto blanco y una bata a juego. Colin estaba desnudo, con las manos entrelazadas debajo de la cabeza. Cuando volvió a suspirar, Alesandra se dio cuenta de que se mostraba totalmente desinhibido frente a ella... y contento.

—Admitiré que Caine corrió un poco, pero solo porque existía una remota posibilidad de que Morgan estuviera involucrado.

—¿Que corrió un poco? Seguramente estarás bromeando, Colin. Tu hermano tomó a Jade y la arrojó en el carruaje y luego salió corriendo a toda velocidad hacia el parque.

Colin sonrió al imaginarse la escena.

—Está bien. Caine estaba en estado de pánico, pero yo no.

Ella resopló de un modo muy poco elegante.

—¿Entonces me equivoqué cuando te vi saltar a un lado del vehículo para que no se fueran sin ti?

—Mejor prevenir que curar, Alesandra.

—Y todo para nada —dijo ella—. Catherine se habría muerto de vergüenza si Caine y tú la hubierais alcanzado. Gracias a Dios, Morgan la llevó a su casa antes de que sus hermanos del alma lo echaran todo a perder. Y todo por culpa mía.

—¿Por qué culpa tuya?

—Yo metí esa idea en su cabeza —admitió—. No debí haber preocupado a tu familia así.

—Son tu familia también —le recordó él.

Ella asintió.

—¿Por qué crees que Victoria rechazó a Morgan?

El cambio de tema tan inesperado no llamó la atención de Colin. Ya se había habituado a la idea de que la mente de su esposa corría rápidamente de un pensamiento a otro. Era una mujer extremadamente lógica —terriblemente inteligente, también— y por esas razones, Colin no desatendía sus preocupaciones. Si no estaba totalmente convencida de que Neil era el culpable, entonces tampoco Colin estaba convencido.

—Morgan está endeudado hasta el cuello y es probable que pierda todas sus propiedades.

—¿Cómo lo sabes?

—Richards me lo dijo —contestó—. Tal vez, Victoria creyó que podría conseguir algo mejor.

—Sí —coincidió ella—. Es posible.

—Cariño, es mejor que nos acostemos.

Alesandra bajó de la cama y dejó el recipiente de agua caliente sobre un banco cerca de la ventana. Luego quitó las tiras mojadas de la pierna de Colin, las dobló y las colocó junto al recipiente.

—Colin, ¿te sientes culpable porque no quisiste escucharme cuando te dije que estaba preocupada por Victoria?

—Rayos, claro que me siento culpable. Cada vez que sacabas el tema, te decía que dejaras las cosas como estaban.

—Bien.

Colin abrió un ojo para mirarla.

—¿Bien? ¿Quieres que me sienta culpable?

Ella sonrió.

—Sí —le dijo. Se quitó la bata y la colocó doblada a los pies de la cama. Comenzó a desabrocharse el camisón—. Es bueno porque llevo ventaja en las negociaciones.

Colin sonrió por la elección de palabras que había hecho y por su expresión. Alesandra parecía tan seria...

—¿Qué es exactamente lo que quieres negociar?

—El modo en que dormimos. Dormiré toda la noche en tu cama, Colin. No te servirá de nada discutir.

Alesandra abandonó sus intentos por quitarse el camisón y fue rápidamente a la cama. Pensó que a Colin le resultaría mucho más difícil rechazar la petición si se acostaba junto a él. Se tapó, acomodó la almohada y luego dijo:

—Si la culpa no basta, entonces tendré que recordarte el particular estado en el que me encuentro. No negarás nada a la madre de tu hijo.

Colin se rió. Se puso de costado y abrazó a su esposa.

—Vaya negociante que eres —dijo—. Amor, no se trata de que no quiera dormir contigo. El tema es que me levanto varias veces por las noches y no deseo despertarte. Tú necesitas descansar.

—No me despertarás —le contestó—. Hoy me ha llegado una bella y larga carta de la madre superiora —le comentó, cambiando de tema bruscamente—. Te la dejé sobre el escritorio para que la leyeras. Las rosas han florecido alrededor de Stone Haven. Tal vez, el año próximo, cuando me lleves a ver nuestro castillo, todas las flores estarán hechas una maravilla. Es un espectáculo digno de ver, esposo.

—Dios, soy dueño de un castillo, ¿verdad?

Alesandra se acurrucó a su lado.

—La madre superiora pudo retirar el dinero del banco. Por supuesto nunca dudé de que lo haría. Puede tornarse muy persuasiva cuando quiere.

Colin estaba muy complacido con las noticias. No quería que el general se quedara ni una fracción de la herencia de Alesandra.

—Dreyson dejará de preocuparse —señaló—. Una vez que el dinero esté seguro en el banco de aquí...

—Santo Dios, Colin, no creerás que la madre superiora nos enviará ese dinero a nosotros, ¿verdad?

—Yo creí...

Las carcajadas de Alesandra lo interrumpieron.

—¿Qué te hace tanta gracia?

—No fue difícil quitarle el dinero al general, pero

sacarlo de las arcas de la madre superiora será imposible.

—¿Por qué? —preguntó, todavía confundido.

—Porque ella es monja —contestó—. Y las monjas piden dinero, no lo dan. El general no fue obstáculo para la madre superiora y tampoco lo eres tú, esposo. Dios quiere que se queden con ese dinero. Además, fue un regalo, ¿recuerdas? Y pueden darle un muy buen uso. Dreyson hará unos cuantos pucheros, pero luego se olvidará del asunto.

Colin se inclinó para besarla.

—Te amo, Alesandra.

Alesandra había estado esperando esa declaración, por lo que cuando la escucho, saltó como una tigre al acecho.

—Tal vez me amas un poco, pero sin duda, no como Nathan ama a Sara.

Ese comentario lo sorprendió. Se apoyó en un codo para poder verle la expresión. No sonreía, pero en sus ojos había un brillo elocuente. Era obvio que estaba tramando algo.

—¿Por qué lo dices?

Alesandra no se sintió intimidada en absoluto por su tono de voz ni por su mirada ceñuda.

—Estoy negociando otra vez —le explicó.

—¿Qué quieres ahora?

A Colin le resultaba muy difícil no fruncir el entrecejo. Quería reírse.

—Tú y Nathan ibais a aceptar la herencia que Sara recibió del rey y yo pido..., no, exijo... que aceptéis la misma cantidad de mi herencia. Es justo, Colin.

—Alesandra...

—No me gusta que me dejen de lado, esposo.

—¿Dejarte de lado? ¿De dónde has sacado esa idea, por el amor de Dios?

—Realmente ahora tengo mucho sueño. Piensa en lo justo de mi requerimiento y mañana comunícame tu decisión. Buenas noches, Colin.

¿Requerimiento? Colin resopló al recordar el término. Alesandra se lo había exigido. Ya había tomado la decisión, y simplemente, era demasiado terca. Tampoco iba a dejar las cosas como estaban. Por el tono de voz que había empleado, Colin advirtió que se sentía herida en su orgullo, que consideraba que la habían dejado de lado.

—Lo pensaré —prometió él finalmente.

Ella no lo escuchó. Ya estaba profundamente dormida. Colin sopló las velas, abrazó con más fuerza a su esposa y, al minuto, se quedó dormido también.

Pero la casa no estaba completamente en silencio. Flannaghan seguía abajo, dando los toques finales al trabajo de su hermana. Había encomendado a Meg que sacudiera la tierra del salón y estaba repasando los rincones que ella había pasado por alto. Flannaghan era quisquilloso y perfeccionista. Hasta que sus hermanas no aprendieran al pie de la letra la rutina de la limpieza, él seguiría revisando el trabajo de las muchachas para asegurarse de que se hiciera como era debido.

Era más de la una de la madrugada cuando por fin terminó con el salón y apagó las velas. Estaba llegando al vestíbulo cuando lo sorprendió que llamaran a la puerta.

Como era tan tarde, Flannaghan no abrió para ver quién era. Primero espió por la ventana del lateral. Al reconocer al amigo de su patrón, quitó el seguro.

Morgan Atkins entró rápidamente. Antes de que Flannaghan tuviera tiempo de explicarle que Colin y Alesandra ya se habían retirado a dormir, Morgan dijo:

—Ya sé que es tarde, pero esta es una emergencia y debo hablar con Colin de inmediato. Sir Richards llegará en pocos minutos.

—Pero, milord, ya se ha acostado —tartamudeó Flannaghan.

—Despiértelo —gruñó Morgan. Luego suavizó el tono, para añadir—: Tenemos una crisis entre manos. Él querrá saber todos los detalles. Apresúrese, hombre. Sir Richards llegará en cualquier momento.

Flannaghan no discutió con el conde. De inmediato, subió las escaleras. Morgan lo siguió. Flannaghan pensó que el conde había subido también para aguardar a Colin en el estudio. Se volvió a medias para pedirle que lo esperara en el salón.

Una luz cegadora explotó en su cabeza. El dolor fue tan intenso, tan agotador, que lo doblegó. No hubo tiempo suficiente para pedir ayuda, ni fuerzas para pelear. Flannaghan cayó redondo al suelo, un instante después que le propinaran el golpe en la cabeza.

Cayó hacia atrás. Morgan lo agarró para que el mayordomo no hiciera ruido al caer por las escaleras. Luego lo apoyó contra la baranda.

Se quedó allí un rato contemplando al sirviente, para asegurarse de que no lo había atontado simplemente. Luego, seguro de que no despertaría durante un largo rato, se concentró en la tarea más importante que tenía entre manos.

Subió las escaleras. En un bolsillo llevaba la daga que planeaba usar contra Alesandra. En el otro, la pistola con la que mataría a Colin.

Su ansiedad no lo hizo menos cauteloso. Mentalmente había repasado su plan una y otra vez para asegurarse de no cometer errores.

Estaba contento de no haber cedido a sus impulsos de matarla antes. Había querido hacerlo... oh, sí, cuánto lo había deseado. Pero pudo contenerse. Hasta había suscrito una póliza de seguro con Morton e Hijos, nombrando a Colin como único beneficiario, por supuesto, para que él pareciera el único culpable de su muerte. Oh, sí, había sido muy inteligente en sus planes. La princesa lo había intrigado desde el primer momento que la vio. ¿Se sentiría más emocionado al matar a alguien de la realeza?

Sonrió imaginándolo. En pocos minutos más, tendría la respuesta.

Sabía cuál era la habitación de Alesandra. Se había enterado de ese detalle tan interesante la primera vez que visitó a Colin. Había conocido a Alesandra en el pasillo, justo en la puerta de la biblioteca. Cuando la oyó mencionar que debía ir a buscar algo a su habitación, la siguió con la mirada. Alesandra salió corriendo por el corredor, pasó ante la primera puerta y luego entró en la segunda. Oh, claro que era él el inteligente. Había archivado ese dato en su mente, por si lo necesitaba en el futuro y ahora le daría lo que necesitaba.

Quería matar a Alesandra primero. Seguramente habría una puerta que comunicara ambos cuartos, pero si no, la puerta del pasillo le serviría igualmente para sus propósitos. Quería que Alesandra gritara de terror y de dolor. Quería ver a Colin entrando a toda prisa, desesperado, para salvar a su amada esposa. Morgan esperaría a que Colin viera todo el cuadro, la sangre fluyendo del cuerpo sin vida de Alesandra y una vez que se hubiera hecho un festín con el horror y la desolación de la escena, lo asesinaría de un solo balazo, que introduciría exactamente en su corazón.

En realidad, Colin merecía una muerte lenta y agónica. Pero Morgan no podía correr semejante riesgo. Colin era un hombre peligroso y sería mejor matarlo de inmediato.

Sin embargo, la expresión de sus ojos, al ver a su esposa muerta o a punto de morir, quedaría grabada en la memoria de Morgan, durante mucho, mucho tiempo, para su profundo regocijo. Y eso tendría que bastarle, decidió, mientras recorría el oscuro pasillo.

Pasó por el estudio. Luego, por la puerta de la primera alcoba, que estaba en silencio como un cementerio. Casi no respiró hasta que llegó a la puerta que había visto abrir a Alesandra en aquella ocasión.

Estaba listo, tranquilo... ¡invencible! Y sin embargo, seguía esperando, más para regodearse con el triunfo que pronto sería suyo que por otro motivo. Se quedó escuchando el silencio durante largos minutos... esperando... dejando que la fiebre lo envolviera, lo quemara, lo fortaleciera.

Ambos merecían morir. Alesandra, por ser mujer, por supuesto. Colin, por haber arruinado las posibilidades que había tenido en el Departamento de Guerra. Sir Richards ya no confiaba en él y había fracasado por culpa de Colin. Si este lo hubiera acompañado en la misión, lo habría contenido para que no cediera ante la necesidad imperiosa de matar al ver a la hermana del francés. No habría pensado en lo suave que era la piel de esa muchacha, ni habría notado la inocente vulnerabilidad de sus ojos. Habría podido controlar la necesidad de tocarla con el arma blanca que tenía en las manos... Pero Colin no lo había acompañado y la suerte no estuvo de su lado esa vez. El hermano volvió de la ciudad más temprano de lo previsto y lo sorprendió cuando él deslizaba la daga dentro y fuera, dentro y fuera, en ese ritual erótico que le producía tanto placer. Los gritos habían alertado al hombre —esos gritos espeluznantes y tan necesarios, que servían para alimentar su pasión—. Si Colin hubiera estado allí, ambos hermanos estarían aún con vida. Habría podido controlarse —sí, sí, habría podido— y, oh Dios, ella había sido tan dulce...

El cuerpo de esa muchacha parecía de mantequilla contra su erección de acero, y sabía que el cuerpo de

Alesandra le produciría la misma sensación. Su sangre sería caliente y pegajosa cuando le corriera entre las manos, tan caliente y pegajosa como...

No se atrevió a esperar más. Después de que sir Richards le dijera que tanto él como Colin opinaban que no era adecuado para ese trabajo, Morgan aparentó estar decepcionado. Pero por dentro, ardía de furia. ¿Cómo se atrevían a creerlo inferior? ¿Cómo se atrevían?

En ese mismo momento decidió a asesinar a los dos. Había sido muy inteligente con sus planes, sin duda. Colin y Richards morirían accidentalmente, por supuesto, pero los planes sufrieron una modificación ese día, cuando al salir a pasear por el parque con Catherine se enteró de que Alesandra había tratado de convencerla de que no lo hiciera.

La estúpida arpía le había contado todo. Así, Morgan supo que todos sospechaban de él. Pero no había ni media pista que lo conectara a él con todas esas mujeres, ¿verdad? No, no. Estaba muy mal que pensara que era un hombre vulnerable. Era demasiado astuto para dudar de sí mismo.

Sin embargo, cambió todos sus planes sobre la marcha. Había estudiado cada detalle. Mataría primero a Alesandra por puro placer; luego a Colin y, antes de marcharse de esa casa, se aseguraría de que el mayordomo nunca más despertara.

Nadie podría acusarlo. Tenía la coartada perfecta. Estaba pasando la noche con la puta Lorraine, quien diría a todos los que le preguntaran que Morgan no se había movido de su cama en toda la noche. En su copa, Morgan había mezclado una gran dosis de láudano con el alcohol, de modo que, cuando ella se había dormido profundamente, él escapó por la ventana de atrás. Cuando la prostituta despertara de su sueño inducido por la droga, Morgan estaría nuevamente a su lado.

Oh, sí. Había pensado en todo. Se permitió sonreír de satisfacción. Extrajo la daga del bolsillo y posó una mano en el pomo de la puerta.

Colin escuchó el crujido de la puerta que se abría. Ya estaba despierto, a punto de ponerse a caminar para aliviar los calambres de su pierna lesionada, cuando el ruido le llamó la atención.

No perdió tiempo en quedarse a escuchar. Sus instintos le gritaban una seria advertencia. Alguien estaba en la habitación de Alesandra y él sabía que no era nadie del personal. Ninguno de los sirvientes se habría atrevido a entrar sin pedir permiso primero.

Colin se movió con la velocidad de un relámpago, pero sin hacer ruido. Extrajo la pistola cargada que tenía en el cajón de la mesa de noche y volvió con su esposa. Le tapó la boca con una mano y la arrastró con el otro brazo para sacarla de la cama. Su mirada y su pistola estaban fijas en la puerta que comunicaba su cuarto con el de Alesandra.

La princesa se despertó sobresaltada. La luz de la luna que se filtraba por la ventana fue lo suficientemente intensa para ver la expresión del rostro de su marido. Era aterradora. Se despabiló en un segundo. Algo iba muy mal. Por fin, Colin le destapó la boca y le hizo un gesto para que fuera al otro lado de la habitación. No la miró directamente. Tenía toda la atención concentrada en la puerta que comunicaba las habitaciones.

Alesandra trató de ir delante de él. Colin no la dejó. La tomó por el brazo y la puso detrás . Mientras se movían por la alcoba, Colin le daba la espalda todo el tiempo. Luego la empujó hacia un estrecho rincón, entre la pared y el pesado guardarropas. Estaba frente a ella, protegiéndola del ataque directo.

Alesandra no tenía idea de cuánto tiempo estuvieron allí. Si bien le pareció una eternidad, sabía que solo habían pasado unos pocos minutos.

Y luego la puerta se abrió lentamente. Una sombra cayó en la alfombra, seguida de una imagen borrosa. El intruso no entró a hurtadillas, sino que corrió con la determinación y la velocidad del demonio.

Los gritos bajos y guturales que daba producían escalofríos en Alesandra. Cerró los ojos con fuerza y comenzó a rezar.

Morgan sostenía un cuchillo en el aire, con una mano, mientras que en la otra llevaba una pistola. Como había entrado corriendo, su mente casi no tuvo tiempo de registrar que la cama estaba vacía. El sonido que estaba haciendo y que evidentemente no podía controlar, similar al maullido de un gato del demonio, totalmente inhumano, se convirtió en un rugido de ira, como el de un animal salvaje al que le arrebatan la presa. Morgan supo, aun antes de darse la vuelta, que Colin estaba allí, esperándolo. También supo que, como mucho, tendría un segundo para salvarse, pero era tan inteligente, tan superior... que estaba seguro de que ese segundo le bastaría.

Después de todo, él era invencible. En un único y fluido movimiento, se volvió, con la pistola lista y el índice acariciando el gatillo...

Su muerte fue instantánea. La bala que salió de la pistola de Colin entró por la sien izquierda de Morgan. Cayó al suelo, con los ojos abiertos y las armas en las manos.

—No te muevas, Alesandra.

Colin ordenó entre dientes. Ella asintió. Luego se dio cuenta de que él estaba dándole la espalda y que, por lo tanto, no podía verla aseverar con la cabeza. Las manos le dolían, pues había estado apretándolas con toda su fuerza contra el pecho. Se obligó a relajarse.

—Ten cuidado —le dijo ella, en una voz tan baja que dudó que Colin la hubiera oído.

Colin fue hacia el cuerpo, dio una patada a la pistola que Morgan tenía en la mano y luego se hincó sobre una rodilla para asegurarse de que estuviera muerto.

Suspiró violentamente. El corazón le latía a un ritmo muy veloz.

—Bastardo —masculló, y se puso de pie. Se volvió a Alesandra y le tendió la mano. Salió de su refugio con la vista fija en Morgan Atkins y lentamente avanzó hacia su marido. Colin la tomó entre sus brazos para que no siguiera mirando el horrendo cuadro.

—No lo mires —le ordenó.

—¿Está muerto?

—Sí.

—¿Querías matarlo?

—Rayos, sí.

Ella se recostó contra él. Colin la sintió temblar.

—Ya todo ha terminado, cariño. No puede lastimar a nadie.

—¿Estás seguro de que está muerto?

La voz de Alesandra temblaba de preocupación.

—Estoy seguro —le respondió, con un tono áspero e iracundo.

—¿Por qué estás enfadado?

Colin inspiró profundamente para tranquilizarse y luego le respondió.

—Es solo una reacción —le dijo—. Ese bastardo tenía unos planes horribles. Si tú hubieras estado durmiendo en tu habitación...

Colin no pudo seguir. La idea de lo que podía haber sucedido a Alesandra le resultaba tan aterradora que no podía ni siquiera pensar en ella.

Alesandra tomó la mano de su esposo y lo llevó a la cama. Suavemente lo empujó por los hombros para que se sentara.

—Pero nada me ha sucedido, gracias a tu instinto. Lo escuchaste en la otra habitación, ¿no es verdad?

La voz de la muchacha fue un murmullo tranquilizador. Colin asintió con la cabeza. Su esposa realmente trataba de serenarlo... Y eso era justamente lo que él necesitaba.

—Ponte la bata, cariño —le dijo—. No quiero que te enfríes. ¿Estás bien?

Colin la había sentado sobre su falda para hacerle esa pregunta.

—Sí —contestó ella—. ¿Y tú?

—Alesandra, si algo te sucediera, no sé qué haría. No puedo imaginarme la vida sin ti.

—Yo también te amo, Colin.

Su declaración de amor lo calmó. Expresó su placer con un sonido gutural, mientras llevaba a Alesandra a la cama, junto a él.

Colin inspiró profundamente y luego se levantó.

—Voy a despertar a Flannaghan para que vaya por sir Richards. Quédate aquí hasta...

Colin se interrumpió cuando ella se puso en pie de inmediato.

—Voy contigo. No quiero quedarme aquí con... él.

—Está bien, amor mío.

Le rodeó los hombros con el brazo y fueron hacia la puerta.

Alesandra temblaba otra vez. Colin no quería que el pánico volviera a hacer presa de ella.

—¿Acaso no dijiste que para ti Morgan era un verdadero seductor?

Ella se quedó boquiabierta.

—Claro que yo no dije semejante cosa. Catherine pensaba que era encantador. Yo no.

Colin no quería contradecirla. Tampoco quiso comentar que ella había escrito el nombre de Morgan Atkins en su lista de posibles candidatos para casarse, pues únicamente habría logrado perturbarla más de lo que estaba.

Solo había hecho aquel comentario para hacerla olvidar el hombre muerto junto al cual debían pasar para salir de la alcoba. Y le dio resultado. Alesandra apenas miró a Morgan. Estaba totalmente concentrada en fruncir el entrecejo a su esposo. El color le había vuelto a la cara.

—Sospeché de Morgan desde el momento en que lo conocí —dijo ella—. Bueno, casi desde el momento en que lo conocí —añadió al ver la incrédula mirada de Colin.

No discutió con ella. Llegaron al pasillo y justo entonces Colin se dio cuenta de que estaba desnudo. Regresó a la habitación, se puso unos pantalones y cubrió a Morgan con una manta que sacó del guardarropas. No quería que Alesandra volviera a ver la cara de ese bastardo. Y él tampoco quería verla.

Flannaghan no estaba en su cuarto. Lo encontraron en las escaleras, cerca del vestíbulo. Alesandra estaba mucho más perturbada por lo que le había sucedido al mayordomo que por el fallecimiento de Morgan. Se puso a llorar desconsoladamente y se aferró de la mano de Flannaghan hasta que Colin la convenció de que solo lo habían dejado inconsciente por un fuerte golpe. Cuando Flannaghan se quejó, la princesa comenzó a calmarse.

Una hora después, la casa se llenó de visitas. Colin había hecho señas a un vehículo que pasaba para que se detuviera. Envió al cochero a buscar a sir Richards, Caine y Nathan. Los tres hombres llegaron con apenas cinco minutos de diferencia.

Sir Richards interrogó primero a Flannaghan y luego lo mandó a la cama. Alesandra estaba sentada en el sillón, acompañada por Caine a un lado y Nathan al otro. Ambos hombres competían entre sí por reconfortar a la muchacha. Alesandra pensó que la preocupación de los dos era muy dulce, por lo que soportó pacientemente las constantes palmadas en el hombro de Nathan y las esporádicas palabras de condolencia de Caine, que no tenían mucho sentido.

Colin entró en el salón y meneó la cabeza al encontrarse con el insólito trío. Casi no podía ver a su esposa, pues Caine y Nathan estaban estrujándola literalmente con sus anchos hombros.

—Nathan, mi esposa no puede ni respirar. Muévete. Tú también, Caine.

—Estamos dándole todo nuestro apoyo en estos momentos que tanto lo necesita —dijo Caine.

—Por supuesto que sí —lo respaldó Nathan.

—Debe de haber sido un susto terrible para usted, princesa.

Fue sir Richards quien desde la puerta del salón expresó esa conclusión. Entró a toda prisa y ocupó la silla que estaba frente a ella.

El director apenas había podido recuperarse. Obviamente, estaba acostado cuando recibió la noticia, porque tenía los cabellos alborotados y apenas había terminado de abotonarse los pantalones. Los zapatos tampoco eran del mismo par. Si bien eran los dos negros, solo uno de ellos llevaba las borlas wellington.

—Vaya susto —dijo Caine.

Nathan volvió a darle unas palmadas, pero en la rodilla, para calmarla. Alesandra miró a Colin. El brillo en sus ojos indicó que la muchacha estaba a punto de reírse a carcajadas. Colin pensó que estaba sonriendo, pero no pudo asegurarlo porque solo veía una parte del rostro de su esposa. El resto estaba oculto tras los hombros de Caine y de Nathan.

—Levántate, Nathan. Quiero sentarme junto a mi esposa.

Nathan le dio la última palmada antes de cambiarse de silla. Cuando Colin ocupó su lugar, estrechó con fuerza a Alesandra.

—¿Cómo lo mataste? —le preguntó Nathan.

Caine hizo un gesto en dirección a Alesandra y negó con la cabeza a su cuñado como reprobándole la pregunta por la presencia de la joven. Pero ella no se dio cuenta. Como nadie le contestaba, decidió hacerlo ella.

—De un balazo limpito. Entró directamente por la sien izquierda —dijo ella.

—Colin siempre ha tenido una gran puntería —señaló sir Richards.

—¿Le sorprendió que fuera Morgan, sir Richards? —preguntó ella.

El director asintió.

—Jamás lo habría creído capaz de semejante atrocidad. Dios, ¡y pensar que le di trabajo en mi departamento! Por el modo en que echó a perder la única misión que le encomendé, me di cuenta de que le faltaba la intuición necesaria para esto. Dos hermanos fueron asesinados por su ineptitud.

—Tal vez no fue ineptitud —dijo Colin—. Richards, usted me dijo que esa muchacha se había interpuesto en el camino accidentalmente. Pero yo me pregunto si Morgan no la habría matado deliberadamente. Fue él quien hizo el informe, ¿no?

Richards se inclinó hacia delante.

—Averiguaré la verdad —prometió sir Richards—. Juro por Dios que lo haré. Me pregunto qué lo habrá hecho reaccionar así esta noche. ¿Por qué habría decidido arriesgarse así para venir por Alesandra? A las otras mujeres las llevó a un lugar apartado, pero por ella vino hasta aquí. Tal vez con el tiempo fue ganando coraje.

—Probablemente Catherine sea la razón por la que Morgan decidió arriesgarse —intervino Caine—. Ella debió de decirle que Alesandra había tratado de disuadirla para que no fuera a cabalgar con él por el parque. A Catherine le encanta contar todo lo que sabe a todo el mundo. Tal vez Morgan llegó a la conclusión de que sospechábamos de él.

Nathan meneó la cabeza.

—Ese cretino estaba loco.

Colin estuvo de acuerdo.

—Por los sonidos que emitía cuando se metió en mi cuarto, me di cuenta de que estaba fuera de sus cabales.

—Realmente gozaba matando.

Fue Caine quien hizo el comentario con tono enfático. Alesandra sentía escalofríos al pensar que una persona podía gozar ante el dolor de otro ser humano.

—Tal vez nunca habríamos hallado la verdad si Morgan no hubiera venido por Alesandra esta noche —dijo Nathan—. Neil pudo haber ido a la horca por dos crímenes que no cometió.

—¿Qué relación tenía Morgan con lady Roberta? ¿Tuvo algún romance con ella o simplemente la escogió al azar? —preguntó Alesandra.

Nadie tuvo una respuesta rápida para su pregunta. Richards decidió especular.

—Todo el mundo sabía que el vizconde y su esposa tenían problemas. Tal vez Morgan aprovechó la vulnerabilidad de lady Roberta. Quizá para ella fue un halago recibir regalos y notas de ese... Admirador Secreto.

—Al final habríamos atrapado a Morgan —dijo Caine—. Él habría cometido otros errores. Estaba totalmente descontrolado.

—Catherine pensaba que era encantador.

Nathan hizo el comentario resoplando.

Caine meneó la cabeza.

—Sí —dijo Colin—. Le encantaba asesinar a las damas.

16

Ya habían pasado tres meses de la muerte de Morgan y Alesandra todavía seguía pensando en ese hombre horrible, por lo menos una vez al día. La madre superiora le había enseñado que había que rezar mucho por las almas de los pecadores, pues ellos necesitaban de las oraciones mucho más que los santos. Pero por alguna razón, Alesandra todavía no había podido rezar por él. Trataba de dejar atrás los recuerdos de esa noche espantosa. Sin embargo, no quería olvidar a Victoria, por lo que rezaba una oración por ella todas las noches antes de acostarse. También rezaba por Roberta. Estaba convencida de que las dos mujeres habían sufrido su purgatorio mientras estuvieron en este mundo y en las crueles manos de Morgan y que en ese momento ya estaban en paz con el Creador, en el Cielo.

Nathan y Sara se preparaban para su viaje de regreso a la isla. Caine había invitado a Colin y a Alesandra a su casa a una cena de despedida que había organizado para toda la familia. La comida fue elegante, pero demasiado sustanciosa y Jade se puso verde cuando llegó el segundo plato. De repente, se levantó de la mesa bruscamente y salió corriendo del comedor. Caine no mostró mucho pesar por el evidente malestar de su esposa. En realidad sonrió con masculina arrogancia.

No era típico en Caine ser tan insensible. Cuando Alesandra le preguntó por qué no le preocupaba la salud de su esposa, la sonrisa de Caine se hizo mayor. Jade, explicó, estaba embarazada otra vez y cuando se descomponía detestaba que su esposo estuviera detrás de ella mientras debía soportar el tortuoso ritual de las náuseas matinales y nocturnas.

Todo el mundo dio unas palmadas en los hombros de Caine e hicieron varios brindis. Luego, Colin y Nathan, con sus respectivas esposas, fueron al salón.

Sterns llamó a Sara para que subiera a darle de comer a la impaciente niña. Alesandra se sentó junto a su esposo y escuchó la conversación entre ambos socios. Surgió el tema de las grandes cantidades de dinero que habían ingresado en la cuenta bancaria del astillero. Nathan quería saber de dónde rayos provenía ese dinero. Colin estaba sorprendido por la nota de enfado en la voz de su socio. Alesandra entendía la reacción de Nathan. Sabía que creía que Colin trabajaba nuevamente para el director.

Colin explicó cómo se sentía Alesandra con respecto a la herencia que su padre le había legado. Añadió que creía que la habían dejado de lado porque se había aceptado el dinero de Sara y no el de ella.

—El ingreso que figura en la cuenta es exactamente la misma cantidad que habríamos recibido de Sara si ese codicioso gobernante no se hubiera apoderado del dinero —dijo Colin.

Nathan meneó la cabeza.

—Alesandra, el regalo que ha hecho a Joanna fue suficiente —dijo. Levantó la vista y miró la hermosa réplica de oro de su barco favorito, el *Esmeralda,* situada en la repisa de la chimenea.

Colin también miró el pequeño tesoro. Sonrió porque Nathan lo había puesto allí.

—Es hermoso, ¿no?

—Uno no puede dejar de mirarlo y de deleitarse con su belleza —dijo Nathan con una sonrisa—. Lo llevaremos a casa con nosotros.

—Me alegra que te agrade —dijo Alesandra. Se volvió hacia su esposo para sugerir la idea de solicitar al artesano que hiciera otra réplica para él. Pero Nathan interrumpió los pensamientos cuando dijo que ni él ni Colin necesitaban más dinero de su herencia. Ya se habían recuperado financieramente.

—Use el dinero en la casa de la ciudad que Colin le ha comprado —le sugirió.

Alesandra negó con la cabeza.

—Mi esposo usó el dinero recibido por el jugoso pago de un contrato de seguros, Nathan. Hay muy pocas cosas que hacerle al castillo. Ojalá pueda verlo por dentro antes de marcharse. Solo queda a una calle de la casa que hemos alquilado. Es tan grande y acogedor...

Colin dejó de mirar el barco para concentrarse en su esposa.

—No es un castillo, cariño.

—Oh, claro que sí —lo contradijo ella—. Es nuestra casa, Colin, y por lo tanto, nuestro castillo.

Colin no pudo culparla por razonar de ese modo.

—Entonces eso quiere decir que ahora soy propietario de dos castillos —dijo, riendo—. Y de una princesa.

Extendió las piernas y rodeó los hombros de su esposa con un brazo. Nathan quería seguir discutiendo el tema del dinero, pero se dio cuenta de que Alesandra no cedería.

Finalmente aceptó la derrota.

—Caramba —murmuró.

—¿Y ahora qué? —preguntó Colin.

—Si hubiera sabido que tu esposa nos regalaría parte de su herencia jamás habría vendido mis acciones.

¿Todavía no sabes quién las compró? Tal vez podamos volver a comprarlas nosotros.

Colin negó con la cabeza.

—Dreyson no quiere decírmelo —explicó—. Dice que, si lo hace, faltaría a su palabra con el comprador.

—Déjame hablar con él —sugirió Nathan—. Solo dame cinco minutos y lo confesará todo.

Alesandra trató de serenar a Nathan.

—Dreyson es extremadamente honrado. Mi padre jamás habría hecho negocios con él si no lo hubiera creído un hombre de honor. Y como yo soy hija de mi padre, Nathan, sigo sus pasos. Apuesto hasta la última moneda que tengo a que no lograrás arrancarle una palabra si él cree que con eso faltará a su palabra. Deberás ceder.

—Colin y yo tenemos derecho a saber quién es el dueño —arguyó Nathan.

Colin cerró los ojos y bostezó mientras escuchaba la conversación. Un comentario que su esposa acababa de hacer lo despabiló.

Era hija de su padre. Colin abrió los ojos y lentamente volvió la atención a la réplica de oro.

Recordó entonces el barco de oro que estaba en la repisa de la chimenea de su padre... y la broma que el padre de Alesandra había hecho al suyo colocando los documentos en el interior de la pieza.

Entonces lo supo. Alesandra era hija de su padre, claro que sí. Los certificados de las acciones estaban escondidos en el interior del barco. Colin se quedó atónito ante la revelación. La expresión de su rostro, al mirar a su esposa, manifestó su sorpresa.

—¿Sucede algo, Colin?

—No me mentirías, ¿verdad, cariño?

—No, por supuesto que no.

—¿Cómo lo hiciste?

—¿Hacer qué?

—Tú no eres la propietaria de las acciones. Yo le pregunté a Dreyson y me dijo que no. Tú también me dijiste que no eras la dueña.

—No lo soy.

—¿Por qué rayos...?

Se detuvo cuando Colin le señaló el barco. Se dio cuenta de que, por fin, su esposo había adivinado la verdad.

Ya estaba en su sexto mes de embarazo y cada día se sentía más pesada, pero no había perdido la lucidez ni la rapidez para ciertas cosas. Rápidamente, se puso de pie y fue hacia la puerta..

—Creo que iré a ver a Sara. Me encanta tener a Joanna entre los brazos. Tiene una sonrisa de lo más deliciosa.

—Vuelve aquí.

—Prefiero no hacerlo, Colin.

—Quiero hablar contigo. Ahora.

—Colin, no deberías perturbar a tu esposa. Está embarazada, por el amor de Dios.

—Mírala, Nathan, ¿te parece perturbada? Yo creo que es culpable.

Alesandra demostró su exasperación ante su esposo. Nathan le guiñó un ojo cuando ella volvió al sofá. Puso una mano sobre la otra y miró a Colin con expresión ceñuda.

—Será mejor que no te enojes, Colin. Nuestro bebé puede sufrir.

—Pero tú no estás perturbada, ¿verdad, cariño?

—No.

Colin dio unas palmadas en el almohadón que estaba junto a él. Ella se sentó y alisó su vestido.

Alesandra bajó la vista. Colin la miró.

—Están dentro del barco, ¿no?

—¿Qué hay dentro del barco? —preguntó Nathan.

—Los certificados de las acciones —respondió Colin—. Alesandra, te he hecho una pregunta. Por favor, respóndeme.

—Sí, están dentro del barco.

Respiró aliviado. Estaba tan contento de que esos certificados no estuvieran en poder de un extraño que sentía deseos de reír.

Alesandra se puso colorada.

—¿Cómo lo hiciste? —le preguntó.

—¿Hacer qué?

—¿Están a mi nombre? Nunca se me ocurrió preguntar eso a Dreyson. ¿Yo soy el dueño?

—No.

—¿Entonces están a nombre de Nathan?

—No.

Colin esperó un largo minuto para ver si confesaba. Pero ella permaneció en un obstinado silencio. Nathan estaba rotundamente confundido.

—Solo quiero hablar con el propietario, Alesandra, para ver si está dispuesto a vendernos las acciones otra vez. Juro no intimidarlo.

—El propietario no puede hablar, Nathan. Además, no es legalmente posible comprar esas acciones... No por ahora.

Se volvió para mirar a su marido.

—Admito que he interferido un poco, esposo, pero en esa época te habías puesto terco como una mula con mi herencia. Entonces, debí recurrir a una mentirijilla.

—Igual que tu padre —le dijo.

—Sí. Igual que mi padre. Él no se habría enojado conmigo. ¿Tú lo estás?

Colin no pudo evitar observar que su esposa no estaba muy preocupada por esa posibilidad. La joven le brindó una sonrisa radiante que casi le cortó la respiración. Definitivamente iba a volverlo loco uno de esos días. No había nadie más maravilloso que ella en su vida.

Colin la besó.

—Ve a despedirte de Sara. Luego tú y yo regresaremos a nuestro castillo. Me duele la pierna y necesito tus cuidados.

—Colin, es la primera vez que te oigo hablar de tu pierna —dijo Nathan.

—Ya no está tan sensible como antes. El dolor de esa pierna nos salvó la vida, después de todo. Si no se hubiera despertado esa noche, no habría escuchado a Morgan en el otro cuarto. La madre superiora me decía que siempre hay una razón para todo. Creo que tenía razón. Tal vez ese tiburón le arrancó un pedazo de pierna para que, en el futuro, esa lesión le sirviera para salvarme a mí y a nuestro hijo.

—¿Voy a tener un hijo? —preguntó Colin, sonriendo por el realismo en la voz de Alesandra.

—Oh, sí. Eso creo —contestó ella.

Colin miró hacia arriba.

—¿Le has encontrado un nombre?

El brillo volvió a los ojos de la princesa.

—Lo llamaremos Delfín o Dragón. Ambos nombres son apropiados. Después de todo, el pequeño es hijo de su padre.

Alesandra salió del salón oyendo las carcajadas de su marido. Dio unas palmadas sobre su abultado vientre y susurró.

—Cuando me sonríes y me muestras el lado tierno de tu personalidad, pienso en ti como en mi delfín. Y cuando estás enfadado conmigo porque no puedes salirte con la tuya, se me ocurre que eres mi dragón. Te amo con todo mi corazón.

—¿Qué está murmurando? —preguntó Nathan a Colin.

Ambos hombres miraron a Alesandra hasta que se volvió y subió las escaleras.

—Está hablando con mi hijo —confesó Colin—. Parece creer que él puede escucharla.

Nathan rió. Nunca había escuchado algo tan absurdo.

Colin se puso de pie y fue hacia la repisa. Encontró la traba inteligentemente oculta por una escotilla lateral del barco y la abrió. Los certificados de las acciones estaban enrollados en un tubo y atados con una cinta rosa.

Nathan lo vio extraerlos, desenrrollarlos y leer el nombre del propietario.

Luego Colin se echó a reír. Nathan se puso de pie de un salto. La curiosidad estaba matándolo.

—¿Quién es el dueño, Colin? Dime el nombre y yo hablaré con él.

—Alesandra dijo que el dueño no hablaría contigo —contestó Colin—. Tenía razón. Tendrás que esperar.

—¿Cuánto? —preguntó Nathan.

Colin entregó los certificados a su socio.

—Hasta que tu hija aprenda a hablar, me imagino. Todas están a nombre de Joanna, Nathan. Ninguno de los dos podremos comprarlas. Ambos hemos sido nombrados como coalbaceas.

Nathan estaba atónito.

—¿Pero cómo lo supo? Las acciones fueron vendidas antes de que ella conociera a Sara y a Joanna.

—Tú me contaste en tu carta cómo se llamaba tu hija —recordó Colin a su amigo.

Nathan se sentó con una sonrisa en los labios. La empresa estaba a salvo de intrusos.

—¿Adónde vas, Colin? —le gritó, al ver que su socio salía del salón.

—A casa, a mi castillo —dijo Colin—. Con mi princesa.

Comenzó a subir las escaleras para ir a buscar a su esposa. La melodía de las risas de Alesandra llegó hasta sus oídos, por lo que se detuvo a escucharla y disfrutar de ella.

La princesa había sometido al dragón.

Sin embargo, el dragón era el triunfador, pues había conquistado el amor de la princesa.

Era feliz.